SCRIPTORUM CLASSICORUM

BIBLIOTHECA OXONIENSIS

OXONII

E TYPOGRAPHEO CLARENDONIANO

LONDINI ET NOVI EBORACI

APUD GALFRIDUM CUMBERLEGE

HELLENICA OXYRHYNCHIA

CVM

THEOPOMPI ET CRATIPPI FRAGMENTIS

RECOGNOVERVNT

BREVIQVE ADNOTATIONE CRITICA INSTRVXERVNT

BERNARDVS P. GRENFELL

PAPYROLOGIAE APVD OXONIENSES PROFESSOR, COLLEGII REGINAE SOCIVS

ET

ARTVRVS S. HVNT

PAPYROLOGIAE APVD OXONIENSES PRAELECTOR, COLLEGII REGINAE SOCIVS

OXONII

E TYPOGRAPHEO CLARENDONIANO

OXONII
Excudebat Horatius Hart
Typographus academicus

PRAEFATIO

QVAE ante hos duos annos in Papyrorum Oxyrhyn-
chiarum parte quinta Historici fragmenta sub titulo
Theopompi vel Cratippi Hellenica edidimus huicne
an illi an tertio alicui scriptori debeantur nondum inter
viros doctos constat. Nos Vdalrici Wilamowitz-
Moellendorff et Eduardi Meyer iudicio maxime freti
Theopompo dubitanter suffragati sumus, quam sen-
tentiam postea defenderunt G. Busolt, H. Weil,
V. Wilcken, atque mox ipse suis verbis defensurus
est E. Meyer. Cratippi contra, cui primus fragmenta
ascripsit amicus noster valde deflendus Fridericus
Blass, amplexi sunt causam J. B. Bury, A. von Mess,
E. M. Walker. Neque desunt qui utrumque aspernati
prorsus alio decurrant, velut G. de Sanctis, qui Atthi-
dographum Androtionem libri auctorem fuisse soller-
tius quam credibilius probare conatus est, vel K. Fuhr
et G. E. Underhill, qui ignoto cuidam tribuendum esse
censent. Nempe adhuc sub iudice lis est : sed utcum-
que se res habet, non inutile nobis visum est papyri
Oxyrhynchiae exemplo minori recognitas Theopompi
quoque et Cratippi reliquias subiungere. Hae apud
Historicorum Graecorum Fragmenta a Carolo Mueller
collecta hodie leguntur, cuius opus multis sane nomi-
nibus laudandum duobus vitiis laborat, cum quod ab
editionibus vetustioribus et minus accuratis pendet,
tum quod Mueller ordinem ab R. H. E. Wichers

(Lugduni Batav., 1829) institutum secutus incertae sedis fragmenta saepius, ut nobis quidem videtur, quasi in locum certum audacter rettulit. Praeterea progrediente doctrina locos alios a Grammaticis citatos Theopompo Chio perperam esse ascriptos compertum est, innotuerunt alii sine dubio germani. Ab integro igitur numeranda esse fragmenta inviti statuimus : ordinem veterem cum nostro collatum ad finem exhibemus. Qua in re hoc est nostrum consilium ut ea quae sine libri numero laudata sint non nisi satis magna adducti probabilitate libro attribuerimus, asterisco distinctis incertioribus ; cetera omnia secundum seriem scriptorum unde sunt hausta digestis in litteram nominibus disposita sunt. Eo etiam differt Muellerianum a nostro corpore, quod nos plerumque ubi Theopompum de eadem re laudant vel aperte respiciunt complures auctores, quo melius ipsius verba eliciantur, non unum tantum sed omnes fere locos inter se comparandos exscripsimus, editionibus recentissimis optimisque pro nostra parte usi.

De papyro Oxyrhynchia numero 842 notata atque huius exempli ratione pauca sunt addenda. Inventae sunt a nobis ineunte anno 1906 disiectae voluminis reliquiae, quibus quoad fieri potuit coniunctis ordinatisque exstant xxi columnae in quattuor membra quae litteris A, B, C, D designavimus incertis intervallis divisa. Quorum membrorum quin postremum fuerit D, ubi res anno A.C. 395 gestae memoratae sunt, vix dubitari potest, reliquorum nondum manifesta sedes. Nos quibus adducti indiciis ordinem statuerimus in editione maiore diserte explicavimus atque hic repetere longius esset : illud dixerim, dispositionem nostram

neminem adhuc immutare voluisse. Falsa autem est ea
quidem opinio quam nuper protulit vir doctus et nobis
amicus G. E. Underhill, nihil omnino inter A Col. iii
et B Col. i deesse, cum ex papyri parte adversa liqueat
intercidisse unam saltem columnam. Tergum enim
rotuli papyracei occupant Hellenica nostra, qui iam
circa annum P.C. 150 ad colonorum quorundam album
conscribendum adhibitus erat: ipsa exeunte eodem
saeculo vel ineunte tertio tandem addita esse e littera-
rum ductu iudicamus. Operi interfuerunt librarii duo:
alterius uncialis quae vocatur scriptura est, forma
tamen exigua ac gracili; compendia rara, rariores
spiritus et accentus. Altera manus, cuius tantum sunt
columnae quinta et sexta, incultior erat atque hoc
etiam priori dissimilis quod punctis crebris et iota
adscripto utebatur. Errores, ut par est, ambo ad-
miserunt, quorum nonnulli statim sublati sunt, com-
plures et librarium et lectorem fugerunt.

Eandem fere viam sequitur hic libellus quam in
Hyperide Bibliothecae Oxoniensis causa edendo iniit
F. G. Kenyon noster, incumbentibus nobis ut textum
quam optimum eundemque legentium oculis accom-
modatissimum praebeamus. Igitur et in litteris per-
ditis reficiendis lacunarum supplementa quae satis
certa visa sunt sine uncis damus, neque litteras mutilas
dubiasque suppositis punctis distinguimus; si quis
papyri testimonium plenius et accuratius cognoscere
volet, editionem principem adeat. Orthographiam
usitatam tacite plerumque revocavimus, ita ut ubi
πολειτης, γεινεσθαι, εκθρα, εισι οι, similia scripserit
librarius, nos πολίτης, γίγνεσθαι, ἔχθρα, εἰσὶν οἳ sine
adnotatione imprimenda curaverimus.

PRAEFATIO

Restat ut adiutoribus nostris gratias breviter agamus : inter quos nominandi sunt I. Bywater, qui Diogenis Laertii codicum lectiones aliquot benigne nobiscum communicavit ; F. Jacoby, qui magna cum benevolentia de fragmentis quibusdam a Mueller neglectis certiores nos fecit ; E. Meyer, cuius consilio in Theopompi Hellenicorum reliquiis disponendis usi sumus ; B. Niese, cui Stephani Byzantini librorum manu scriptorum lectiones interdum accuratiores debemus ; W. Schubart, qui papyri Berolinensis Didymi de Demosthene commentarium continentis locos nonnullos in usum nostrum denuo excussit. Quos omnes grata memoria tenemus et tenebimus.

Interruptum infeliciter opusculum adversa collegae mei valetudine non diutius tardandum existimavi, etsi satis multa quae incerta atque integra reliqueramus prelo sum daturus : quod ita velim legatur, ut illi si quid bonae frugis invenerint dent critici, errores mihi ascribant.

A. S. H.

Scribebam mense Martio M.DCCCC.IX

Qui post Hellenicorum editionem principem lectiones novas proposuerunt hi fere sunt :—

V. Ph. Boissevain *Berl. Phil. Wochenschr.* Feb. 8, 1908, 189-90.

W. Croenert *Lit. Zentralbl.* Jan. 4, 1908, 19-24.

K. Fuhr *Berl. Phil. Wochenschr.* Feb. 1, 1908, 156-8; Feb. 15, 1908, 195-200 ; Feb. 27, 1909, 281.

G. de Sanctis *Atti d. R. Accad. d. Scienze di Torino*, vol. xliii, 1908.

V. Wilcken *Hermes* xliii. pp. 475-7.

Coniecturas privatim nobis impertierunt F. W. Hall, W. L. Newman, H. P. Richards, V. Wilcken.

Praeterea de auctore et de rebus quarum meminit egerunt :—

V. Costanzi *Studi stor. per l'ant. class.* i, 1908.

G. Busolt *Hermes* xliii. pp. 255-85.

G. Glotz *Bull. Corr. Hell.* 1908, pp. 271-8.

W. A. Goligher *Class. Rev.* xxii. pp. 80-2 ; *Eng. Hist. Rev.* xxiii. pp. 277-83.

A. von Mess *Rhein. Mus.* lxiii. pp. 370-91; lxiv. pp. 235-43.

W. Rhys Roberts *Class. Rev.* xxii. pp. 118-22.

G. E. Underhill *Journ. Hell. Stud.* xxviii. pp. 277-90.

E. M. Walker *Class. Rev.* xxii. pp. 87-8 ; *Klio* viii. pp. 356-71.

H. Weil *Journ. d. Savants* pp. 306-8.

SIGLA

𝔭 = Papyrus (sive Oxyrh. 842 Hellenicorum seu Berolin. 9780 Didymi sive alia).

Unci [ ] lacunam, ⟨ ⟩ omissionem, { } delendum aliquid indicant.

Puncta . . . . . litteras mutilas, [. . . . .] litteras perditas, lineolae [– – –] lacunam maiorem monstrant.

Numeri versuum in exteriore paginae parte additi (*5*) (*10*) (*15*) &c. editionis principis sunt.

ci. = coniecit, coniecerunt, coniectura

G-H = Grenfell-Hunt

M = Mueller, *Hist. Graec. Frag.*

Codices Athenaei (ed. Kaibel, 1887)

        A = Marcianus

        C = Parisinus (epit.)

        E = Laurentianus (epit.)

Codices Diogenis Laertii

        B = Neapolitanus 253 (Burbonicus)

Codices Stephani Byzantini (ed. Meineke, 1849)

        R = Rhedigeranus

        V = Vossianus

        Π = Perusinus

        P = Palatinus, Pp Palatinus uterque

    Ald. = ed. Aldina.

Cetera se ipsa satis explicabunt.

HELLENICA OXYRHYNCHIA

Ὑπὸ δὲ τοὺ[ς αὐτοὺς χρόνο]υς ἐξέπλευσε τριήρης Ἀθή-
νηθεν [οὐ μετὰ τῆς τοῦ] δήμου γνώμης, ἰ[δίᾳ] δὲ Δημαίνετος
ὁ κύριος αὐτῆς κοινωσάμενο[ς ἐν] ἀπορρήτῳ τῇ βουλῇ, ὡς   (5)
λέγεται, περὶ τοῦ πράγματος, ἐπειδὴ [σ]υν[έσ]τησαν αὐτῷ
5 τ[ῶν] πολιτῶν, συγκαταβὰς εἰς Πειραιᾶ καὶ καθ[ελκύσας]
ναῦν ἐκ τῶν νεωσοίκων ἀναγόμεν[ος ἔπλει πρὸ]ς Κόνωνα.
θορύβου δὲ μετὰ ταῦτα γε[νομένου,] καὶ τῶν Ἀθηναίων 2
ἀγανακτούντω[ν ὅσοι γνώ]ριμοι καὶ χαρίεντες ἦσαν καὶ   (10)
λεγ[όντων ὅτι δια]βα[λοῦ]σι τὴν πόλιν ἄρχοντες πολέ[μου
10 πρὸς Λακ]εδαιμονίους, καταπλαγέντες οἱ β[ουλευταὶ τὸ]ν
θόρυβον συνήγαγον τὸν δῆμον οὐδὲν προσποιούμενοι μετε-
σχηκέναι τοῦ πράγματος. συνεληλυθότος δὲ τοῦ πλήθους   (15)
ἀνιστάμενοι τῶν Ἀθηναίων οἵ τε περὶ Θρασύβουλον καὶ
Αἴσιμον καὶ Ἄνυτον ἐδίδασκον αὐτοὺς ὅτι μέγαν ἀροῦνται
15 κίνδυνον εἰ μὴ τὴν πόλιν ἀπολύσουσι τῆς αἰτίας. τῶν δὲ 3
Ἀθηναίων οἱ μὲν ἐπιεικεῖς καὶ τὰς οὐσίας ἔχοντες ἔστεργον   (20)
τὰ παρόντα, οἱ δὲ πολλοὶ καὶ δημοτικοὶ τότε μὲν φοβηθέντες
ἐπείσθησαν τοῖς συμβουλεύουσι, καὶ πέμψαντες πρὸς Μίλωνα
τὸν ἁρμοστὴν τὸν Αἰγίνης εἶπον ὅπως δύναται τιμωρεῖσθαι
20 τὸν Δημαίνετον, ὡς οὐ μετὰ τῆς πόλεως ταῦτα πεποιηκότα·   (25)

Vtrum rotuli pars A partem B antecedat an sequatur dubium est,
illud tamen veri similius habemus   2 ἰ[δίᾳ] Wilamowitz: tentabamus
etiam ᾖ[ρχε, quod praefert Wilcken   3 κύριος αὐτῆς : Κυνοσάργης
(Bury) legi potest   ἐν] : γὰρ ci. Wilcken   ἀπορητω ℙ ; ἀπορρήτω⟨ς⟩
ci. Wilcken   5 ⟨τινες⟩ τ[ῶν] ed. 1, sed supplemento non opus esse
monet Boissevain   συ⟨χ⟩ν[οί], καταβὰς ci. Wilamowitz (συν[in fine
versus ℙ)   11 ουθεν ℙ   14 ἀροῦνται Boissevain, Fuhr : αιρουνται
ℙ, ⟨ἀν⟩αιροῦνται H. Richards   16 επεικεις ℙ   18 Rectius fortasse
hic et III. 1, 2 Χίλων, ut apud Aesch. ii. 78 et Harpocrat., si quidem de
viro eodem agitur

ἔμπροσθεν δὲ σχεδὸν ἅπαντα τὸν χρόνον ἐτάραττον τ[ὰ
πράγ]ματα καὶ πολλὰ τοῖς Λακεδαιμονίοις ἀ[ντέπρα]ττον.

II ἀπέπεμπον μὲν γὰρ ὅπλα τε καὶ ὑπηρεσίας ἐπὶ τὰς ναῦς τὰς

(30)   μετὰ τοῦ Κ[όνωνος, ἐπέμ]φθησαν δὲ πρέσβεις ὡς βασιλέα
π[. . . . . οἱ περὶ .]π[.]κρ[.]κράτη τε καὶ Ἀγνίαν καὶ Τελεσήγορον, 5
οὓς καὶ συλλαβὼν Φάραξ ὁ πρότερον ναύαρχος ἀπέστειλε

2 πρὸς τοὺς Λακεδαιμονίους οἳ ἀπέκτειναν αὐτούς. ἠναντιοῦντο

(35)   δὲ ταῦτα παροξυνόντων τῶν περὶ τὸν Ἐπικράτη καὶ Κέφαλον·
οὗτοι γὰρ ἔτυχον ἐπιθυμοῦντες μάλιστα τὴν πόλιν ⟨ἐκπολε-
μῶσαι⟩, καὶ ταύτην ⟨τὴν γνώμην⟩ ἔσχον οὐκ ἐπειδὴ Τιμο- 10

Col. ii   κράτει διελέχθησαν καὶ τὸ χρυσίον [ἔλαβον, ἀλλὰ καὶ πολὺ]
(A Col. ii)   πρότερον.   καίτοι τινὲς λέγ[ουσιν αἴτια γενέσθ]αι τὰ παρ'
ἐκείνου χρήματα τ[οῦ σ]υ[στῆναι τούτους καὶ] τοὺς ἐν Βοιωτοῖς

(5)   καὶ τοὺς ἐ[ν τ]α[ῖς ἄλλαις πόλεσι τ]αῖς προειρημέναις, οὐκ
εἰδότες ὅτι π[ᾶσιν αὐτοῖς συ]νεβεβήκει πάλαι δυσμενῶς ἔχειν 15
[πρὸς Λακεδαιμο]νίους καὶ σκοπεῖν ὅπως ἐκπολεμώ[σουσι] τ[ὰς
πόλει]ς.   ἐμίσουν γὰρ οἱ μὲν Ἀργεῖοι καὶ Βοιωτ[οὶ . . . .]-
γωται τοὺς Λακεδαιμονίους ὅτι τοῖς ἐναντίοις τῶν πολιτῶν

(10)   αὐτοῖς ἐχρῶντο φίλοις, οἱ δ' ἐν ταῖς Ἀθήναις ἐπιθυμοῦντες
ἀπαλλάξαι τοὺς Ἀθηναίους τῆς ἡσυχίας καὶ τῆς εἰρήνης καὶ 20
προαγαγεῖν ἐπὶ τὸ πολεμεῖν καὶ πολυπραγμονεῖν, ἵν' αὐτοῖς

(15)   3 ἐκ τῶν κοινῶν ἢ χρηματίζεσθαι.   τῶν δὲ Κορινθίων οἱ μετα-
στῆσαι τὰ πράγματα ζητοῦντες οἱ μὲν ἄλλοι ⟨παραπλησίως⟩
τοῖς Ἀργείοις καὶ τοῖς Βοιωτοῖς ἔτυχον δυσμενῶς διακείμενοι
πρὸς τοὺς Λακεδαιμονίους, Τιμόλαος δὲ μόνος αὐτοῖς διά- 25
φορος γεγονὼς ἰδίων ἐγκλημάτων ἕνεκα, πρότερον ἄριστα

(20)   διακείμενος καὶ μάλιστα λακωνίζων, ὡς ἔξεστι καταμαθεῖν

4 ἐκ τῶν κατὰ τὸν πόλεμον συμβάντων τὸν Δεκελεικόν.   ἐκεῖνος
γὰρ ὁτὲ μὲν πενταναΐαν ἔχων ἐπόρθησε τῶν νήσων τινὰς τῶν

---

2 ἀ[ντέπρα]ττον : α[. . . . .]ττεν 𝔭, sed ε fort. corr.   5 π[ρῶτον ci.
Bury, π[έρυσιν Fuhr, π[έντε H. Richards   ]π[.]κρατη : fort.]τοκρατη
17 Fort. βοιω[τοι στασι]γωται, i.e. Βοιώτιοι στασιῶται : sed ι vix certum,
et fort. συνεσ]τωτας pro συνεσ]τῶτες scriptum est   29 πενταναΐαν
in πεντεναΐαν (ed. 1) non esse mutandum censet Wilcken coll. Polyaeni
codd. et e. g. πενταφυλία

ἐπ' Ἀθηναίοις οὐσῶν, ὁτὲ δὲ μετὰ δύο τριήρων εἰς Ἀμφίπολιν
καταπλεύσας καὶ παρ' ἐκείνων ἑτέρας τέτταρας συμπληρω-
σάμ[ενος ἐνίκη]σε Σίμιχον ναυμαχῶν τὸν στρατηγὸν [τῶν   (25)
Ἀθηνα]ίων, ὥσπερ εἴρηκά που καὶ πρότερον, κ[αὶ τριήρε]ις
5 τὰς πολεμίας ἔλαβεν οὔσας πέντε κ[αὶ ναῦς ἃς ἔπ]εμψαν
τριά[κοντ]α· μετὰ δὲ ταῦτα [........] ἔχων τριήρεις κατα-   (30)
πλεύσας εἰς Θάσον ἀπέστησε ταύτην τῶν Ἀθηναίων. οἱ μὲν 5
οὖν ἐν ταῖς πόλεσι ταῖς προειρημέναις διὰ ταῦτα πολὺ μᾶλλον
ἢ διὰ Φαρνάβαζον καὶ τὸ χρυσίον ἐπηρμένοι μισεῖν ἦσαν
10 τοὺς Λακεδαιμονίους.   (35)

Ὁ δὲ Μίλων ὁ τῆς Αἰγίνης ἁρμοστής, ὡς ἤκουσε τὰ III
παρὰ τῶν Ἀθηναίων, συμπληρωσάμενος τριήρη διὰ ταχέων
ἐδίωκε τὸν Δημαίνετον. ὁ δὲ κατὰ τοῦτον τὸν χρόνον ἔτυχε
μὲν ὢν περὶ Θορικὸν τῆς Ἀττικῆς· ἐπειδὴ δὲ προσπλεύσας 2
15 ἐκεῖνος πρὸ[ς Θορικὸν] ἐπεχείρη[σεν ἐμβαλ]εῖν, ὥρμησεν ἐπὶ   (40)
Π . . υ[. . . πλ]εῖν· κρατήσ[ας δὲ . . . ν]εὼς αὐτῶν τὴν μὲν   Col. iii
ὑ[φ' αὑτῷ] ναῦν, ὅτι χε[ῖρον ἦν τὸ σκ]άφος, αὐτοῦ κατέλιπεν,   (A Col. iii
[εἰς δὲ] τὴν ἐκείν[ων μεταβιβ]άσας τοὺς αὑτοῦ ναύ[τας   cum
πρ]οέπλευσεν [ἐπὶ τὸ στρά]τευμα τὸ μετὰ τοῦ [Κόνωνος   Fr. 1, 2)
20 . . . . ὁ δὲ Μίλ]ων εἰς Αἴγιναν με[τὰ . . . .   (5)
. . . . . .

Τὰ μ]ὲν οὖν ἁδρότατα τῶν [. IV
ἔτε]ι τούτῳ συμβάντων [οὕτως ἐγένετο· ἀπὸ τούτου] δὲ τοῦ
[θ]έρους τῇ μὲν [. . . . .] ἔτος ὄγδοον   (10)

1 ἐπ': ὑπ' ci. H. Richards   3 Σίμιχον Fuhr, coll. Schol. Aesch.
ii. 31 Σιμίχου (sic Sauppe; σιμμιχου, συμβιχου codd.): σιχιον p
5 ναῦς ἃς Boissevain: πλοῖα ἃ ed. 1   6 [τὰς ἔνδεκα] ci. Wilamowitz
14 μὲν ὢν Boissevain: μένων ed. 1   15 πρὸ[ς τὴν γῆν]. . . ἐξωθ]εῖν
ci. Boissevain   16 πολὺ [προπλ]εῖν ed. 1, sed litterae ολ incer-
tissimae, et nomen loci latere videtur; πό]λιν tamen pro πλ]εῖν non
legendum, de ε enim vix dubitari potest   δὲ ἐκεῖ ci. Boissevain,
κρατηθ[είσης δὲ ν]εὼς, reliquiis non recusantibus, Wilcken   19 πρ]οέ-
πλευσεν: vel πα]ρέπλ., quod praefert H. Richards   20 Fort. με[τὰ
τῆς τριήρους ἀπέπλευσε   23 ἔτε]ι τούτῳ de Sanctis, quod cum reliquiis
melius convenit quam περ]ὶ τοῦτο (ed. 1)   τούτου] δὲ: δὲ τοῦ]δε ed. 1
μεσοῦντος vel ἐπιγιγνομένου] δὲ ci. de Sanctis   24 [ἀρχῇ τῇ τῶν
Λακεδαιμονίων] ci. E. Meyer, [πόλει μετὰ τὴν ἀναρχίαν] de Sanctis;
tentabamus etiam [εἰρήνῃ τῇ πρὸς Ἀθηναίους]

1*

ἐνειστήκει [. . . . .]αρος τὰς τριήρεις
ἀπα[γ. . . . . ἐ]κεῖ δὲ καταπλεύσας τὰς
[. . . . .]εν, ἔτυχεν γὰρ ἀεὶ τοῦ [. . . .

(15)   . . . . κατεσ]κευακὼς ἦν νεώρια [. . . . .
         . . . .]s ὅπου συνέπιπτεν [. 5
         . . . .] τὸν δὲ Φαρνάβαζον ἀ[κούσας . . . .]
         παραγενέσθαι βουλό[μενος . . . .]αι καὶ

2 μισθὸν ἀπολα[βεῖν . . . . α]ρος μὲν οὖν
(20)   αὐτοῦ διέ[τριβεν, ἐπὶ δὲ τὰς ναῦς τῶν Λακ]εδαιμονίων καὶ
         τῶν [συμμάχων ἀφικνεῖται Πόλλις] ναύαρχος ἐκ Λακε[δαί- 10
         μονος εἰς τὴν ναυαρχίαν τὴ]ν Ἀρχελαΐδα κατα[στὰς διάδοχος.
         κατὰ δὲ τὸν αὐ]τὸν χρόνον Φοινίκων [. . . . . ἧκον
(25)   ἐνενήκοντ]α νῆες εἰς Καῦνον ὧν [δέκα μὲν ἔπλευσαν ἀπὸ
         Κιλι]κίας αἱ δὲ λείπουσαι [ἀπὸ . . . .]
         ᾶς Ἄκτων ὁ Σιδώνιος [. . . . . βασ]ιλεῖ 15
         τοῖς ταύτης τῆς [. . . . . πε]ρὶ τὴν ναυαρ-
         χίαν Φαρ[νάβαζος . . . . παροξυννό]ντων αὐτὸν τῶν παρα-
(30)   [. . . . . ὁ μὲν οὖν . . . .] . αρος τὰ περὶ τὴν ἀρχὴν
3 [. . . . . τὸ στρατό]πεδον. Κόνων δὲ προσ[. . . . . .
         . . . . αἱ]σθόμενος ἀναλαβὼν [. 20
         . . . . συμ]πληρώσας τὰς τρίηρεις [. . . . . ὡς
(35)   τάχι]στα ποταμὸν τὸν Καύ[νιον καλούμενον εἰς λίμνη]ν τὴν
         Καυνίαν εἰσέπλευ[σε . . . . το]ῦ Φαρναβάζου
         καὶ τοῦ Κό[νωνος . . . .]ρνη[s] ἀνὴρ Πέρσης
         πα[. . . . .] τῶν πραγμάτων ὃς [. 25
(40)   . . . . ἠβ]ούλετο λαβεῖν [κ]ατα[. . . . .

---

1 [ἐν ᾧ Φορμίων ἦρξεν. ὁ δὲ. . . . .] ci. de Sanctis   2 ἀπα[γαγὼν
ci. Fuhr   3 αιει ℙ   6 ἀ[κούσας Fuhr, quod e. g. recepimus
7 Fort. τῷ Φαρναβάζῳ συμμεῖξ]αι : cf. XIV. 1   11 εἰς τὴν ναυαρχίαν . . .
κατα[στὰς διάδοχος W. L. Newman, coll. Polyaen. ii. 8, ubi fort. Ἀρξε-
λαΐδας dux idem est   14 Fort. [ἀπὸ Σιδῶνος   19 προσ[πλεύσαντας
τοὺς πολεμίους ci. Boissevain et Fuhr : προσ[πλέοντας spatio melius
conveniret   20 [μέρος τῶν στρατιωτῶν καὶ ci. Boissevain   21 [ἀνή-
γετο ci. Boissevain   ὡς τάχι]στα Bury   22 καλούμενον Bury
24 Κό[νωνος : κ corr. Fort. Πασιφέ]ρνη[s] (cf. XIV. 3) vel Ἀρταφέ]ρνη[s]
(Diod. xiv. 79)

...]. ν δὲ πρ[.] . [. . .]ν[.]με[. .]ν φιλ[ί]αν [. . . . .

. . .]. ος ἀπέπεμψεν ὡς βασιλέα σ[. . .]α[. . . . . .τ]ὴν

σκηνὴν αὐτοῦ λ[. . . . . .]ἦλθ[ε . .]ν[. . . . . ἀ]παγ-

γείλας δὲ τὰ π[. . . . .]εασα[. .]ν

Desunt versus xxv.

5 . [— — —] . [— — —]α[— — —]φε[— — —]α . [— — —]π[— — — **V**
—]β . [— — —]τα[. .]τα[— — —]ποντα[— — —] ἀρχ[ο]ντ[— —
—]κους ιστ[— — —]σιν τὰς μ[— — —]ωσιν πρ[— — —]τε-
κελ[— — —]νων οὐδ[— — —] ἔχοντες [— — —] εἶχον
γὰ[ρ . . .

Deest columna saltem una.

(26)-(30)
Col. iv
(A Col. iv)
(35)
(40)

10 . . .], εἰσὶν δὲ κα[. . . . . **VI**
τῶ]ν ἱππέων [. . . . .],
ἔνιοι δὲ πρ[. . . . .]στιον.
ἡ μὲν [οὖν . . . .] τοιαύτη
κ[. .]ι[. . . . .]ις. Ἀγησίλαος **2**
15 δὲ [. . . . . τὸ] στρατόπεδον [. . .
. . . . τὸ] Κα[ὐσ]τρι[ον πεδίον
. . . .] τὰ ὄρη ταξάμε[νος . . . .
. . . .]ους, ταύτῃ πάλιν [. . . . .
. . . .]ης τοιαύτη φθά[σας . . . .
20 . . . .]ς τὸ στρατόπεδον [. . . . .
. . .]ειν. Τισσαφέρνης [δὲ . . . . ἐπηκο]- **3**
λούθει τοῖς Ἕλλησιν [ἔχων . . . . ἱππέας μὲν . . .
α]κισχιλίους καὶ μυ[ρίους, πεζοὺς δὲ . . . . μυρίων ο]ὐκ
ἐλάττους. [Ἀγησίλαος δὲ . . . . ἡγη]σάμενος
25 χαλε[πὸν προσβάλλοντας τοὺς πολεμίο]υς ἐκ παρατά[ξεως
ἀμύνεσθαι πολὺ τῶν Ἑλλήνων ὑ]περέχοντας, [ἔταξεν ἐν

Col. v
(B Col. i
cum Fr. 3)
(5)
(10)
(15)
(20)

1-4 Fragmenti 2, quod litteras]υφιλ[,]ασ[,]ηλθ[,]εασα[habet, incerta
est sedes   5-9 Nihil praeter initia versuum restat, versus autem
circa xl litterarum erat   10 VI manu secunda scriptum est
15 στρατόπεδον: π corr.   17 κατὰ] τὰ ci. Fuhr   23 Fort.
πεντακισμυρίων: cf. Diod. xiv. 80   24-26 supplevit Bury, qui etiam ci.
24 κατιδὼν αὐτοὺς et postea ἄλ]λως καὶ κρα[τύνας τὴν τάξιν, ἐποιεῖτο δὲ
τῆς] στρατηγίας [ἀπόδειξιν αὐτοῦ

πλινθίῳ τὸ στράτευμα . .]λως καὶ κρα[τ . . . .
. . . .] στρατηγίας [. . . . .
. . . .]σαντα μάχεσθαι [. . . . .]ων
στράτευμα [. . . . .]σας, οἱ δὲ

(25)   βάρβα[ροι . . . .]ες καὶ συντετα- 5
[γμέν . . . .] ἔχοντες τοσου-
[τ . . . . δ]υνατὸς ἀφορμᾶν [. . . .
. . . . κα]τεῖδον τοὺς Ἕλλη[νας . . . . .

(30)   . . . . o]ὔτε τὴν πορείαν [. . . . .
. . . .] καταφρονεῖν [. 10
. . . .]ντες αὐτοὺς [. . . . .
. . .] τοῦ στρατεύ[ματος . . . .] προσ-

(35)   βαλόν[τ . . . . ἔξ]ωθεν τοῦ πλιν[θίου
. . . .]ον προσέτατ[τε . . . .
. . . .] τοὺς δὲ Πελοπον[νησίους καὶ τοὺς συμ- 15
μάχους . . . .]ι προσῆγε πο[. . . . .
. .] . ωρα τοὺς Ἕλλη[νας . . . .]λεον

(40)   α[. .]ων ἀεὶ [. ὁ]μοίως, ε[. .]διε-
[. . . . .]ν ἐγγυτέρῳ μᾶλλο[ν . . .
. . . . οὐ]δὲν ἀλλ’ ἢ τὸν ποτ[αμὸν 20
. . . .] γὰρ ἀμφοτερ[. .]ηγ[. . . . .

(45)   . . . .]ετ[.] προιόν[τ . .]δε[. . . . .
. . . ὀ]λίγ[. . .]σ[. . . . .]ει[. . . . . στρα]-
τευμ[α . . . .]τε[. . . . .]αν[. . . .] .,
Ἀ[γησί]λα[ος δὲ . . . .] . υ[. . .] 25

(50)   τ[. . . . . στρ]ατευμα[. . . . .
. . . .]ιπονο[. . . . .
. . . . π]αρασκευα[. .] . [. . . . .
. . . .]ιους ἵνα τῇ ν . [. . . . .

---

3 μάχεσθαι: prius α corr.   4]σας: vel σασι sine puncto
11]ντᾶσ 𝔭   16 δρόμω]ι ci. Fuhr   Fort. πο[ταμ.., ut vult
Wilcken (cf. inf. 20), sed . . . o]ν προσῆγε πο[ταμόν vix legendum
18 ἐ[πι]διέ[βαινε ci. Wilcken   20 ποτ[αμὸν Fuhr   22 δ̄ in
margine sinistra adscriptum versum quadringentesimum significare
videtur   29 Πελοποννησ]ίους ci. Fuhr

... κα]τανέμουσι [. . . .]κα[. . . . .
. . .]ωνην πολλ[. .]. α[. . . . .] (55)
βουλευσομ[εν . .]π .[. . . . .]ν τὸν
ἔνια . [. . .]οι .[. . . . .]νοιτι-
5 νεια[. . .]ε .[. . . . .]υς ἔγνω
κα . [. .]ο .[. . . . .] . των τῆς 4
νυκτὸς . ι[. . . . . μὲν] ὁπλίτας [. . . .] (60)
τακοσίους δὲ ψιλούς, καὶ το[ύτοις ἐπέστησεν ἄρχοντα] Ξενο-   Col. vi
κλέα Σπαρτιάτην π[αραγγείλας ὅταν γένωνται] βαδίζοντες   (B Col. ii)
10 κατ' αὐτοὺς [. . . . .] εἰς μάχην
τ[άττ]εσθαι. [εἰς δὲ τὴν ἐπιοῦσαν . . . .]κ[. .] ἀναστήσας   (5)
ἅ[μα ἡμ]έρα [τ]ὸ [στ]ρά[τε]υ[μα πάλιν] ἀνῆγεν εἰς τὸ πρ[όσθεν.
οἱ] δὲ βάρβαροι συνα[κολουθήσ]αντες ὡς εἰώθεσαν οἱ μὲν
αὐτῶν προσέβαλλον τοῖς Ἕλλησιν, οἱ δὲ πε[ρίππε]υον αὐ-
15 τούς, οἱ δὲ κατὰ τὸ πεδίον ἀτάκτ[ως ἐπ]ηκολούθουν. ὁ δὲ
Ξενοκλῆς, ἐπειδὴ καιρὸν ὑπ]έλαβεν εἶναι τοῖς πολεμίοις   (10)
ἐπιχειρεῖν, ἀνα[στήσ]ας ἐκ τῆς ἐνέδρας τοὺς Πελοποννησίους
ἔθει δρόμῳ. τῶν δὲ βαρβάρων ὡς εἶδον ἕκαστοι προσθέοντας
τοὺς Ἕλληνας ἔφευγον καθ' ἅπαν τὸ πεδίον· Ἀγησίλαος δὲ
20 κατιδὼν πεφοβημένους αὐτοὺς ἔπεμπεν ἀπὸ τοῦ στρατεύ- (15)
ματος τούς τε κούφους τῶν στρατιωτῶν καὶ τοὺς ἱππέας
διώξοντας ἐκείνους· οἱ δὲ μετὰ τῶν ἐκ τῆς ἐνέδρας ἀνα-
στάντων ἐνέκειντο τοῖς βαρβάροις. ἐπακολουθήσαντες δὲ
τοῖς πολεμίοις οὐ λίαν πολὺν χρόνον, οὐ γὰρ ἠδύναντο
25 καταλαμβάνειν αὐτοὺς ἅτε τῶν πολλῶν [ἱππ]έων ὄντων καὶ (20)
γυμνήτων, καταβάλλουσιν μὲν αὐτῶν περὶ ἑξακοσίους, ἀπο-
στάντες δὲ τῆς διώξεως ἐβάδιζον ἐπ' αὐτὸ τὸ στρατόπεδον
τὸ τῶν βαρβάρων. καταλαβόντες δὲ φυλακὴν οὐ σπουδαί[ως
κ]αθε[στῶ]σαν ταχέως αἱροῦσιν, καὶ λαμβάνουσιν αὐτῶν (25)

3 Fort. τοῦτο]ν τὸν ἐνιαυ[τὸν   4 Non congruit οἵτινες   10 Fort.
e. g. [οἱ ἐπὶ τῆς οὐραγίας: cf. XVI. 2 et Diod. xiv. 80. Minus placet quod
ci. Boissevain [τοὺς τῆς ἐνέδρας τόπους   11 [εἰς κτλ. suppl. Bury ;
cf. XVI. 2   14 πε[ρίππε]υον Boissevain et F. W. Hall : ne ἐπε[τόξε]υον
scribamus obstat accusativus   18 ἔθει : εωθ[ει ℗   23 τοῖς
βαρβάροις : των βαρβαρων ℗   25 αὐτοὺς : εαυτους ℗

[πολ]λὴν μὲν ἀγορὰν συχνοὺς δὲ ἀνθρώπους, πολλὰ δὲ
σκεύη καὶ χρήματα ⟨τὰ⟩ μὲν τῶν ἄλλων τὰ δὲ Τισσαφέρνους
αὐτοῦ.

VII Γενομένης δὲ τῆς μάχης τοιαύτης οἱ μὲν βάρβαροι κατα-
(30)   πλαγέντες τοὺς Ἕλληνας ἀπεχώρησ[αν σὺν] τῷ Τισσαφέρνει 5
πρὸς τὰς Σάρδεις· Ἀγησίλαος δὲ περιμείνας αὐτοῦ τρεῖς
ἡμέρας, ἐν αἷς τοὺς νεκροὺς ὑποσπόνδους ἀπέδωκεν τοῖς πολε-
μίοις καὶ τρόπαιον ἔστησε καὶ τὴν γῆν ἅπασαν ἐ[πόρθ]ησεν,
προῆγεν τὸ στράτευμα εἰς Φρυγίαν πάλιν τὴν μεγάλην.

(35) **2** ἐποιεῖτο δὲ τὴν πορείαν οὐκέτι συντεταγμένους ἔχων ἐν τῷ 10
πλινθίῳ τοὺς στρατιώτας, ἀλλ' ἐῶν αὐτοὺς ὅσην ἠβούλοντο
τῆς χώρας ἐπιέναι καὶ κακῶς ποιε[ῖν τοὺς] πολεμίους. Τισσα-
φέρνης δὲ πυθόμενος τοὺς Ἕ[λλ]ηνας β]αδίζειν εἰς τὸ πρόσθεν
(40)   ἀναλαβὼν αὖθις τοὺς β[αρβάρους ἐ]πη[κολο]ύθει ὄπισθεν αὐ-
3 τῶν πολλοὺς σταδίο[υς διέχων. Ἀγ]ησίλαος δὲ διεξελθὼν 15
τὸ πεδίον τὸ τῶν Λυδῶν [ἦγε τὴν στρ]ατιὰν [ἀμαχεὶ] διὰ τῶν
ὀρῶν τῶν διὰ μέσου κε[ιμένων τῆς] τε [Λυδίας] καὶ τῆς
Φρυγίας· ἐπειδὴ δὲ διεπορ[εύθησαν ταῦτα κατεβίβ]ασε τοὺς
(45)   Ἕλληνας εἰς τὴν Φ[ρυγίαν ἕως ἀφίκοντο πρὸς τ]ὸν Μαίανδρον
ποταμόν, δ[ς . . . . ἀπὸ Κελαι]νῶν, ἣ τῶν ἐν 20
Φρυγίᾳ μεγίστη [πόλις ἐστίν, ἐκδίδωσιν] εἰς θάλατταν παρὰ
4 Πριήνην κ[αὶ . . . . καταστρα]τοπεδεύσας δὲ τοὺς
Πελοπ[οννησίους καὶ τοὺς σ]υμμάχους ἐθύετο πότερα χ[ρὴ]
(50)   δ[ι]αβ[αίνειν τὸν ποτα]μὸν ἢ μή, καὶ βαδίζειν ἐπὶ Κελα[ινὰς
ἢ πάλιν τ]οὺς στρατιώτας ἀπάγειν. ὡς δὲ συνέβ]αινεν 25
αὐτῷ] μὴ γίγνεσθαι καλὰ τὰ ἱερά, περιμείνα[ς ἐκεῖ τήν τ]ε
ἡμέραν ἣν παρεγένετο καὶ τὴν ἐπιο[ῦσαν ἀπῆγ]εν τὸν

---

4 In litteris γε rursus incipit manus prima   13 προσθε ℘
14 ἐ]πη[κολο]ύθει propter hiatum fort. post αὐτῶν transponendum
16 [ἀμαχεὶ] Wilamowitz, quod lacunae accommodatius est quam [πάλιν]
(Boissevain) aut [ἀσφαλῶς] (Fuhr)   17 τῆς] τε, quod in ed. 1 reie-
cimus, probante Boissevain dubitanter damus; fort. etiam τῇ]ς τε
legendum   19 ἕως...πρὸς Wilamowitz   20 τὰς ἀρχὰς ἔχων ci.
Boissevain coll. Strab. xii. pp. 576, 577: παρὰ ⟨τὴν⟩ Μεσωγίδα ῥέων
Wilcken   21 θαλασσαν ℘   22 κ[αὶ Μυοῦντα ci. Wilamowitz,
Μυκάλην Wilcken, Μίλητον Fuhr

[στρατὸν . . . . 'Αγησί]λαος μὲν οὖ[ν . . . . . .

. . . . τὸ πεδίον τὸ Μαιάν]δρου καλούμενον δ[. . . . . . .

. . . .] . νέμονται Λυδ[οὶ] κ[. . . . .

. . . .] . δὲ βασιλεὺς . [. . . . .

5 . . . . π]ερὶ τούτους τ[. . . . .

. . . . στρ]ατηγὸν ἅμα δὲ [. . . . .

. . . .] . Τισσαφέρνῃ ετ[. . . . .

. . . το]ὺς Ἕλληνας οι . [. . . . .

. . .]νον καὶ μᾶλλο[ν . . . .   (10)

10 . . .] . δίχα κειμε[ν . . . .

. . . .]εξ[. . . . .

. . . . . .] συ[. . . . . Τισσ]αφ[έρν . . . .

. . .]οπ[. . . . . 'Αρταξ]έρξ[. . . . .

. . .]δια[. . . . .]απαρ[. . . . .   (15)

15 . . .]λο[. . . . .]κα[. .]οιτε[. . . . .] . σα[. . . . . . .

. . .]οργ[. . . . .] αὐτῷ κατηγ[.] . α[.]α δι[. . . . . . .

. . .]σα[. . . .]τε βασιλεὺς ὁμολογουντ[. .] μάλιστ[α . . . . .

. . .] διὰ Τισ]σαφέρνην καὶ πα[.]ων ἐκεῖνον [. . . . .

. . .] πάντων καθ' ἃ Τιθρα[ύστης α]ὐτὸν κα[.] . . [. . . . . .   (20)

20 . . . .] ὃς ἐπειδὴ καταφ[. . . . . Φρυ]γίαν καὶ Λυδ[ίαν . . . .

. . .]το[. . . .]εν ἀνέπεμψ[εν ἐπιστ]ολὰς ἃς ἔφερ[ε . . . . . .

. . .]ρα[. . . . . . .]ι πρὸς 'Αρι[αῖον Τι]σσαφέρνη[. . . . .]

ἐπ[. . . . .]ο πρὸς Με . [. .]αιον ὡς α . [. . . . .]

στ . [. . . .]λαβεῖν ἐκελ[. . .]αιδ[. . . . .]   (25)

25 ευ[. . . . . . .]υτου γε[. . .]ται[. . . . .]πε[. . .

2-3 δ[ιαπορευθεὶς κατὰ τὴν Μέσωγιν (sic) ἢ]ν ci. Boissevain, δ[ίχα τῶν πρὸς Κελαιναῖς Φρυγῶ]ν Wilcken   3-4 κ[αὶ Μυσοί, Κᾶρές τε καὶ "Ιωνες ci. Wilamowitz et Wilcken, coll. Strab. xiii. p. 629 : κ[αὶ "Ιωνες, περὶ τὴν Μαγνησίαν ἡσυχίαν ἦγεν,] ὁ δὲ Boissevain, lacunae nimis ut videtur tribuens   14 De Parysatide Artaxerxis matre fort. agitur ; cf. Diod. xiv. 80   15-23 Fr. 5, quod versuum partem dextram continet, e Col. vii esse satis apparet, huc tamen pertinere non constat   16 κατηγ[ορ]ία[.] non convenit   18 Fort. πα[ρ]ὰν   19 κα[τ]έλ[υσε ci. Wilcken, quod cum reliquiis congruit   22 Fort. πα]ρά, sed spatium [βασιλέω]s vix tolerat   23 Fort. ἐπ[έμψατ]ο   24 Fort. ἐκέλ[ευσε, sed etiam ἐκεῖ vel ἐκεῖ[νον legi potest

. . . .]νουτο[. . . . .]ου[. . . . .]λω[. . . . .
. .] . ν ἔμελλεν ηχ[. . . . .]σιν[. . . . .
(30) Τ]ιθραύσ[τ . . . .]τα . [. . . . .]
τ[. . . . .] δὲ δο . [. . . . .
. . . .]της ἀποκρε[. 5
. . . .]ν[. .]ρίζεσθ[αι . . . .
. . . .] ὁπότε α[. . . . .
(35) . . . . Τισσα]φέρνη[. ἀ]πέστειλεν τ[. . . . .]ο αρ[. .
. . . .]ο 'Αριαῖος εἰς Σάρδεις το[. . . . .]ονου
[. . . . . . . δυ]νατὸς Τισσαφέρνη[. . . . .] . ρια . [. 10
. . . . .] βέλτιστοι τῶν στρ[ατη]γῶ[ν . .] . ιαν ετε . [. . . .
(40) ἀκιν]δυνότερον ἕξειν τ[ὰ κ]ατὰ τὴ[ν] σατραπία[ν 'Αγησιλά]ου
καθημένου περὶ τὴν Μαγν[η]σ[ί]αν ἐμί[. . . . .] τῶν
πεζῶν καὶ τῶν ἱππέω[ν . . .]ω προ[. . . . .]ε[. . .]ον δ[ια]-
κειμένου[. . . . . ἄλ]λους ἄλλη ποί[. .] . αν 15
[. . . . .] βουλόμενος δ[. .]π[.] . [. . . .
(45) . . . .] στράτευμα τα[.] . [. . .

Desunt versus ii.

(5)   2   . . .]ν[— — —]προ[— — —]π' 'Αρταξ[έρξ — — —]τα ἡμέρα[ς
Col. viii   — — —] αὐτὸν α[— — — Φρυ]γίας ἐπια[— — —] τὸν Τιθρ[αύ-
Fr. 7   στην — — — Τισσα]φέρνης [— — —] πρᾶξιν α[— — — οἰ]κο- 20
Col. ii)   δομε[ῖν — — —] πόλεως . [— — —] ὑπὸ τῶν [— — —] . ε βαδ[ι
(10)   — — —] τῷ Τιθρα[ύστη — — —]σ[.]αι παρα[— — —] ἐπιστολὰ[ς
(15)   — — —] πρὸς τὴν α[— — —]τιας κατα . [— — —] . ε Μιλη[σι
(20)   — — —]ψας καὶ τα . [— — κα]τῆρεν εἰς [— — —] 'Αριαῖον
ε[— — — με]τὰ δὲ ταῦ[τα — — —] διατρίβω[ν — — —] ἱμάτια 25
(25)   τ[— — —]νον συναρ[πα — — —] καὶ μεταπ[— — —]λοι . ν
(30)   ἱπ[π — — —] συνεχ[— — —]μεν . [— — —] της δ[— — —] ἔλεγ[ε
(35)   — — —] τ[ο]ῦ βασιλέως [— — —] τα[ί]ς ἐπιστολ[αῖς — — —

8-14 Fr. 6, quod versuum litteras aliquot habet, alii huius columnae
parti tribuere licet   10 Fort. 'Αριαί[18 sqq. Ex hac columna
supersunt initia modo versuum, qui circa litteras quadragenas habe-
bant   26 Fort. λουόμε]νον vel γυμ]νὸν: cf. Diodor. xiv. 80

]ε τὸ βυβλ[ίον — — —]ττεν βασιλ[ε — — —] αὐτὸν ἀνα[— — —]   (40)
... ειν εκ . [— — — ἄ]λλην ἀναγ[— — — τῶ]ν βαρβάρω[ν . . .

————— Desunt columnae nonnullae.

Fragmenta Columnae ix.
(C Col. i cum Fr. 8 et 9.)

C Col. i   Fr. 8   Fr. 9
Desunt versus xv.

. . . .
]να[.   . . .   ] καὶ   (25)   IX
]καγα-   ]λει   π]αραγγει-
5   πό]λεμον   ]μφε-   ] καταμα-
]. ισωτη   ]τατον   ]ν παραλα-
]λλην αὐ- (20)]κοσι-   ] Μακεδο-

. . . . . .   Col. x
...]νοτη[.]. ασ[— — —] ἅμα μὲν [.]ου . [— — —] ἀφθόνω[ς   (C Col. ii
. .]σ . [— — — ἅ]μα δὲ [.]ενεσ[— — —] ἐπὶ τη . . ιματ[— — —]   cum Fr. 10)
10 ηρημένον ὑπαρξο[— — —] δι᾽ ἐκειν[. . .]ητ[.]σ . [— — —]αλων   (5)
ω . [— — — τ]ερον πω[— — —] καὶ βιαζ . [— — —] χρόνον μ[
— — —] πολλῆς δυνα[— — —] ὁμοι[.]ν α . [.]οι[.]α[— — —]κως   (10)
[.]ην . [.] . ε[— — —]μασενηγε[— — —] . τέρους ελ[.]η[— — —] ἢ   (15)
τοὺ[ς] ἐκ τ[ο]ῦ π[.]λ[. . . .] γιγνομ[ένους . . . .]νος δὲ
15 τὴν [.] . [.]χ[ί]αν ἄριστα τ[. . . . .] κεχρημέν[ος,]
οὐ γὰρ ὥσπερ ο[ἱ . . . . τῶν δυ]ναστευόντων ὥρμησεν   (20)
. [. . . . .]γας καὶ δη[μο]τικωτ . [.] . στ[. . . . .
. . . . . .] μεταπεμπόμενος εκ[. . . . .]κέναι

1]ετο ... καθὼς προσέτα]ττεν βασιλ[εὺς ci. Wilcken   3 sqq. Colum-
nae ix–x coniectura hic collocatae sunt.   Fr. 8 et 9 propter litterarum
atque atramenti similitudinem huc pertinere videntur, fort. etiam Fr. 33 ;
cui tamen columnae parti ascribendi sint non liquet   8 sqq. Periit
versuum dextra pars   9 ἐπιτηδευματ[cum reliquiis non congruit
13 καθ᾽ ἡ]μᾶς ἐν ἡγε[μονίᾳ γενομεν . . ci. W. L. Newman, ἠτοί]μασεν
... Wilcken ; obvium etiam -μας ἐνῆγε   ἑτέρους vix legendum
14 Fort. π[ο]λ[έμου   15 ἐπαρχίαν et ὑπαρχίαν (Fuhr) aeque ac
ναυαρχίαν a reliquiis discrepant ; fort. [ἀ]ρ[υ]χ[ί]αν vel [ἡ]σ[υ]χ[ί]αν
τ[οῖς πράγμασι φαίνεται ci. Wilamowitz   16 ο[ἱ πλεῖστοι lacunam
vix complet   17 ἐ[πὶ (satis congruum) χρημάτων ἁρπα]γὰς vel . . .
σφα]γὰς ci. Fuhr   δη[μο]τικῷ τ . . . vel δη[μο]τικώτερ[ο]ς στ[vel
δη[μο]τικώτατος τ[scribere licet

τι δοκοῦντας δ[. . . . .] τῶν πλείσ[τω]ν

(25)　χ[— — —] . [. .]ϵ[. . .]τ[. . .

. . .]ωσ[— — —]ηλωσεν [— — —] δοξαν[— — — Λα]κεδα[ιμον

(30)　— — —]των[— — —] πασα[— — —]των[. . .

Desunt versus fere viii.

Fragmenta Columnae x ut videtur tribuenda.

<table>
<tr><td align="center">Fr. 11</td><td align="center">Fr. 12</td></tr>
</table>

]ην[	] . . . [　　5
] καὶ δει[	] . δὲ προστ[
] . [.]υτω[	]ων ειλη[
] . . μι[	] . τελευ[τ
]ατεδ[　　(5)	]των παρ᾽ ἐκειν[
] . [.]ελ[	]αθα περιμε . [　　10
]εοτ[	]ν ἐπιτα[
]ανεκε[	]ιλαθε[
τῶν] ἄλλων βαρβάρω[ν	
] . [.] ἀλλὰ τὴν μϵ[　　(10)	Fr. 13
] . [.]του δὲ βίον . ιφ . [.]τ[	15
]s περὶ πολλὴν στ . . . σ[	]θ . [
κα]τήγαγεν ἀντὶ ὧν ηγα[	]υτον[
]s ἐποίησε κατακει[	]εν αυτ[
πο]λλαῖς κατασκευα[　　(15)	]αιρεῖσθ[αι
] περὶ δὲ τὴν του[	] . [. . . .]τ[　　20　　(5)

<table>
<tr><td align="center">Fr. 14</td><td align="center">Fr. 15</td></tr>
</table>

]ων[	]μ[
]ιακα[	]σε[.]ιο[
]τιτ[	]as πολ[
]τιδα[	] . [

Desunt columnae nonnullae.

...]ς βο[......................] . καθ' ἑκά- **X**
στην ἡμέραν ἐξήτ[αζε τοὺς στρατιώτας] σὺν τοῖς ὅπλοις ἐν
τῷ λιμέν[ι, προφασιζόμενος μὲ]ν ἵνα μὴ ῥᾳθυμοῦντες χείρους
[γένωνται πρὸς τὸν] πόλεμον, βουλόμενος δὲ παρασκε[υάσας   (5)
5 ἡσύχους] τοὺς Ῥοδίους [ὅταν ἴ]δωσιν ἐν τοῖς ὅ[πλοις αὐτοὺς
παρόν]τας τηνικαῦτα τοῖς ἔργοις ἐπιχειρε[ῖν· ὡς δὲ σύνηθες]
πᾶσιν ἐποίησεν ὁρᾶν τὸν ἐξετα[σμόν, αὐτὸς μὲν εἴ]κοσι
λαβὼν τῶν τριήρων ἐξέπλευ[σεν εἰς Καῦνον, βου]λόμενος
μὴ παρεῖναι τῇ διαφθο[ρᾷ τῶν Διαγορέ[ω]ν, Ἱερωνύμῳ δὲ   (10)
10 καὶ Νικοφήμῳ προσέ[ταξεν ἐπιμελ]ηθῆναι τῶν πραγμάτων
οὖσιν αὐτοῦ πα[ρέδροις· οἳ π]εριμείναντες ἐκείνην τὴν ἡμέραν, **2**
π[αρόντων ἐπὶ] τὸν ἐξετασμὸν τῇ ὑστεραίᾳ τῶν στρατι[ωτῶν
καθά]περ εἰώθεσαν, τοὺς μὲν αὐτῶν παρήγα[γον ἐν τοῖ]ς   (15)
ὅπλοις εἰς τὸν λιμένα, τοὺς δὲ μικρὸν [ἀπὸ τῆ]ς ἀγορᾶς.
15 τῶν δὲ Ῥοδίων οἱ συνειδότες τὴν π[ρᾶξιν, ὡ]ς ὑπέλαβον
καιρὸν ἐγχειρεῖν εἶναι τοῖς ἔργοις, συνελέγοντο σὺν ἐγχειρι-
δίοις εἰς τὴν ἀγοράν, καὶ Δωρίμαχος μὲν αὐτῶν ἀναβὰς ἐπὶ   (20)
τὸν λίθον οὗπερ εἰώθει κηρύττειν ὁ κῆρυξ, ἀνακραγὼν ὡς
ἠδύνατο μέγιστον, ἴωμεν, ὦ ἄνδρες, ἔφη, πολῖται, ἐπὶ τοὺς
20 τυράννους τὴν ταχίστην. οἱ δὲ λοιποὶ βοήσαντος ἐκείνου
τὴν βοήθειαν εἰσπηδήσαντες μετ' ἐγχειριδίων εἰς τὰ συνέδρια   (25)
τῶν ἀρχόντων ἀποκτείνουσι τούς τε Διαγορείους καὶ τῶν
ἄλλων πολιτῶν ἕνδεκα, διαπραξάμενοι δὲ ταῦτα συνῆγον τὸ
πλῆθος τὸ τῶν Ῥοδίων εἰς ἐκκλησίαν. ἄρτι δὲ συνειλεγ- **3**

---

3 προφασιζόμενος μὲ]ν Wilamowitz: πρόφασιν μὲν παρέχω]ν ci.
H. Richards, τὴν μὲν πρόφασι]ν Boissevain, quod lacunam non
complet   4 Potest etiam sententia (reiecto προφ. μὲν) a βουλόμενος
δὲ incipere, velut παρασκε[υάζειν προθύμους (quod probat Boissevain)
τοὺς Ῥοδίους [ἐὰν ἴ]δωσιν ... ἐπιχειρε[ῖν, ἀεὶ φανερὸν ἅ]πασιν ... ἐξετα[σ-
μόν· ἔπειτα εἴ]κοσι   5 ὅταν Wilamowitz, sed litterae iii desiderantur,
et fort. ἐάν scribendum est   αὐτοὺς παρόν]τας Niese   6 ὡς Fuhr
σύνηθες Fuhr et Boissevain : ἐπεὶ δὲ συνήθη (hoc cum Wilamowitz)
ed. 1   10 Νικοφήμῳ: consentiunt Xen. Hell. iv. 8. 8, Lysias xix. 7 ;
Νικόδημος Diod. xiv. 81   11 πα[ρέδροις Dittenberger   13 ἐν
Boissevain, quod spatio magis convenit quam σὺν (ed. 1) ; cf. supra
v. 5   17 ⟨τις⟩ αὐτῶν ed. 1, nihil tamen deesse censet Boissevain ;
cf. I. 1   21 τὴν βοήθειαν: sc. τοὺς βοηθούς (Fuhr)

(30)

μένων αὐτῶν Κόνων ἧκε πάλιν ἐκ Καύνου μετὰ τῶν τριήρων·
οἱ δὲ τὴν σφαγὴν ἐξεργασάμενοι καταλύσαντες τὴν παροῦσαν
πολιτείαν κατέστησαν δημοκρατίαν, καὶ τῶν πολιτῶν τινας
ὀλίγους φυγάδας ἐποίησαν. ἡ μὲν οὖν ἐπανάστασις ἡ περὶ
τὴν Ῥόδον τοῦτο τὸ τέλος ἔλαβεν.

                                                               5

(35)   **XI**   Βοιωτοὶ δὲ καὶ Φωκεῖς τούτου τοῦ θέρους εἰς πόλεμον
κατέστησαν. ἐγένοντο δὲ τῆς ἔχθρας αὐτοῖς αἴτιοι μάλιστα
τῶν ἐν ταῖς Θήβαις τινές· οὐ γὰρ πολλοῖς ἔτεσιν πρότερον
2 ἔτυχον εἰς στασιασμὸν οἱ Βοιωτοὶ προελθόντες. εἶχεν δὲ τὰ
πράγματα τότε κατὰ τὴν Βοιωτίαν οὕτως· ἦσαν καθεστηκυῖαι 10

Col. xii   βουλαὶ τότε τέττα[ρες παρ' ἑ]κάστῃ τῶν πόλεων, ὧν οὐ[χ
(D Col. ii)   ἅπασι] τοῖς πολ[ίταις ἐξῆ]ν μετέχειν ἀ[λλὰ] τοῖς κεκ[τη-
μένοις] πλῆθός τ[ι χρημά]των, τούτων δὲ τῶν βουλῶ[ν

(5)   κατὰ] μέρος ἑκάσ[τη προκ]αθημένη καὶ προβουλεύ[ουσα] περὶ
τῶν π[ραγμά]των εἰσέφερεν εἰς τὰς τρε[ῖς, ὅ τι] δ' ἔδοξεν 15
3 {ἐν} ἁπάσαις τοῦτο κύριον ἐγίγνετο. κ[αὶ τὰ μὲν] ἴδια
διετέλουν οὕτω διοικούμενοι, τὸ δὲ τῶν Βοιωτῶν τοῦτον ἦν
τὸν τρόπον συντεταγμένον. [καθ' ἕν]δεκα μέρη διῄρηντο

(10)   πάντες οἱ τὴν χώραν οἰκοῦντες, καὶ τούτων ἕκαστον ἕνα
παρείχετο βοιωτάρχην [οὕτω·] Θηβαῖοι μὲν τέτταρας ⟨σ⟩υνε- 20
βάλλοντο, δύο μὲν ὑπὲρ τῆς πόλεως, δύο δὲ ὑπὲρ Πλαταιέων
καὶ Σκώλου καὶ Ἐρυθρῶν καὶ Σκαφῶν καὶ τῶν ἄλλων χωρίων
τῶν πρότερον μὲν ἐκείνοις συμπολιτευομένων τότε δὲ συντε-

(15)   λούντων εἰς τὰς Θήβας. δύο δὲ παρείχοντο βοιωτάρχας
Ὀρχομένιοι καὶ Ὑσιαῖοι, δύο δὲ Θεσπιεῖς σὺν Εὐτρήσει 25
καὶ Θίσβαις, ἕνα δὲ Ταναγραῖοι, καὶ πάλιν ἕτερον Ἁλιάρ-
τιοι καὶ Λεβαδεῖς καὶ Κορωνεῖς, ὃν ἔπεμπε κατὰ μέρος

(20)   ἑκάστη τῶν πόλεων, τὸν αὐτὸν δὲ τρόπον ἐβάδιζεν ἐξ
4 Ἀκραιφνίου καὶ Κωπῶν καὶ Χαιρωνείας. οὕτω μὲν οὖν

---

10 Inter τ et ο spatium quod papyri mendo tribuendum esse videtur
11 παρ': ἐν lacunae minus aptum   14 προβουλεύ[ουσα Fuhr:
προβουλεύ[σασα ed. 1   16 ἐν delendum censent Wilamowitz et
Crönert   20 βοιωταρχον 𝔭 hic et infra XI. 4   οὕτω Wilcken:
ὧδε ed. 1, quod alibi non habet 𝔭

ἔφερε τὰ μέρη τοὺς ἄρχοντας· παρείχετο δὲ καὶ βουλευτὰς
ἐξήκοντα κατὰ τὸν βοιωτάρχην, καὶ τούτοις αὐτοὶ τὰ καθ᾽
ἡμέραν ἀνήλισκον. ἐπετέτακτο δὲ καὶ στρατιὰ ἑκάστῳ μέρει
περὶ χιλίους μὲν ὁπλίτας ἱππέας δὲ ἑκατόν· ἁπλῶς δὲ δη-   (25)
5 λῶσαι κατὰ τὸν ἄρχοντα καὶ τῶν κοινῶν ἀπέλαυον καὶ τὰς
εἰσφορὰς ἐποιοῦντο καὶ δικασ⟨τὰς⟩ ἔπεμπον καὶ μετεῖχον
ἁπάντων ὁμοίως καὶ τῶν κακῶν καὶ τῶν ἀγαθῶν. τὸ μὲν
οὖν ἔθνος ὅλον οὕτως ἐπολιτεύετο, καὶ τὰ συνέδρια {καὶ} τὰ   (30)
κοινὰ τῶν Βοιωτῶν ἐν τῇ Καδμείᾳ συνεκάθιζεν.

10 Ἐν δὲ ταῖς Θήβαις ἔτυχον οἱ βέλτιστοι καὶ γνωριμώ- **XII**
τατοι τῶν πολιτῶν, ὥσπερ καὶ πρότερον εἴρηκα, στασιά-
ζοντες πρὸς ἀλλήλους. ἡγοῦντο δὲ τοῦ μέρους τοῦ μὲν
Ἰσμηνίας καὶ Ἀντίθεος καὶ Ἀνδροκλείδας τοῦ δὲ Λεοντιάδης   (35)
καὶ Ἀστίας καὶ Κοιρατάδας, ἐφρόνουν δὲ τῶν πολιτευομένων
15 οἱ μὲν περὶ τὸν Λεοντιάδην τὰ Λακεδαιμονίων, οἱ δὲ περὶ τὸν
Ἰσμηνίαν αἰτίαν μὲν εἶχον ἀττικίζειν ἐξ ὧν πρόθυμοι πρὸς
τὸν δῆμον ἐγένοντο ὡς ἔφυγεν· οὐ μὴν ἐφρόντιζον τῶν   Col. xiii
Ἀθηναίων, ἀλλ᾽ εἶχ[ον . . . .]. π[. . . . . .]έσχον   (D Col. iii
ἐπεὶ τού[ς . . . .] . . . . πρ[οη]ροῦντο μᾶλλ[ον
20 . . . .]ες κακῶς ποιεῖν ἑτοίμους α[. . . . . .
ἀττικί]ζειν. διακειμένων δὲ τῶν ἐν [Θήβαις οὕτως κ]αὶ τῆς 2   (5)
ἑταιρείας ἑκατέρας ἰσχ[υούσης, ἔπει]τα προῆλθον πολλοὶ καὶ
τῶν ἐν ταῖς [πόλεσι κατ]ὰ τὴν Βοιωτίαν καὶ μετέσχον
ἐκ[ατέρου τῶν μερ]ῶν ἐκείνοις. ἐδύναντο δὲ τ[ότε μὲν καὶ
25 μικ]ρῷ πρότερον οἱ περὶ τὸν Ἰσμηνίαν καὶ τὸν Ἀνδροκλείδαν   (10)
καὶ παρ᾽ αὐτοῖς τοῖ[ς Θηβαίοις κ]αὶ [παρὰ] τῇ βουλῇ τῶν
Βοιωτῶν, ἔμπροσθεν δὲ προ[εῖχο]ν οἱ περὶ τὸν Ἀστίαν καὶ

---

3 καὶ στρατιὰ fort. post μέρει propter hiatum traiciendum   4 ἁπλῶς:
λ supra lineam additum est   13 Ἀντίθεος: Ἀμφίθεμις Pausan. iii. 9. 8,
Ἀμφίθεος Plut. *Lysand.* 27   ανδροκλης ℙ, sed cf. XII. 2, XIII. 1, 3
14 ασιας ℙ hic, αστιαν XII. 2, quod nomen apud inscriptiones inventum
esse (cf. Inscr. Gr. Septentr. I. 3345) monet Crönert   κορραντάδας ℙ,
sed cf. Xen. *Hell.* i. 3. 15, *Anab.* vii. 1. 33, et (monente Crönert) Inscr.
Gr. Sept. I. 537   17 ἔφυγεν Wilamowitz: εφυγον ℙ   22 , ἔπει]τα:
πλεῖσ]τα, ci. Wilcken   25 [ανδ]ροκλειδην ℙ

Λεοντ[ιάδην χρόνον τι]νὰ συχνὸν καὶ τὴν πόλιν διὰ π[.....

(15)   3 ...]χον. ὅτε γὰρ πολεμοῦντες οἱ Λακεδαιμόνιοι τοῖς Ἀθη-
ναίοις ἐν Δεκελείᾳ διέτριβον καὶ στρ[άτε]υμα [τῶ]ν αὐτῶν
συμμάχων πολὺ συνεῖχον, οὗτοι μᾶλλον ἐδυνάστευον τῶν
ἑτέρων ἅμα μὲν τῷ πλησίον εἶναι τοὺς Λακεδαιμονίους, ἅμα 5
(20)   δὲ τῷ πολλὰ τὴν πόλιν εὐεργετεῖσθαι δι᾽ αὐτῶν. ἐπ[έδοσαν
δὲ οἱ] Θηβαῖοι πολὺ πρὸς εὐδαιμονίαν ὁλόκληρον εὐθέως ὡς
ὁ πόλεμος τοῖς Ἀθηναίοις [ἐνέστη καὶ] τοῖς Λακεδαιμονίοις·
ἀρξαμένων γὰρ ἀπ[ειλ]εῖν τῶν Ἀθηναίων τῇ Βοιωτίᾳ συνῳ-
(25)   κίσθησαν εἰς αὐτὰς οἵ τ᾽ ἐξ Ἐρυθρῶν καὶ Σκαφῶν καὶ Σκώλου 10
κα[ὶ Αὐ]λίδος καὶ Σχοίνου καὶ Ποτνιῶν καὶ πολλῶν ἑτέρων
τοιούτων χωρίων ἃ τεῖχος οὐκ ἔχοντα διπλασίας ἐποίησεν
4 τὰς Θήβας. οὐ μὴν ἀλλὰ πολύ γε βέλτιον ἔτι τὴν πόλιν
πρᾶξαι συνέπεσεν ὡς τὴν Δεκέλειαν ἐπετείχισαν τοῖς Ἀθη-
(30)   ναίοις μετὰ τῶν Λακεδαιμονίων· τά τε γὰρ ἀνδράποδα καὶ 15
τὰ λοιπὰ πάντ[α ⟨τὰ⟩ κατὰ τὸ]ν πόλεμον ἁλισκόμενα μικροῦ
τιν[ος ἀργυρίο]ν παρελάμβανον, καὶ τὴν ἐκ τῆς Ἀττικῆς
(35)   κατασκευὴν ἅτε πρόσχωροι κατοικοῦντες ἅπασαν μετεκόμισαν
ὡς αὑτούς, ἀπὸ τῶν ξύλων καὶ τοῦ κεράμου τοῦ τῶν οἰκιῶν
5 ἀρξάμενοι. τότε δὲ τῶν Ἀθηναίων ἡ χώρα πολυτελέστατα 20
τῆς Ἑλλάδος κατεσκεύαστο· ἐπεπόνθει γὰρ μικρὰ κακῶς ἐν
ταῖς ἐμβολαῖς ταῖς ἔμπροσθεν ὑπὸ τῶν Λακεδαιμονίων, ὑπὸ
(40)   δὲ τῶν Ἀθηναίων οὕτως ἐξήσκητο καὶ διεπεπόνητο κα[θ᾽
Col. xiv   ὑπε]ρβολὴν ὥ[στε ....]δὲν παρ᾽ αὐτοῖς ἐπα[......
(D Col. iv)
ο]ἰκήσει[ς ....ᾠ]κοδομημένας ἢ παρὰ τοῖς ἄλλοις 25
[............] γὰρ αὐτῶν απα[....]ν Ἑλλην[......

1 κ[ράτους εἶ]χον ci. Crönert, π[είθους εἶ]χον H. Richards (εἶ]χον iam
ed. 1)   3 στρ[άτε]υμα cum reliquiis aegre consentit; praesertim
displicet υ   12 ἅτε τεῖχος οὐκ ἐχόντων, ἃ διπλασίας ci. Wilcken
24–26]δὲν certe οὐ]δὲν vel μη]δὲν est, et post οἰ]κήσει[ς comparativus
desideratur: ὥ[στε χώρας ἦν οὐ]δὲν ... ἐπά[ρατον, ο]ἰκήσεις δὲ καὶ
κάλλιον ᾠ]κ. ... [εἶ]χον ci. Bury, ὥ[στε εἶναι (non sufficit: fort. ὑπάρχειν)
μη]δὲν ... ἐπα[κτόν, τὰς δ᾽ ο]ἰκήσεις λαμπρότερον vel πολὺ κάλλιον ᾠ]κ.
aptius Fuhr, coll. Thuc. vi. 20, Isocr. vii. 52. ἐπα[κτὸ] pro spatio
fortasse non nimium esset   26 Inter lacunam et γὰρ litterae . τοσ(?)
deletae sunt

.....]. ἐλάμβανον εἰς τοὺ[ς ....]υς ἀγροὺς α[...... τὰ   (5)
μὲν ο]ὖν πράγματα τὰ κατὰ τὰς Θήβας καὶ τ[ὴν Βοιωτίαν
εἶχεν] οὕτως.

Οἱ δὲ περὶ τὸν Ἀνδροκλείδαν κα[ὶ τὸν Ἰσμηνίαν ἐ]σπού- **XIII**
5 δαζον ἐκπολεμῶσαι τὸ ἔθνος [πρὸς τοὺς Λακεδα]ιμονίους,
βουλόμενοι μὲν καταλῦσαι τ[ὴν ἀρχὴν αὐτῶ]ν ἵνα μὴ δια-
φθαρῶσιν ὑπ᾽ ἐκείνων διὰ [τοὺς λακων]ίζοντας, οἰόμενοι δὲ   (10)
ῥᾳδίως τοῦτο πρ[άξειν ὑπολα]μβάνοντες βασιλέα χρήματα
παρέξε[ιν, καθ᾽ ἃ ὁ π]αρὰ τοῦ βαρβάρου πεμφθεὶς ἐπηγγέλ-
10 λετο, ⟨τοὺς δὲ⟩ [Κορινθίου]ς καὶ τοὺς Ἀργείους καὶ τοὺς
Ἀθηναίους μεθέ[ξειν τοῦ] πολέμου, τούτους γὰρ ἐχθροὺς τοῖς   (15)
Λακεδαιμονίοις ὄντας αὐτοῖς συμπαρασκευάσειν τοὺς ὁπλίτας.
διανοηθέντες δὲ ταῦτα περὶ τῶν πραγμάτων ἐνόμιζον ἀπὸ **2**
μὲν τοῦ φανεροῦ χαλεπῶς ἔχειν ἐπιτίθεσθαι τούτοις, οὐ-
15 δέποτε γὰρ οὔτε Θηβαίους οὔτε τοὺς ἄλλους Βοιωτοὺς
πεισθήσεσθαι πολεμεῖν Λακεδαιμονίοις ἄρχουσι τῆς Ἑλλά·   (20)
δος, ἐπιχειροῦντες δὲ διὰ ταύτης τῆς ἀπάτης προάγειν εἰς
τὸν πόλεμον αὐτούς, ἀνέπεισαν ἄνδρας τινὰς Φωκέων
ἐμβαλεῖν εἰς τὴν Λοκρῶν τῶν Ἑσπερίων καλουμένων, οἷς
20 ἐγένετο τῆς ἔχθρας αἰτία τοιαύτη· ἔστι τοῖς ἔθνεσιν τούτοις **3**
ἀμφισβητήσιμος χώρα περὶ τὸν Παρνασσόν, περὶ ἧς καὶ   (25)
πρότερόν ποτε πεπολεμήκασιν, ἣν πολλάκις ἐπινέμουσιν
ἑκάτεροι τῶν τε Φωκέων καὶ τῶν Λοκρῶν, ὁπότεροι δ᾽ ἂν
τύχωσιν αἰσθόμενοί ποτε ⟨τοὺς⟩ ἑτέρους συλλεγέντες πολλοὶ
25 διαρπάζουσι τὰ πρόβατα. πρότερον μὲν οὖν πολλῶν τοιούτων   (30)
ἀφ᾽ ἑκατέρων γιγνομένων ἀεὶ μετὰ δίκης τὰ πολλὰ καὶ
λόγων διελύοντο πρὸς ἀλλήλους, τότε δὲ τῶν Λοκρῶν
ἀνθαρπασάντων ἀνθ᾽ ὧν ἀπέβαλον προβάτων εὐθὺς οἱ
Φωκεῖς, παροξυνόντων αὐτοὺς ἐκείνων τῶν ἀνδρῶν οὓς οἱ   (35)
30 περὶ τὸν Ἀνδροκλείδαν καὶ τὸν Ἰσμηνίαν παρεσκεύασαν

---

1 Fort. ἰδίο]υς   9 καθ᾽ ἃ Wilamowitz: καὶ γὰρ propter hiatum
ci. Boissevain, quod spatio minus convenit   10 δὲ supplevit
Wilamowitz   12 συμπαρε[σκ]ευασε 𝔭   ὁπλίτας H. Richards:
πολειτας 𝔭   17 διὰ ταῦτα δι᾽ ἀπάτης ci. Fuhr
THEOP.   2

4 εἰς τὴν Λοκρίδα μετὰ τῶν ὅπλων ἐνέβαλον. οἱ δὲ Λοκροὶ
δῃουμένης τῆς χώρας πέμψαντες πρέσβεις εἰς Βοιωτοὺς
κατηγορίαν ἐποιοῦντο τῶν Φωκέων, καὶ βοηθεῖν ἐκείνους

(40) αὐτοῖς [ἠξίο]υν· διάκεινται δὲ πρὸς αὐτοὺς ἀεί ποτε φιλίως.

Col. xv   [ἁρπ]άσαντες δὲ τὸν καιρὸν ἀσμ[ενέστατα οἱ περὶ τὸν 5
(D Col. v)   Ἰσ]μηνίαν καὶ τὸν Ἀνδροκλε[ίδαν ἔπεισαν τοὺς Βοι]ωτοὺς
βοηθεῖν τοῖς Λοκροῖς. Φω[κεῖς δέ, ἀγγελθέντ]ων αὐτοῖς

(5) τῶν ἐκ τῶν Θηβῶν τ[ότε μὲν ἐκ τῆς Λοκρίδος π]άλιν
ἀνεχώρησαν, πρέσβεις δὲ πα[ραχρῆμα πέμψαν]τες πρὸς
Λακεδαιμονίους ἠξίουν ἐκ[είνους ἀπει]πεῖν Βοιωτοῖς εἰς τὴν 10
αὐτῶν βαδίζ[ειν. οἱ δὲ καίπερ] λέγειν αὐτοὺς νομίσαντες
ἄπιστα [ὅμως πέμψαντες] οὐκ εἴων τοὺς Βοιωτοὺς πόλεμον

(10) ἐκ[φέρειν πρὸς τοὺς] Φωκέας, ἀλλ' εἴ τι ἀδικεῖσθαι νομίζουσ[ι
δίκην λαμ]βάνειν παρ' αὐτῶν ἐν τοῖς συμμάχοις [ἐκέλευον.
οἱ δέ, πα]ροξυνόντων αὐτοὺς τῶν καὶ τὴν ἀπ[άτην καὶ τὰ πρά]- 15
γματα ταῦτα συστησάντων, τοὺς μὲν [πρέσβεις τοὺς] τῶν

(15) Λακεδαιμονίων ἀπράκτους ἀπέστε[ιλαν, αὐτοὶ δὲ] τὰ ὅπλα

5 λαβόντες ἐβάδιζον ἐπὶ τοὺς Φωκέ[ας. ἐμβα]λόντες δὲ διὰ
ταχέων εἰς τὴν Φωκίδα καὶ [πορθ]ήσαντες τήν τε τῶν Παρα-
ποταμίων χώραν καὶ Δαυλίων καὶ Φανοτέων ἐπεχείρησαν 20
ταῖς πόλεσι προσβάλλειν· καὶ Δαυλίᾳ μὲν προσελθόντες

(20) ἀπεχώρησαν αὖθις οὐδὲν ποιήσαντες, ἀλλὰ καὶ πληγὰς ὀλίγας
λαβόντες, Φανοτέων δὲ τὸ προάστιον κατὰ κράτος εἷλον.
διαπραξάμενοι δὲ ταῦτα προῆλθον εἰς τὴν Φωκίδα, καταδρα-
μόντες δὲ μέρος τι τοῦ πεδίου περὶ τὴν Ἐλάτειαν καὶ τοὺς 25

(25) Πεδιέας καὶ τοὺς ταύτῃ κατοικοῦντας ἀπῄεσαν. ποιουμένων
δὲ τὴν ἀποχώρησιν αὐτῶν {προς} παρ' Ὑάμπολιν ἔδοξεν αὐ-
τοῖς ἀποπειρᾶσθαι τῆς πόλεως· ἔστι δὲ τὸ χωρίον ἐπιεικῶς
ἰσχυρόν. προσβαλόντες δὲ τοῖς τείχεσι καὶ προθυμίας οὐδὲν

7-8 ἀγγελθέντ]ων et τ[ότε μὲν Wilamowitz   9 πα[ραχρῆμα Fuhr,
coll. Xen. Hell. iii. 5. 4 εὐθύς: πα[ραυτίκα Boissevain, τ]ιν[ας προσπέμψ.
H. Richards, quae omnia cum reliquiis satis congruunt   12 εἴων :
ω supra litteram deletam   13 πρὸς Fuhr : ἐπὶ ed. 1   15 ταρά]-
γματα ci. Wilcken   25 ⟨τοῦ⟩ περὶ ci. Fuhr   27 Ὑάμπολιν
Blass et Wilamowitz : υηνπολιν ℗   28 επεικως ℗

ἐλλιπόντες ἄλλο μὲν οὐδὲν ἔπραξαν, ἀποβαλόντες δὲ τῶν (30)
στρατιωτῶν ὡς ὀγδοήκοντα πάλιν ἀνεχώρησαν. Βοιωτοὶ μὲν
οὖν τοσαῦτα κακὰ ποιήσαντες τοὺς Φωκέας ἀπῆλθον εἰς τὴν
ἑαυτῶν.

5 Κόνων δέ, παρειληφότος ἤδη Χειρικράτους τὰς ναῦς τὰς **XIV**
τῶν Λακεδαιμονίων καὶ τῶν συμμάχων, ὃς ἀφίκετο ναύαρχος
διάδοχος τῷ Πόλλιδι, συμπληρώσας εἴκοσι τῶν τριήρων (35)
ἀναγόμενος ἐκ τῆς Ῥόδου κατέπλευσεν εἰς Καῦνον· βουλό-
μενος δὲ συμμεῖξαι τῷ Φαρναβάζῳ καὶ τῷ Τιθραύστῃ καὶ
10 χρήματα λαβεῖν ἀνέβαινεν ἐκ τῆς Καύνου πρὸς αὐτούς.
ἐτύγχανε δὲ τοῖς στρατιώταις κατὰ τοῦτον τὸν χρόνον προσ- **2** Col. xvi
οφειλόμενος μισθὸς πολλῶν μηνῶν· ἐμισθοδοτοῦντο γὰρ ὑπὸ (D Col. vi)
τῶν στρατηγῶν κακῶς, ὃ ποιεῖν ἔθος ἐστὶν ἀεὶ τοῖς πολε-
μοῦσιν ὑπὲρ βασιλέως, ἐπεὶ ⟨καὶ⟩ κατὰ τὸν Δεκελεικὸν (5)
15 πόλεμον, ὁπότε σύμμαχοι Λακεδαιμονίοις ἦσαν, κομιδῇ
φαύλως καὶ γλίσχρως παρείχοντο χρήματα, καὶ πολλάκις
ἂν κατελύθησαν αἱ τῶν συμμάχων τριήρεις εἰ μὴ διὰ τὴν
Κύρου προθυμίαν. τούτων δὲ βασιλεὺς αἴτιός ἐστιν, ὃς
ἐπειδὰν ἐνστήσηται πόλεμον καταπέμψας κατ᾽ ἀρχὰς ὀλίγα (10)
20 χρήματα τοῖς ἄρχουσιν ὀλιγωρεῖ τὸν ἐπίλοιπον χρόνον, οἱ
δὲ τοῖς πράγμασιν ἐφεστῶτες οὐκ ἔχοντες ἀναλίσκειν ἐκ τῶν
ἰδίων πε[ριορῶ]σιν ἐνίοτε καταλυομένας τὰς αὐτῶν [δυνάμ]εις. (15)
ταῦτα μὲν οὖν οὕτως συμβαίνειν εἴωθε, Τιθραύστης δέ, παρα- **3**
γενομένου τοῦ Κόνωνος ὡς αὐτὸν καὶ λέγοντος ὅτι κινδυνεύσει
25 συντριβῆναι τὰ πράγματα διὰ χρημάτων ἔνδειαν οἷς τοὺς
ὑπὲρ βασιλέως πολεμοῦντας οὐκ εὐλόγως ἔχειν ἀπαγορεύειν, (20)
ἀποστέλλει τινὰς τῶν μεθ᾽ αὑτοῦ βαρβάρων ἵνα μισθὸν
δῶσι τοῖς στρατιώταις ἔχοντας ἀργυρίου τάλαντα διακόσια
καὶ εἴκοσι· ἐλήφθη δὲ τοῦτο ⟨τὸ⟩ ἀργύριον ἐκ τῆς οὐσίας

---

12 ἐμισθοδοτοῦντο: ε supra lineam additum   15 Λακεδαιμονίοις
Wilamowitz: -οι p   18 Post προθυμίαν verbum velut ἀνελήφθησαν
perperam desiderat Crönert; cf. Isocr. v. 92 εἰ μὴ διὰ Κῦρον (Fuhr)
22 ἐνίοτε: ν ex κ factum est   24 Syllaba αυ corr.   25 ν in
συν- supra lineam

2*

(25)   τῆς Τισσαφέρνους. Τιθραύστης μὲν οὖν ἔτι περιμείνας
ὀλίγον χρόνον ἐν ταῖς Σάρδεσιν ἀνέβαινεν ὡς βασιλέα,
καταστήσας στρατηγοὺς ἐπὶ τῶν πραγμάτων ᾿Αριαῖον καὶ
Πασιφέρνη, καὶ παραδοὺς αὐτοῖς εἰς τὸν πόλεμον τὸ κατα-
λειφθὲν ἀργύριον καὶ χρυσίον ὅ φασι φανῆναι περὶ ἑπτα- 5
κόσια τάλαντα.

(30) **XV**   Τῶν δὲ Κυπρίων οἱ μετὰ τοῦ Κόνωνος καταπλεύσαντες
εἰς τὴν Καῦνον, ἀναπεισθέντες ὑπό τινων διαβαλλόντων
ὡς αὐτοῖς μὲν οὐ μέλλουσιν ἀποδιδόναι τὸν μισθὸν τὸν
ὀφειλόμενον, παρασκευάζονται δὲ διαλύσεις μόνον ταῖς 10
(35)   ὑπηρεσίαις καὶ τοῖς ἐπιβάταις, χαλεπῶς ἔφερον, καὶ συνελ-
θόντες εἰς ἐκκλησίαν εἵλοντο στρατηγὸν αὐτῶν ἄνδρα
Καρπασέα τὸ γένος, καὶ τούτῳ φυλακὴν ἔδοσαν τοῦ
Col. xvii   σώματος δύο στρατιώτας ἀφ᾽ ἑκάστης [νεὼς . . . .
(D Col. vii)   . . . . .]ιπ[. . . . .]ν[. . . . .]κνα . . [. .]των 15
[. . . .] τὸν Κόνωνα [. . . . .
. . . .] ὡς ἐτύγχανε . [. . . . . .]υσ[. . . . .
(5)   . . . . εραιει κατελ[. . . . . Κό]νωνος . [. . . . .
2 . . .]γετο περὶ τῶ[ν . .] . ων. Κόνων δὲ σ . [. . . . . .
ἀκούσας α]ὐτῶν τ[οὺς λόγο]υς οὐκ εἴα πιστεύειν [. 20
. . . .]εκλ[.]σ[. . . τῶν] ῾Ελλήνων, ἀλλὰ πάν[τας ἔφη τὸν
(10)   μισθὸν ἀπὸ τῆς ἴση]ς κομιεῖσθαι, ταύτην [δὲ τὴν ἀπόκρισιν
ποιησάμενος] ἔφασκεν βούλεσθαι [δ]ια[δηλῶσαι καὶ τοῖς
ἄλλ]οις, ὁ δὲ στρατηγὸς ὁ τῶν Κυπρ[ίων ὁ Καρπα]σε[ὺς
αὐτῷ] πρὸς τὸ πλῆθος τὸ τῶν στρατιω[τῶν ἢ]κολο[ύθει. 25
3 ἐκ]είνου δὲ συνεξορμήσαντος, ἐπε[ιδὴ πορ]ευόμενοι κατὰ
(15)   τὰς πύλας ἦσαν, ὁ μὲν Κόνων [ὥσπερ] ἔτυχεν ἡγούμενος
ἐξεληλύθει πρότερος ἐκ τοῦ τείχους, τοῦ δὲ ἀνθρώπου τοῦ
Καρπασέως, ὡς ἦν ἐξιὼν κατὰ τὰς πύλας, ἐπιλαμβάνονται

---

8 ὑπὸ Wilamowitz : ουτω **p**   18 Fort.]ερ vel]αρ αἰεί : cf. IV. 1
19 Non congruit τὸ[ν μισ]θόν. In fine σι[ωπῇ ci. Bury   21 Fort.
[οὐδένα πλεον]εκτ[ή]σ[ειν   21-2 Supplementum e.g. addidimus
22-3 [δὲ τὴν ἀπόκρισιν et [δ]ια[δηλῶσαι Wilamowitz, ποιησάμενος Bury
24-5 ὁ Καρπα]σε[ὺς αὐτῷ] Wilamowitz

τῶν Μεσσηνίων τινὲς τῶν Κόνωνι παρακολουθεῖν εἰωθότων
οὐ μετὰ τῆς ἐκείνου γνώμης, ἐπιθυμοῦντες ἐν τῇ πόλει   (20)
κατασχεῖν αὐτὸν ὅπως ἂν ὧν ἐξήμαρτεν δῷ δίκην. οἱ
δὲ συνακολουθοῦντες τῶν Κυπρίων ἀντελαμβάνοντο τ[οῦ
5 Καρπασέ]ως καὶ διεκώλυον τοὺς Μεσσηνίους ἄγει[ν αὐτόν,
α]ἰσθανόμενον δὲ καὶ τὸ τῶν ἑξ[ακοσ]ίων [σύνταγμα ?]
ἐβοήθει τῷ στρατηγῷ. ὁ δὲ Κόνων [ὡς ...]πε[........]
τοὺς ἀνθρώπους εἰσπηδήσας [................]υσεν εἰς   (25)
τὴν πόλιν· οἱ δὲ Κύπριοι τ[οὺς Μεσσηνίους τοὺ]ς ἁψαμένους
10 τοῦ Καρπασέω[ς βά]λλ[οντες ἀπέκρο]υσαν, αὐτοὶ δὲ πεπει-
σμένοι πάντα π[............ τ]ὸν Κόνωνα παρεσκευάσθαι   (30)
περ[ὶ τὴν τοῦ μισθοῦ] διάδοσιν ε[ἰσέ]β[αι]νον εἰς τὰς τριήρεις
ἐπ[ὶ ταύταις τ]αῖς πράξεσιν, ὥς γέ τινες ἔλεγον, μέλλον[τες
τοὺς ἐκ] τῆς Ῥόδου παραλαβόντες εἰς Κύπρον πλε[ῖν.
15 ἀποπλ]εύσαντες δὲ τῆς Ἀλαν[..]νιοιου καὶ παρακ[ομίσαν]τες 4
τοὺς βουλομέ[νους τῶν Κ]υπρίων, βαδί[ζουσιν] πρὸς τὴν   (35)
ἀκρόπο[λιν ἵνα τὴ]ν ἀρχὴν τ[οῦ Κόνωνος] καταλύσωσιν ὡς
[αἰτίου γενομέ]νου πάν[των αὐτοῖς τῶ]ν κακῶν, ὁμοί[ως δὲ
.... π]οιησ[............]ν αὐτοῖς εἰς [.........
20 ὑπηρ]εσία[.............] τῶν λόγων [...............   (40)
..................]ν[.] τὴν πόλιν τη[...............
...] β[ουλό]μενοι χρήσασθαι τοῖς αὐτ[όθι .... τῶν]
τριήρων. Κόνων δὲ κατηγμέ[νων τῶν Κυπρίων] ἐλθὼν πρὸς 5

---

6 ἑξ[ακοσ]ίων [σύνταγμα] parum placet, cum prior lacuna v litterarum
sit atque haec sescentorum cohors aliunde non nota ; ceterum ι paene
certum videtur, quapropter nihil prosunt quae ci. viri docti. Fort.
ἑξ[vel ἕξ[ω   7 μαχο]μέ[νους εἶδε ci. Fuhr, sed μ vix legendum ;
fort. εἶδε] πε[ριστάντας vel πρ[οσιόντας   8 [πάλιν ἔξωθεν ἀπέκρο]υσεν
ci. Boissevain ; fort. [ἀναβαίνειν ἐκέλε]υσεν   11 Fort. π[αρὰ τὸ
προσῆκον τ]ὸν, si quidem παρεσκ. mediae vocis est, sin aliter . . . διὰ τ]ὸν
13 ἐπ[ὶ ταύταις τ]αῖς Wilamowitz   15 ἀποπλ]εύσαντες cum genetivo
suspectum, sed κυρι]εύσαντες (Boissevain) spatium non complet.
Nominis proprii litterae λ, ν, ν, οι incertae sunt   παρακ[ομίσαν]τες :
παρακ[αλέσαν]τες ci. Boissevain   17 τ[οῦ Κόνωνος] Wilamowitz
18 αὐτοῖς Wilamowitz   23 Fort. αὐτ[όθεν ἱστίοις, nisi quidem
τοῖς pro ταῖς scriptum est

(5) Λεώνυμον τὸν τ[. . . . . εἶ]π[ε]ν αὐτῷ ὅτι μόνος
δύναται τ[ὰ πράγματα σῶσαι] τ[ὰ βα]σιλέως, εἰ γὰρ αὐτῷ
βούλεται δ[ιδόναι τοὺς φρο]υροὺς τοὺς Ἕλληνας οἳ τὴν
Καῦνον [φυλάττουσι καὶ] τῶν Καρῶν ὡς πλείστους, παύσει[ν
(10) τὴν ἐν τῷ στ]ρατοπέδῳ ταραχήν. κελεύσαντος δ[ὲ τοῦ Λεωνύ- 5
μ]ου λαμβάνειν ὁπόσους βούλεται στρατ[ιώτας, ταύτ]ην μὲν
τὴν ἡμέραν παρῆκεν, καὶ γὰρ ἥ[λιος ἦν ἤ]δη περὶ δυσμάς,
εἰς δὲ τὴν ἐπιοῦσαν πρὶν ἡμέραν γενέσθαι λαβὼν παρὰ τοῦ
(15) Λεωνύμου τῶν τε [Καρῶν] συχνοὺς καὶ τοὺς Ἕλληνας
ἅπαντας ἐξήγαγεν αὐτοὺς ἐκ τῆς πόλεως· ἔπειτα τοὺς μὲν 10
[ἔξ]ωθεν αὐτοῦ τοῦ στρατοπέδου περιέστησεν, τοὺς [δὲ ...]
. [. . . . .]ν πρός τε τὰς ναῦς καὶ τὸν αἰγιαλὸν [. . . . .
τα]ῦτα δὲ ποιήσας καὶ κελεύσας κηρῦξαι τ[ὸν κήρυκα βαί]-
(20) νειν ἕκαστον τῶν στρατιωτῶν ἐπὶ τὴ[ν . . . . . ., συ]νέλαβε
τῶν Κυπρίων τόν τε Καρπασέ[α καὶ τῶν ἄλ]λων ἑξήκοντα, 15
καὶ τοὺς μὲν ἀπέκτεινε, τὸν δὲ στρατηγὸν ἀνεσταύρωσεν.

6 ἀκούσαντες δ[ὲ τὰ γενόμενα ο]ἳ καταλειφθέντες ἐν τῇ Ῥόδῳ
(25) ἠγανάκτ[ουν, καὶ βαρέ]ως ἐνεγκόντες τοὺς μὲν ἄρχοντας
τοὺς [ὑπὸ τοῦ Κόνω]νος καταστάντας βάλλοντες ἐξήλασ[αν
ἐκ τοῦ] στρατοπέδου, τὸν δὲ λιμένα καταλιπόν[τες πολὺν 20
θόρυβον καὶ ταραχὴν παρέσχον τοῖς Ῥοδ[ίοις. ὁ δὲ Κό]νων
ἀφικόμενος ἐκ τῆς Καύνου τούς τ[ε ἄρχοντ]ας αὐτῶν συλλα-
(30) βὼν ἀπέκτεινε, καὶ τοῖς ἄλλ[οις μισθὸ]ν διέδωκε. τὸ μὲν
οὖν βασιλικὸν στρατό[πεδον οὕτ]ως εἰς μέγαν κίνδυνον
προελθὸν διὰ Κόνωνα καὶ τὴν ἐκείνου προθυμίαν ἐπαύσατο 25
τῆς ταραχῆς.

XVI   Ἀγησίλαος δὲ παραπορευόμενος εἰς τὸν Ἑλλήσποντον
(35) ἅμα τῷ στρατεύματι τῶν Λακεδαιμονίων καὶ τῶν συμμάχων,
ὅσον μὲν χρόνον ἐβάδιζε διὰ τῆς Λυδίας, οὐδὲν κακὸν ἐποί[ει

1 τ[ῶν πεζῶν ἄρχοντα ci. Wilamowitz   αὐτῷ propter hiatum fort.
delendum est   12 Fort. [προσήγαγε.   13 ποησας p   τ[ὸν
κήρυκα Wilamowitz   14 σκηνήν ci. Bury, ἑαυτοῦ Wilamowitz
17 γεγονότα praefert Fuhr   18 διηγανάκτ[ουν propter hiatum
ci. Fuhr, ἠγανάκτουν καὶ delendum censet Crönert

τοὺς] ἐνοικοῦντας, βουλόμενος ἐμμένειν ταῖς σπονδαῖς ταῖς
πρὸς Τιθραύστην γενομέναις· ἐπειδὴ δὲ κατῆρεν εἰς τὴν
χώραν τὴν Φαρναβάζου προῆγε τὸ στράτευμα λεηλατῶν καὶ   Col. xix
πορθῶν τὴ[ν γῆν. εἶτα] δὲ παραλλάξας τό τε Θήβης πεδίον   (D Col. ix)
5 καὶ τ[ὸ 'Απίας] καλούμενον ε[ἰσ]έβαλεν εἰς τὴν Μυσία[ν, καὶ
ἐνέκει]το τοῖς Μυσοῖς κελεύων αὐτοὺς συστρ[ατεύειν με]τ᾽   (5)
αὐτῶν. εἰσὶ γὰρ οἱ πολλοὶ τῶν Μυσῶν αὐ[τόνομοι] βασι-
λέως οὐχ ὑπακούοντες. ὅσοι μὲν οὖν τῶν Μυσῶν μετέχειν
ᾑροῦντο τῆς στρατείας [οὐδὲν ἐ]ποίει κακὸν αὐτούς, τῶν δὲ
10 λοιπῶν ἐδῄου τὴν χώραν. ἐπειδὴ δὲ προϊὼν ἐγένετο κατὰ 2
μέσο[ν μάλι]στα τὸν Ὄλυμπον τὸν Μύσιον καλούμεν[ον, ὁρῶν]   (10)
χαλεπὴν καὶ στενὴν οὖσαν τὴν δίοδον [καὶ βουλόμ[ενος]
ἀσφαλῶς πορευθῆναι δι᾽ αὐτῆς, πέμψας τινὰ πρὸς τοὺς
Μυσοὺς καὶ σπεισάμενος πρὸς αὐτοὺς ἦ[γε τὸ] στράτευμα
15 διὰ τῆς χώρας. παρέντες δὲ πο[λλοὺς τῶν Π]ελοποννησίων   (15)
καὶ τῶν συμμάχ[ων, ἐπιθέμενοι τ]οῖς τελευταίοις αὐτῶν κατα-
βάλλ[ουσί τινας τ]ῶν στρατιωτῶν ἀτάκτων διὰ τὰς στ[ενο-
χωρίας ὄντ]ων. 'Αγησίλαος δὲ καταζεύξας τ[ὸ στράτευμα
τα]ύτην τὴν ἡμέραν ἡσυχίαν ἦ[γε ποιῶν τὰ νο]μ[ιζ]όμενα   (20)
20 τοῖς ἀποθανοῦσι· διεφθάρησαν δὲ περὶ πεντήκοντα τῶν στρα-
τιωτῶν· εἰς δὲ τὴν ἐπιοῦσαν καθίσας εἰς ἐνέδραν πολλοὺς
τῶν μισθοφόρων τῶν Δερκυλιδείων καλουμένων ἀναστὰς
προῆγε τὸ στράτευμα πάλιν. τῶν δὲ Μυσῶν οἰηθέντες   (25)
ἕκαστοι διὰ τὴν πληγὴν τὴν τῇ προτερα[ίᾳ γενο]μένην
25 ἀπιέναι τὸν 'Αγησίλαον ἐξελθόντες ἐκ τῶν κωμῶν ἐδίωκον,
ὡς ἐπιθησόμενοι τοῖς τελευταίοις τὸν αὐτὸν τρόπον. οἱ δὲ
τῶν Ἑλλήνων ἐν[εδρεύ]οντες, ὡς ἦσαν κατ᾽ αὐτούς, ἐκπηδή-
σαντες ἐκ τῆς ἐνέδρας εἰς χεῖρας ᾔεσαν τοῖς πολεμίοις. τῶν   (30)
δὲ Μυσῶν οἱ μὲν ἡγούμενοι καὶ πρῶτοι διώκοντες ἐξαίφνης
30 τοῖς Ἕλλησι συμμείξαντες ἀποθνῄσκουσιν, οἱ δὲ πολλοὶ κατι-
δόντες τοὺς πρώτους αὐτῶν ἐν πληγαῖς ὄντας ἔφευγον πρὸς

4 εἶτα]: ὅτε ci. Boissevain, omisso καὶ post Μυσία[ν   15 ⟨τοὺς⟩
πο[λλοὺς ci. Wilamowitz   18 ἰόντ]ων ci. Crönert   24 προτερα[ίᾳ
γενο]μένην Fuhr : προτέρᾳ [γεγενη]μένην ed. 1 ; cf. XVI. 2 ad fin.

(35)　τὰς κώμας.　'Αγησίλαος δὲ προσαγγελθέντων αὐτῷ τούτων
μετα[βαλόμε]νος ἀπῆγε τὸ στράτευμα πάλιν τὴν αὐτὴν [ὁδὸν
ἕ]ως συνέμειξε τοῖς ἐν ταῖς ἐνέδραις, καὶ κατεσκήνωσεν εἰς τὸ
　3 στρατόπεδον ᾗ καὶ τῇ προτέρᾳ κατεστρατοπέδευσαν.　μετὰ
Col. xx δὲ ταῦτα τῶν μὲν Μυσῶν ὧν ἦσαν [οἱ ἀποθανόντες ἕκαστοι 5
(D Col. x) κή]ρυκας πέμψαντες α[. . . . . ἀνεῖλον]το τοὺς
νεκροὺς ὑ[ποσπόνδους·　ἀπέθανον δὲ πλείους] ἢ τριάκοντα καὶ
(5)　ἑ[κατόν·　'Αγησίλαος δὲ λαβὼν ἐκ τῶν] κωμῶν τινας καθ[ηγε-
μόνας καὶ ἀναπαύσας . . . .] ἡμέρας τοὺς στρ[ατιώτας ἦγεν
εἰς] τὸ πρόσθεν τὸ στράτευμα, καὶ καταβιβάσας εἰς τὴν 10
χώραν τῶν Φρυγῶν, οὐκ εἰς ἣν τοῦ προτέρου θέρους
ἐνέβαλεν ἀλλ' εἰς ἑτέραν ⟨οὖσαν⟩ ἀπόρθητον, κακῶς αὐτὴν
(10)　4 ἐποίει, Σπιθραδάτην ἔχων ἡγεμόνα καὶ τὸν υἱόν.　ὁ δὲ
Σπιθραδάτης τὸ μὲν γένος ἦν Πέρσης, διατρίβων δὲ παρὰ
τῷ Φαρναβάζῳ καὶ θεραπεύων αὐτόν, ἔπει[τα δὲ εἰς] ἔχ- 15
θραν καταστὰς πρὸς αὐτόν, φοβηθεὶς μὴ καταληφθῇ καὶ
(15)　κακόν τι πάθῃ, παραυτίκα μὲν ἀπέ[φυγεν] εἰς Κύζικον,
ὕστερον δὲ ὡς 'Αγησίλαον ἧ[κεν ἄ]γων Μεγαβάτην υἱὸν
νέον ὄντα καὶ καλόν.　'Αγησίλαος δὲ τούτων γενομένων
ἀνέλαβεν αὐτοὺς μάλιστα μὲν ἕνεκα τοῦ μειρακίου, λέγεται 20
γὰρ ἐπιθυμητικῶς αὐτοῦ σφόδρα ἔχειν, ἔπειτα δὲ καὶ διὰ
(20)　Σπιθραδάτην, ⟨ἡγούμενος⟩ ἡγεμόνα τε τῆς στρατιᾶς αὐτοῖς
　5 ἔσεσθαι καὶ [πρὸς] ἄλλα χρήσιμον.　ἐκείνους μὲν οὖν τού-
των ἕνεκα ὑπεδέξατο προθύμως, αὐτὸς δὲ προάγων εἰς τὸ
πρόσθεν ἀεὶ τὸ στράτευμα καὶ λεηλατῶν τὴν τοῦ Φαρναβάζου 25
(25)　χώραν ἀφικνεῖται πρὸς χωρίον ὃ καλεῖται Λεόντων Κεφαλαί.
καὶ ποιησάμενος πρὸς αὐτὸ προσβολάς, ὡς οὐδὲν ἐπέραινεν,
ἀναστήσας τὸ στράτευμα προῆγεν εἰς τὸ πρόσθεν πορθῶν καὶ
　6 λεηλατῶν τῆς χώρας τὴν ἀκέραιον.　ἀφικόμενος δὲ πάλιν
(30)　πρὸς Γόρδιον, χωρίον ἐπὶ χώματος ᾠκοδομημένον καὶ κατε- 30

12 οὖσαν add. Fuhr　　13 ὗον ℘ hic et inf. 18　　18 ⟨τὸν⟩ υἱὸν ci.
Wilamowitz　　21 σχεῖν ci. Crönert　　22 σπιθριδατ[ην] ℘　⟨ἡγού-
μενος⟩, quod ed. 1 post στρατιᾶς habebat, huc transposuit Crönert,
coll. XVII. 2　　28 προσθε ℘

σκευασμένον καλῶς, καὶ καταζεύξας τὸ στράτευμα περιέμενεν
ἐξ ἡμέρας, πρὸς μὲν τοὺς πολεμίους προσβολὰς ποιούμενος,
τοὺς δὲ στρατιώτας ἐ[πὶ π]ολλοῖς ἀγαθοῖς συνέχων. ἐπειδὴ
δὲ βιάσασθαι τὸ χωρίον οὐκ ἠδύνατο διὰ τὴν ʽΡαθάνου   (35)
5 προθυμίαν, ὃς ἐπῆρχεν αὐτοῦ Πέρσης ὢν τὸ γένος, ἀνα-
στήσας ἦγεν ἄνω τοὺς στρατιώτας, κελεύοντος τοῦ Σπιθρα-
δάτου εἰς Παφλαγονίαν πορεύεσθαι.

Μετὰ δὲ ταῦτα προάγων τοὺς Πελοποννησίους καὶ τοὺς **XVII**
συμμάχους π[ρὸς τὰ ὅρια τῆς Φρυ]γίας καὶ τῆς Παφλαγονίας   Col. xxi
10 ἐκε[ῖ τὸ στράτευμα κατεσ]τρατοπέδευσε, τὸν δὲ Σπιθραδάτη[ν   (D Col. xi)
αὐτὸν προέπεμψε]ν· ὁ δὲ πορευθεὶς καὶ πείσας ἐκεί[νους
ἧκε πρέσβεις] ἄγων. Ἀγησίλαος δὲ ποιησάμενος [σπονδὰς 2   (5)
ἐκ τῆς τῶ]ν Παφλαγόνων ἀπήγαγε διὰ ταχ[έων τὸ στράτευμα
ἐπὶ θ]άλατταν, φοβούμενος μὴ χειμὼν[ος τῆς τροφῆς ἐν-
15 δέ]ωσιν. ἐποιεῖτο δὲ τὴν πορείαν οὐκέτ[ι τὴν αὐτὴν ὁδὸν
ἥν]περ ἦλθεν ἀλλ' ἑτέραν, ἡγούμενος διὰ [τῆς Βιθυνίδος]
διεξιοῦσι ἀκο]πωτέρως ἔσεσθαι τοῖς σ[τρατιώταις. ἀπέ-
σ]τειλε [δὲ] . ιτ[. .]ρ[.]υ[. . .] αὐτῷ Γύης το[. . . . .]   (10)
ντ . . των[. . . . . .] ἱππέας μ[ὲν . . . . ί]ους, πεζοὺς δὲ
20 πλείου[ς δισχι]λίων. καταγ[αγὼν δὲ τὸ στρ]άτευμα κατὰ 3
Κίον τῆς Μυσίας, πρῶτον μ[ὲν περιμείν]ας ἡμέρας αὐτοῦ
δέκα κακῶς ἐποίει τοὺς Μυσο[ὺς πάλ]ιν ἀνθ' ὧν ἐπεβούλευσαν
αὐτῷ περὶ τὸν Ὄλυμπον, ὕστερον δὲ προῆγε τοὺς Ἕλληνας   (15)
διὰ τῆς Φρυγίας τῆς παραθαλαττιδίου, καὶ προσβαλὼν πρὸς
25 χωρίον τὸ καλούμενον Μιλήτου Τεῖχος, ὡς οὐκ ἠδύνατο
λαβεῖν, ἀπῆγε τοὺς στρατιώτας. ποιούμενος δὲ τὴν πορείαν   (20)
παρὰ τὸν ʽΡύνδακον ποταμὸν ἀφικνεῖται πρὸς τὴν Δασκυλῖτιν
λίμνην ὑφ' ᾗ κεῖται τὸ Δασκύλιον, χωρίον ὀχυρὸν σφόδρα

---

1 κακως p   4 ʽΡαθάνου : ʽΡαθίνου Xen. Anab. vi. 5. 7, &c.
5 Πέρσης : πήγης p   6 σπιθριδατου p   10 σπ[ι]θριδατη[ν p
12-3 σπονδὰς ἐκ τῶ]ν ci. Fuhr, τῆς τῶ]ν utpote spatio magis congruum
scripsimus: σύμμαχα τὰ τῶ]ν ed. 1   17 ἀκο]πωτέρως Wilamowitz :
conveniret etiam ἀπο]νωτέρως   18 Γύης suspectum : Ὄτυς Xen.
Hell. iv. 1, Κότυς Ages. 3 Plut. Ages. 11, Θῦς Theopomp. ap. Athen. iv.
p. 144 (= 175)   25 ὡς supra lineam additum   28 δακυλειο[ν p

καὶ κατεσκευασμένον ὑπὸ βασιλέως, οὗ καὶ τὸν Φαρνάβαζον
ἔλεγον ἀργύριον ὅσον ἦν αὐτῷ καὶ χρυσίον ἀποτίθεσθαι.

(25)   4 κατεστρατοπεδευκὼς δὲ τοὺς στρατιώτας ἐκεῖθι μετεπέμπετο
Πάγκαλον, ὃς ἐπιβάτης τῷ ναυάρχῳ Χειρικράτει πεπλευκὼς
ἐπεμελεῖτο τοῦ Ἑλλησπόντου πέντε τριήρεις ἔχων. [παρα- 5
γ]ενομένου δὲ τοῦ Παγκάλου διὰ ταχέων καὶ [ταῖς τρ]ιήρεσιν
(30)   εἰσπλεύσαντος εἰς τὴν λίμνην, ἐκεῖ[νον μὲν] ἐκέλευσεν ὁ
Ἀγησίλαος ἐνθέμενον ὅσα τῶν [διηρπασμ]ένων ἦν πλείονος
ἄξια διαγαγεῖν εἰς τ[.]ον[. . . . . περ]ὶ Κύζικον, ὅπως {ἂν}
ἀπ᾽ αὐτῶν μισθὸς τῷ [σ]τ[ρατεύματι] γένοιτο· τοὺς δὲ 10
στρατιώτας τοὺς ἀπὸ τῆς Μυσία[ς ἀπέλυσε πρ]οστάξας
(35)   αὐτοῖς ἥκειν εἰς τὸ ἔαρ, παρασκευα[ζόμενος τ]ὸν ἐπιόντα
χειμῶνα βαδίζειν εἰς Καππα[δοκίαν, ἀκού]ων ταύτην τὴν
χώραν διατείνειν ὥσ[περ ταινία]ν στενὴν ἀρξαμένην ἀπὸ
τῆς Ποντικῆς [θαλάττης μ]έχρι Κιλικίας καὶ Φοινίκης, καὶ 15
τὸ μῆκος [αὐτῆς εἶν]αι τοσοῦτον ὥστε τοὺς ἐκ Σινώπης
βαδίζοντας [. . .

Fragmenta incertae sedis.

Fr. 16 (fort. Col. v vel vi)	Fr. 17 (fort. Col. iv)	Fr. 18 (fort. Col. iv)
. .	Τ*ι*]σσαφ[έρ*ν*	]μιωσ[
] . [	]αμο[	] γὰρ πρ[
]γλ[	Τισσα]φέρ[*ν*	]δον κ[20
]τ[	. . . .	β]ιαζοι[
. .	(5)	]ιετ[

             . . . .

8 [διηρπασμ]ένων Bury, quod e.g. recepimus   ην: η 𝔭   9 τ[όπ]ον
[ὀχυρὸν ci. Crönert: τ[όπ]ον fort. caperet prior lacuna. ο potest α esse
11 τοὺς supra lineam additum est   Fr. 16 manu secunda scriptum
esse videtur   Fr. 17 columnae primos versus habet, sicut Frr. 18.
23, 38

Fr. 19 (fort. Col. iv)	Fr. 20 (fort. Col. iv)	Fr. 21 (fort. Col. vii)

. . . .

Fr. 19
```
     ]ς τυρα[νν
     ]απασι[
     ]αντατ[
     ].μων[
(5)  ]ωμενω[
     ]μετευ[
     ].νον δὲ και[
     ]...’Αρχε[λαΐδ ?
     ].ποσου[
(10) ]τουμ[
     ]σθεν[
     ].ωνα[
     ]αφυ[
```

Fr. 20
```
     ]τον δ[
     ].ων ετ.[
     ]το τὰς π[
     ]ων ἀλλ[
(5)  ]νορων[
     ]λυσαν[
     ].ουντα[
     ]ατα τὴν [
     ]ην εἰωθ[
(10) ]οι καὶ ου[
     ]ς ’Αρχελ[αΐδ ?
     ].αλμε[
     ].[
```

Fr. 21
```
     ]αι[
     ὠ]ργισμέ[ν
     ]υ..[
```

Fr. 22
(fort. Col. vii vel viii)

. . .
```
     ]τακα[
     ]αφα[
     ]με[
```
. . .

Fr. 23 (fort. Col. x)	Fr. 24 (fort. Col. x)	Fr. 25 (fort. Col. x)

. . . .

Fr. 23
```
     ] ἐστιν [
     ].ομ.[
```
. . .

Fr. 24
```
     π[
     τ[
```
.

Fr. 25
```
     ι[
     γ[
     τ[
```
.

Fr. 26 (fort. Col. xvii vel xviii)	Fr. 27 (fort. Col. xvii vel xviii)	Fr. 28 (fort. Col. xvii vel xviii)

. . .

Fr. 26
```
     ]ει[
```
.

Fr. 27
```
     ]τεσ[
```
.

Fr. 28
```
     ]τα[
     ]τ[
```
.

Fr. 19. 8 Cf. Fr. 20. 11 et IV. 2. Sed fort. Archelai regis Macedonici
mentio fit; cf. Col. ix   Fr. 20. 6 Fort. Λυσαν[δρ.   Frr. 21 et 22
Col. vii vel viii propter papyri colorem referenda sunt

Fr. 29   Fr. 30   Fr. 31   Fr. 32

. . . .

]ν τη . [   ] . α[   ] . [τ[
]υτακ[   ]αυτο[   ]. της σιν[ομ . [
ἀ]φικν[   ]ο ἐντα . [   ] κατεσχ[[.]τα[
]μ[. . . .   ]εως απ[. . .
. . . .   (5)] τοὺς στ[

                                 . . . .

Fr. 33   Fr. 34   Fr. 35   Fr. 36

. . . .

]ασ[   ]νε[   ] . . [   ]α μὲν π[
]κα[.]ων[   ]να[   ]ν[λ]αβεῖν η[
]αρεικο[   ]τ . [   ]νβ[διε]ξιόντω[ν
]ον βασιλ[ε   ]ντ[   ] . [   ]νην ὑστ[ερ
(5)]σα . φο[(5)]β . [(5)]ιε[(5)   ]ρμω . [
σ]τρατο[. .   ]λα[. . . .
] . χρωμ[. . .
   μ[.] . [
] . . [.]κα[

. . . .

Fr. 37   Fr. 38   Fr. 39   Fr. 40   Fr. 41

. .   ] . π[. .   . .   . .
]τα[   ]κα[   ]οι[   ] . [   ] . [
]εσυ[   ]τ[   ]τε[   ]ια[   ]ο . [
]τυν[. .   ]κτ[   ]ηλ[   ]υτ[
]εια[. .   ]ειδ[. .

. .   .

Fr. 29 neque in IV. 2 init. neque in VII. 3 ponendum est   Fr. 33, si
quidem huius rotuli pars est, ob atramenti colorem fort. Col. ix adscri-
bendum.   3 Δ]αρεικο[ῖς ci. Wilcken, et 6 σ]τρατο[λογ . . . : sed fort.
]αρ εἰκο[dividendum est

OXYRHYNCHIA

Fr. 42	Fr. 43	Fr. 44	Fr. 45	Fr. 46
]·[	]νν·[	]μενη[	]·α[	]προσα[
]σπολ[	]ιοι[		]σκ·[	]ν···[
]λλι[			]ηε[	
]·[			]·[	

Fr. 47	Fr. 48	Fr. 49	Fr. 50	Fr. 51
]γ[	]·ιο[	]··[	]·[	]ροσ·[
]εγ[	]ιμ[	]νσα[	]·οι[	]κελ[
]π[			]σι[	

Fr. 52	Fr. 53	Fr. 54	Fr. 55	Fr. 56
]εμ	]ιε	]πεδι[	]τ[	]σιν[
			]ην	]·α[

Fr. 57	Fr. 58	Fr. 59	Fr. 60	Fr. 61
]τ[	]θ·[	]μ[	]·[	]οσ[
]οπ[			]ι[	]τ[

Fr. 62	Fr. 63	Fr. 64	Fr. 65	Fr. 66
]γοισ[	]να[	]·σι[	α[	]ιδ[
]αι[	]ιγ[		·[	]ρω[

Frr. 44 et 61 columnae finem praebent esse incertum est   Frr. 65 et 68 ex hac papyro

Fr. 67   Fr. 69   Fr. 71   Fr. 72

. . . . . .

]το[   ] . [   ] . [. . . .   ] . . . [. .

]χ . . [   ]ο . [   ]ασου[. .   ]υ . . υ

. . .   ] . [γε]γενημέ-   ]υμ

     ] . [   ]τοις μὲν   ] . ε

Fr. 68   . .   (5)   ]ιαν ἄγειν   (5)   ] . ων

     ] ἔπεμπεν   ]

. . . .   Fr. 70   ]ακας εἰσα-   ]σθε

] . ι[. .] . [.   . . .   ]η δὲ πα[.]   .   .

]οιπα[   ] . π . [   ]ετοτ[. .

. . . . .   ] . [. . . .

. . .

Frr. 71 et 72 num huic papyro tribuenda sint valde dubitamus

THEOPOMPI FRAGMENTA

ΕΠΙΤΟΜΗ ΤΩΝ ΗΡΟΔΟΤΟΥ ΙΣΤΟΡΙΩΝ

1 (M 1). (*a*) Photius *Lex.*:

σπουδάζω· . . . ἐπὶ δὲ τοῦ κατεπείγομαι Θεόπομπος ἐν
ἐπιτομῇ τῶν Ἡροδότου· ἐπὶ δὲ τοῦ βούλομαι ὁ αὐτὸς ἐν τῇ
ἐπιτομῇ.

5   (*b*) Eadem habet Suidas *Lex.* hac voce.

2 (M 2). Antiatticista apud Bekker *Anecd.* i. p. 80. 27:

ἀναβῆναι τὸν ἵππον· ἀντὶ τοῦ ἐπιβῆναι. Θεόπομπος ἐν
ἐπιτομῇ Ἡροδότου.

3 (M 3). Antiatticista ibid. p. 104. 16:

10   κακόβιος· Θεόπομπος ἐν τῇ ἐπιτομῇ Ἡροδότου.

4 (M 4). Antiatticista ibid. p. 115. 17:

φυγαδεῦσαι· τὸ φυγάδα ἐλάσαι. Θεόπομπος ἐπιτομῇ
Ἡροδότου.

*****5** (M 5). Hesychius:

15   ζειρά· οἱ μὲν εἶδος χιτῶνος, οἱ δὲ ζώνην· βέλτιον δὲ
ἄλλο τι ἐπιβόλαιον κατὰ τῶν ὤμων φορούμενον, ἐοικὸς
ἐφαπτίδι· καὶ Ἡρόδοτος μαρτυρεῖ ἐν ζ^ῳ καὶ Θεόπομπος
ὁ Χῖος.

ΕΛΛΗΝΙΚΑ

LIBER I

6. (*a*) Diodorus xiv. 84. 7:

20   Θεόπομπος δ' ὁ Χῖος . . . ἦρκται μὲν ἀπὸ τῆς περὶ Κυνὸς
σῆμα ναυμαχίας, εἰς ἣν Θουκυδίδης κατέληξε ⟨τὴν⟩ πραγμα-
τείαν, ἔγραψε δὲ χρόνον ἐτῶν δεκάεπτα.

---

17 ζ^ῳ Schow, ζα cod. Cf. Hdt. vii. 69   21 τὴν add. Reiske

(*b*) Diodorus xiii. 42. 5:

Ξενοφῶν δὲ καὶ Θεόπομπος ἀφ' ὧν ἀπέλιπε Θουκυδίδης
τὴν ἀρχὴν πεποίηνται.

(*c*) Marcellinus *Vit. Thucyd.* 45:

τὰ δὲ τῶν ἄλλων ἐξ ἐτῶν[1] πράγματα ἀναπληροῖ ὅ τε
Θεόπομπος καὶ ὁ Ξενοφῶν, οἷς συνάπτει τὴν Ἑλληνικὴν
ἱστορίαν.

(*d*) Anonymus *Vit. Thucyd.* 5:

τὰ δὲ μετὰ ταῦτα[2] ἑτέροις γράφειν κατέλιπε[3], Ξενοφῶντι
καὶ Θεοπόμπῳ· εἰσὶ δὲ καὶ αἱ ἐφεξῆς μάχαι· οὔτε γὰρ τὴν
δευτέραν ναυμαχίαν τὴν περὶ Κυνὸς σῆμα, ἣν Θεόπομπος
εἶπεν, οὔτε τὴν περὶ Κύζικον, ἣν ἐνίκα Θρασύβουλος καὶ
Θηραμένης καὶ Ἀλκιβιάδης, οὔτε τὴν ἐν Ἀργινούσαις ναυμα-
χίαν, ἔνθα νικῶσιν Ἀθηναῖοι Λακεδαιμονίους, οὔτε τὸ κεφά-
λαιον τῶν κακῶν τῶν Ἀττικῶν, τὴν ἐν Αἰγὸς ποταμοῖς
ναυμαχίαν, ὅπου καὶ τὰς ναῦς ἀπώλεσαν Ἀθηναῖοι καὶ τὰς
ἐξῆς ἐλπίδας· καὶ γὰρ τὸ τεῖχος αὐτῶν καθῃρέθη καὶ ἡ
τῶν τριάκοντα τυραννὶς κατέστη καὶ πολλαῖς συμφοραῖς
περιέπεσεν ἡ πόλις, ἃς ἠκρίβωσε Θεόπομπος.

7 (M 7). Stephanus Byz.:

Χρυσόπολις· ... καὶ Θεόπομπος ἐν πρώτῳ Ἑλληνικῶν·
'ἀνήχθησαν εἰς Χαλκηδόνα καὶ Βυζάντιον μετὰ τοῦ λοιποῦ
στρατεύματος βουλόμενοι Χρυσόπολιν κατασχεῖν'.

LIBER II

8 (M 9). (*a*) Harpocration:

Πεδάριτος· ... τῶν ἐκ Λακεδαίμονος ἐκπεμφθέντων ἐστὶν
οὗτος, ἁρμοστὴς ἀνὴρ τῶν γεγονότων καλῶν, ὥς φησι Θεό-
πομπος ἐν β′ Ἑλληνικῶν.

(*b*) Eadem sine auctoris nomine apud Suidam, qui
Παιδάριτος scribit.

---

[1] sc. belli Peloponnesiaci
pugnam   [3] sc. Thucydides   [2] sc. primam ad Cynossema

---

6 οἷς] ὃς ci. Grauert   10 μάχαι ⟨πολλαί⟩ ci. Krüger

LIBER III

9 (M iv. p. 643, post 25). Schol. in Eurip. *Androm*. 1 (ed.
Schwartz i. p. 247):

Θεόπομπος δὲ ἐν γ´ Ἑλληνικῶν καὶ περὶ τὴν Μυκάλην
ἄλλας[1] εἶναί φησι, ταύτας δὲ Μιλησίους ἀλλάξασθαι πρὸς
5 Σαμίους.

LIBER IV

10 (M 12). Stephanus Byz.:

Ἄσπενδος· πόλις Παμφυλίας, . . . Θεόπομπος τετάρτῃ
Ἑλληνικῶν· ʻ ἀποτυχὼν δὲ τῶν Ἀσπενδίων ʼ. καὶ τὸ θηλυκὸν
ὁ αὐτὸς Ἀσπενδία.

10 11 (M 13). Stephanus Byz.:

Σελλασία· πόλις Λακωνική. Θεόπομπος ἐν τετάρτῳ Ἑλ-
ληνικῶν.

12 (M 14). Stephanus Byz.:

Τρίνησσα· τόπος Φρυγίας. Θεόπομπος Ἑλληνικῶν τε-
15 τάρτῳ.

LIBER VI

13 (M 15 a = 315). Stephanus Byz.:

Ὠρωπός· . . . καὶ Θεόπομπος ϛ´ Ἑλληνικῶν· ʻ ἀνακοι-
νοῦνται τῶν Ὠρωπίων Τηλέφῳ καὶ τοῖς μετʼ ἐκείνου βουλο-
μένοις καὶ τὸν Ὠρωπὸν ὑπάρχειν αὐτοῖς ʼ.

LIBER VII

20 14 (M 15). Athenaeus vi. 272 a:

Θεόπομπος δʼ ἐν ζ´ Ἑλληνικῶν περὶ τῶν εἱλώτων λέγων
ὅτι καὶ ἐλεᾶται καλοῦνται γράφει οὕτως· ʻ τὸ δὲ τῶν εἱλώτων
ἔθνος παντάπασιν ὠμῶς διάκειται καὶ πικρῶς· εἰσὶ γὰρ οὗτοι
καταδεδουλωμένοι πολὺν ἤδη χρόνον ὑπὸ τῶν Σπαρτιατῶν,
25 οἱ μὲν αὐτῶν ἐκ Μεσσήνης ὄντες, οἱ δʼ ἐλεᾶται κατοικοῦντες
πρότερον τὸ καλούμενον Ἕλος τῆς Λακωνικῆς ʼ.

---

[1] sc. Thebas

3 γ´ Ἑλληνικῶν Schwartz: γὰρ ἑλληνικοῖς vel τοῖς ἑλληνικοῖς codd.
9 ὁ] ὡς Ald.   17 ϛ´ ἑλληνικῶν R: καὶ ἑλλάνικος VP Ald.:
η´ Ἑλληνικῶν M

LIBER VIII

15 (M 16). Stephanus Byz.:

῎Εμβατον· τόπος τῆς ᾿Ερυθραίας. Θεόπομπος ῾Ελληνικῶν ὀγδόῃ.

16 (M 17). Stephanus Byz.:

Κάλπη· πόλις Βιθυνῶν. Θεόπομπος ὀγδόῳ ῾Ελληνικῶν. 5

17 (M 18). Stephanus Byz.:

Λαδεψοὶ καὶ Τρανιψοί· ἔθνη Θυνῶν. Θεόπομπος ὀγδόῳ ῾Ελληνικῶν.

18 (M 19). Stephanus Byz.:

Κυτώνιον· πόλις μεταξὺ Μυσίας καὶ Λυδίας. Θεόπομπος 10 ῾Ελληνικῶν ὀγδόῳ.

LIBER IX

19 (M 20). Athenaeus vi. 252 f:

Θεόπομπος δ᾿ ἐν τῇ ἐνάτῃ τῶν ῾Ελληνικῶν Σισύφου φησὶ τοῦ Φαρσαλίου κόλακα καὶ ὑπηρέτην γενέσθαι ᾿Αθήναιον τὸν ᾿Ερετριέα. 15

LIBER X

*20 (M 93). Stephanus Byz.:

Καρπασία· πόλις Κύπρου . . . ὁ πολίτης Καρπασεώτης ὡς Μαρεώτης. καὶ τὸ κτητικὸν Καρπασεωτικός . . . Θεόπομπος ἐν δεκάτῳ Καρπασεῖς αὐτούς φησιν, ἴσως ἀπὸ τοῦ Κάρπασος, ὡς ᾿Αντίοχος ᾿Αντιοχεύς, ἀφ᾿ οὗ Καρπάσεια. 20

21. (a) (M 21) Athenaeus xii. 543 b:

Θεόπομπος δὲ ἐν τῇ δεκάτῃ τῶν ῾Ελληνικῶν τἀναντία φησὶ περὶ τοῦ Λυσάνδρου ὅτι ᾿ φιλόπονος ἦν καὶ θεραπεύειν δυνάμενος καὶ ἰδιώτας καὶ βασιλεῖς, σώφρων ὢν καὶ τῶν ἡδονῶν ἁπασῶν κρείττων. γενόμενος γοῦν τῆς ῾Ελλάδος 25 σχεδὸν ἁπάσης κύριος ἐν οὐδεμιᾷ φανήσεται τῶν πόλεων οὔτε πρὸς τὰς ἀφροδισίους ἡδονὰς ὁρμήσας οὔτε μέθαις καὶ πότοις ἀκαίροις χρησάμενος᾿.

5 κάλπη an κάλπαι incertum R : κάλπαι V Ald.   7 θυνῶν R V : βιθυνῶν Ald.   ὀγδόῳ Ald.: ν´ R V Π   18, 19 Cf. Hell. Oxyrh. XV, Phil. x tribuit M   20 Καρπάσεια] Καρπασεύς Berkel

(b) (M 22) Plutarchus *Lysand.* c. 30, p. 450 :

καὶ γὰρ ἡ πενία τοῦ Λυσάνδρου τελευτήσαντος ἐκκα-
λυφθεῖσα φανερωτέραν ἐποίησε τὴν ἀρετήν, ἀπὸ χρημάτων
πολλῶν καὶ δυνάμεως θεραπείας τε πόλεων καὶ βασιλέως
5 τοσαύτης μηδὲ μικρὸν ἐπιλαμπρύναντος τὸν οἶκον εἰς χρη-
μάτων λόγον, ὡς ἱστορεῖ Θεόπομπος, ᾧ μᾶλλον ἐπαινοῦντι
πιστεύσειεν ἄν τις ἢ ψέγοντι.

LIBER XI

22. (a) (M 23) Athenaeus xiv. 657 b–c :

χηνῶν δὲ σιτευτῶν καὶ μόσχων Θεόπομπος ἐν ιγ´ Φιλιπ-
10 πικῶν καὶ ια´ Ἑλληνικῶν, ἐν οἷς ἐμφανίζει τὸ περὶ τὴν
γαστέρα τῶν Λακώνων ἐγκρατὲς γράφων οὕτως· ‘καὶ οἱ
† Θάσιοι ἔπεμψαν Ἀγησιλάῳ προσιόντι πρόβατα παντοδαπὰ
καὶ βοῦς εὖ τεθραμμένους, πρὸς τούτοις δὲ καὶ πέμματα καὶ
τραγημάτων εἶδος παντοδαπῶν. ὁ δ᾽ Ἀγησίλαος τὰ μὲν
15 πρόβατα καὶ τὰς βοῦς ἔλαβεν, τὰ δὲ πέμματα καὶ τὰ τραγή-
ματα πρῶτον μὲν οὐδ᾽ ἔγνω· κατεκεκάλυπτο γάρ. ὡς δὲ
κατεῖδεν, ἀποφέρειν αὐτοὺς ἐκέλευσεν, εἰπὼν οὐ νόμιμον εἶναι
Λακεδαιμονίοις χρῆσθαι τοιούτοις τοῖς ἐδέσμασι. λιπαρούν-
των δὲ τῶν † Θασίων, "δότε, φησί, φέροντες ἐκείνοις", δείξας
20 αὐτοῖς τοὺς εἵλωτας, εἰπὼν ὅτι τούτους δέοι διαφθείρεσθαι
τρώγοντας αὐτὰ πολὺ μᾶλλον ἢ αὐτὸν καὶ τοὺς παρόντας
Λακεδαιμονίων᾽.

(b) Athenaeus ix. 384 a :

Θεόπομπος μὲν ἔφη ὁ Χῖος ἐν ταῖς Ἑλληνικαῖς κἂν
25 τῇ τρισκαιδεκάτῃ δὲ τῶν Φιλιππικῶν Ἀγησιλάῳ τῷ Λάκωνι
εἰς Αἴγυπτον ἀφικομένῳ πέμψαι τοὺς Αἰγυπτίους χῆνας
καὶ μόσχους σιτευτούς.

4 βασιλέως τοσαύτης Emperius : βασιλείας τοιαύτης vulg.   12 Θάσιοι]
cf. 19 Θασίων, (e) Θάσιοι : quae omnia corrupta esse videntur.   ὁ Ταχὼς
ἔπεμψεν ci. Wichers   14 εἶδος] πλῆθος ci. Kaibel   15 τὰς]
τοὺς Casaubon   18 τοιούτοις Ε : τοσούτοις Α   19 Θασίων]
Αἰγυπτίων vel τῶν τοῦ Ταχὼ στρατηγῶν ci. Wichers   20 αὐτοῖς om. Ε
δέοι διαφθείρεσθαι Casaubon : δὲ οἶδα φθείρεσθαι Α Ε

3*

(c) (M 11) Athenaeus xv. 676 c–d :

γελοῖοι οὖν εἰσιν καὶ οἱ λέγοντες Ναυκρατίτην εἶναι
στέφανον τὸν ἐκ τῆς βύβλου τῆς στεφανωτρίδος καλουμένης
παρ' Αἰγυπτίοις {στεφόμενον}, παρατιθέμενοι Θεοπόμπου
ἐκ τῆς τρι(σκαιδεκάτης τῶν Φιλιππικῶν καὶ ἑνδεκά)της τῶν 5
Ἑλληνικῶν, ὅς φησιν Ἀγησιλάῳ τῷ Λάκωνι παραγενομένῳ
εἰς Αἴγυπτον δῶρα πέμψαι τοὺς Αἰγυπτίους ἄλλα τέ τινα
και δὴ καὶ τὴν στεφανωτρίδα βύβλον.

(d) Plutarchus Agesil. c. 36, p. 616 :

ἐπεὶ δὲ κατέπλευσεν εἰς τὴν Αἴγυπτον, εὐθὺς οἱ πρῶτοι 10
τῶν βασιλικῶν ἡγεμόνων καὶ διοικητῶν ἐβάδιζον ἐπὶ ναῦν
θεραπεύοντες αὐτόν. ἦν δὲ καὶ τῶν ἄλλων Αἰγυπτίων σπουδή
τε μεγάλη καὶ προσδοκία διὰ τοὔνομα καὶ τὴν δόξαν τοῦ
Ἀγησιλάου, καὶ συνετρόχαζον ἅπαντες ἐπὶ τὴν θέαν. ὡς
δὲ ἑώρων λαμπρότητα μὲν καὶ κατασκευὴν οὐδεμίαν, ἄνθρω- 15
πον δὲ πρεσβύτην κατακείμενον ἔν τινι πόᾳ παρὰ τὴν
θάλασσαν, εὐτελῆ καὶ μικρὸν τὸ σῶμα, τραχὺ καὶ φαῦλον
ἱμάτιον ἀμπεχόμενον, σκώπτειν αὐτοῖς καὶ γελωτοποιεῖν
ἐπῄει καὶ λέγειν ὅτι τοῦτο ἦν τὸ μυθολογούμενον· ὠδίνειν
ὄρος, εἶτα μῦν ἀποτεκεῖν. ἔτι δὲ μᾶλλον αὐτοῦ τὴν ἀτοπίαν 20
ἐθαύμασαν, ὅτε ξενίων προσκομισθέντων καὶ προσαχθέντων
ἄλευρα μὲν καὶ μόσχους καὶ χῆνας ἔλαβε, τραγήματα δὲ
καὶ πέμματα καὶ μύρα διωθεῖτο, καὶ βιαζομένων λαβεῖν καὶ
λιπαρούντων ἐκέλευσε τοῖς εἵλωσι διδόναι κομίζοντας. τῇ
μέντοι στεφανωτρίδι βύβλῳ φησὶν αὐτὸν ἡσθέντα Θεόπομπος 25
διὰ τὴν λιτότητα καὶ καθαριότητα τῶν στεφάνων αἰτήσασθαι
καὶ λαβεῖν, ὅτε ἀπέπλει, παρὰ τοῦ βασιλέως.

(e) Plutarchus Apophtheg. Lacon. c. 24, p. 210 b–c :

†Θάσιοι δὲ τὴν χώραν αὐτῶν διαπορευομένῳ[1] μετὰ τοῦ

---

[1] sc. Agesilao

---

4 στεφόμενον del. Kaibel   5 τρι(σκαιδεκάτης τῶν Φιλιππικῶν καὶ
ἑνδεκά)της τῶν Ἑλληνικῶν G–H ; cf. (a) et (b) : τρίτης τῶν ἑλληνι-
κῶν A   25 Θεόπομπος] θεόφραστος codd., quem errore pro
Theopompo citatum esse notat Wichers   29 Θάσιοι] cf. not. ad (a)

στρατεύματος ἄλφιτα καὶ χῆνας καὶ τραγήματα καὶ μελί-
πηκτα καὶ ἄλλα παντοδαπὰ βρώματά τε καὶ πόματα πολυτελῆ
ἔπεμψαν· μόνα δὲ τὰ ἄλφιτα δεξάμενος τὰ λοιπὰ ἀπάγειν
ἐκέλευσεν ὀπίσω τοὺς κομίζοντας, ὡς οὐδὲν αὐτοῖς ὄντα
5 χρήσιμα.   λιπαρούντων δὲ καὶ δεομένων πάντως λαβεῖν
ἐκέλευσεν αὐτὰ τοῖς εἵλωσι διαδίδοσθαι.   πυθομένων δὲ
τὴν αἰτίαν ἔφη τοὺς ἀνδραγαθίαν ἀσκοῦντας τὰς τοιαύτας
λιχνείας οὐχ ἁρμόζει προσίεσθαι· τὰ γὰρ δελεάζοντα τοὺς
ἀνδραποδώδεις τῶν ἐλευθέρων ἀλλότρια.

10   (f) Nepos *Agesil.* 8 : quod ei usu venit, cum annorum
octoginta subsidio Tacho in Aegyptum iisset et in acta cum
suis accubuisset sine ullo tecto stratumque haberet tale, ut
terra tecta esset stramentis neque huc amplius quam pellis
esset iniecta, eodemque comites omnes accubuissent vestitu
15 humili atque obsoleto, ut eorum ornatus non modo in his
regem neminem significaret, sed homines ⟨esse⟩ non beatis-
simos suspicionem praeberet.   huius de adventu fama cum
ad regios esset perlata, celeriter munera eo cuiusque generis
sunt allata.   his quaerentibus Agesilaum vix fides facta est,
20 unum esse ex iis qui tum accubabant.   qui cum regis verbis
quae attulerant dedissent, ille praeter vitulinam et eius modi
genera obsonii, quae praesens tempus desiderabat, nihil
accepit ; unguenta, coronas secundamque mensam servis
dispertiit, cetera referri iussit.

25 **23.** Porphyrius ap. Euseb. *Praep. Evang.* x. 465 b, c :

κἀγώ, φησὶν ὁ Νικαγόρας, τοῖς Ἑλληνικοῖς ἐντυγχάνων
αὐτοῦ [1] τε καὶ τοῦ Ξενοφῶντος πολλὰ τοῦ Ξενοφῶντος
αὐτὸν μετατιθέντα κατείληφα, καὶ τὸ δεινὸν ὅτι ἐπὶ τὸ
χεῖρον.   τὰ γοῦν περὶ τῆς Φαρναβάζου πρὸς Ἀγησίλαον

---

[1] sc. Theopompi

2 πόματα] πέμματα ⟨καὶ μύρα⟩ ci. Bernardakis   11 iisset] missus
esset ci. Wölfflin   14 eodem quo comites omnes vestitu Fleckeisen
15 his] eis Fleckeisen   16 esse, in cod. Sangall. a correctore
suppletum, huc transposuit Fleckeisen : v. l. hominis non beatissimi

συνόδου δι' Ἀπολλοφάνους τοῦ Κυζικηνοῦ καὶ τὰς ἀμφοῖν
πρὸς ἀλλήλους ἐνσπόνδους διαλέξεις, ἃς ἐν τῇ τετάρτῃ
Ξενοφῶν ἀνέγραψε πάνυ χαριέντως καὶ πρεπόντως ἀμφοῖν,
εἰς τὴν ἑνδεκάτην τῶν Ἑλληνικῶν μεταθεὶς ὁ Θεόπομπος
ἀργά τε καὶ ἀκίνητα πεποίηκε καὶ ἄπρακτα. λόγου γὰρ 5
δύναμιν καὶ διὰ τὴν κλοπὴν ἐξεργασίαν ἐμβάλλειν καὶ
ἐπιδείκνυσθαι σπουδάζων, βραδὺς καὶ μέλλων καὶ ἀναβαλ-
λομένῳ ἔοικὼς φαίνεται, καὶ τὸ ἔμψυχον καὶ ἐνεργὸν τὸ
Ξενοφῶντος διαφθείρων.

LIBER XII

24. (a) Diodorus xiii. 42. 5 :

Θεόπομπος δὲ τὰς Ἑλληνικὰς πράξεις διελθὼν ἐπ' ἔτη
ἑπτακαίδεκα καταλήγει τὴν ἱστορίαν εἰς τὴν περὶ Κνίδον
ναυμαχίαν ἐν βύβλοις δώδεκα.

(b) Diodorus xiv. 84. 7 :

Θεόπομπος δ' ὁ Χῖος τὴν τῶν Ἑλληνικῶν σύνταξιν 15
κατέστροφεν εἰς τοῦτον τὸν ἐνιαυτὸν[1] καὶ εἰς τὴν περὶ
Κνίδον ναυμαχίαν, γράψας βύβλους δώδεκα.

Cf. Suidam s. v. Θεόπομπος, ubi xi tantum libri Helleni-
cis ascripti sunt.

ΦΙΛΙΠΠΙΚΑ

LIBER I

25 (M 26). (a) Dionysius Hal. *Antiq. Rom.* init. :

οὔτ' ἐν τοῖς ἰδίοις μέλλων πλεονάζειν ἐπαίνοις οὓς ἐπαχθεῖς
οἶδα φαινομένους τοῖς ἀκούουσιν, οὔτε διαβολὰς καθ' ἑτέρων
ἐγνωκὼς ποιεῖσθαι συγγραφέων, ὥσπερ Ἀναξιμένης καὶ
Θεόπομπος ἐν τοῖς προοιμίοις τῶν ἱστοριῶν ἐποίησαν.

(b) Photius *Bibliotheca* 176 (ed. Bekker p. 120) :

συνακμάσαι δὲ λέγει αὐτὸς[2] ἑαυτὸν Ἰσοκράτει τε τῷ
Ἀθηναίῳ καὶ Θεοδέκτῃ τῷ Φασηλίτῃ καὶ Ναυκράτει τῷ

---

[1] sc. Olymp. 96. 2   [2] sc. Theopompus

---

16 κατέστρεφεν codd., corr. Dindorf   23 Ἀναξιμένης C. Müller :
ἀναξίλαος codd.   24 ἐν τοῖς προοιμίοις τῶν ἱστοριῶν ἐποίησαν del.
Cobet

Ἐρυθραίῳ, καὶ τούτους ἅμα αὐτῷ τὰ πρωτεῖα τῆς ἐν λόγοις
παιδείας ἔχειν ἐν τοῖς Ἕλλησιν· ἀλλὰ Ἰσοκράτην μὲν δι᾽
ἀπορίαν βίου καὶ Θεοδέκτην μισθοῦ λόγους γράφειν καὶ
σοφιστεύειν, ἐκπαιδεύοντας τοὺς νέους κἀκεῖθεν καρπου-
5 μένους τὰς ὠφελείας, αὐτὸν δὲ καὶ Ναυκράτην αὐτάρκως
ἔχοντας ἐν τούτοις ἀεὶ τὴν διατριβὴν ἐν τῷ φιλοσοφεῖν
καὶ φιλομαθεῖν ποιεῖσθαι. καὶ ὡς οὐκ ἂν εἴη αὐτῷ παράλογον
ἀντιποιουμένῳ τῶν πρωτείων, οὐκ ἐλαττόνων μὲν ἢ δισμυρίων
ἐπῶν τοὺς ἐπιδεικτικοὺς τῶν λόγων συγγραψαμένῳ, πλείους
10 δὲ ἢ ιε΄ μυριάδας, ἐν οἷς τάς τε τῶν Ἑλλήνων καὶ βαρβάρων
πράξεις μέχρι νῦν ἀπαγγελλομένας ἔστι λαβεῖν· ἔτι δὲ καὶ
διότι οὐδείς ἐστι τόπος κοινὸς τῶν Ἑλλήνων οὐδὲ πόλις
ἀξιόχρεως εἰς οὓς αὐτὸς οὐκ ἐπιδημῶν καὶ τὰς τῶν λόγων
ἐπιδείξεις ποιούμενος οὐχὶ μέγα κλέος καὶ ὑπόμνημα τῆς
15 ἐν λόγοις αὐτοῦ κατέλιπεν ἀρετῆς. ταῦτα αὐτὸς περὶ
αὐτοῦ λέγων τοὺς ἐν τοῖς ἔμπροσθεν χρόνοις ἔχοντας ἐν
λόγοις τὸ πρωτεύειν πολὺ καταδεεστέρους ἀποφαίνεται τῶν
καθ᾽ ἑαυτὸν οὐδὲ τῆς δευτέρας τάξεως ἀξιουμένων, καὶ
τοῦτο δῆλον εἶναί φησι καὶ ἐξ αὐτῶν τῶν παρ᾽ ἑκατέροις
20 ἐκπεπονημένων καὶ καταλελειμμένων λόγων· πολλὴν γὰρ
τὴν τοιαύτην παίδευσιν ἐπίδοσιν λαβεῖν κατὰ τὴν αὐτοῦ
ἡλικίαν.

26 (M 27). Polybius viii. 9 (11). 1–2:

μάλιστα δ᾽ ἄν τις ἐπιτιμήσειε περὶ τοῦτο τὸ μέρος
25 Θεοπόμπῳ, ὅς γ᾽ ἐν ἀρχῇ τῆς Φιλίππου συντάξεως δι᾽
αὐτὸ μάλιστα παρορμηθῆναι φήσας πρὸς τὴν ἐπιβολὴν τῆς
πραγματείας διὰ τὸ μηδέποτε τὴν Εὐρώπην ἐνηνοχέναι
τοιοῦτον ἄνδρα παράπαν οἷον τὸν Ἀμύντου Φίλιππον, μετὰ
ταῦτα παρὰ πόδας, ἔν τε τῷ προοιμίῳ καὶ παρ᾽ ὅλην δὲ τὴν
30 ἱστορίαν, ἀκρατέστατον μὲν αὐτὸν ἀποδείκνυσι πρὸς γυναῖκας,
ὥστε καὶ τὸν ἴδιον οἶκον ἐσφαλκέναι τὸ καθ᾽ αὑτὸν διὰ τὴν
πρὸς τοῦτο τὸ μέρος ὁρμὴν καὶ προστασίαν, ἀδικώτατον δὲ

20 πολλὴν] v.l. πάλιν

καὶ κακοπραγμονέστατον περὶ τὰς τῶν φίλων καὶ συμμάχων
κατασκευάς, πλείστας δὲ πόλεις ἐξηνδραποδισμένον καὶ
πεπραξικοπηκότα μετὰ δόλου καὶ βίας, ἐκπαθῆ δὲ γεγονότα
καὶ πρὸς τὰς ἀκρατοποσίας, ὥστε καὶ μεθ᾽ ἡμέραν πλεονάκις
μεθύοντα καταφανῆ γενέσθαι τοῖς φίλοις.   5

   *27 (M 29). Strabo i. 2. 35 (C. 43):

   Θεόπομπος δὲ ἐξομολογεῖται φήσας ὅτι καὶ μύθους ἐν
ταῖς ἱστορίαις ἐρεῖ, κρεῖττον ἢ ὡς Ἡρόδοτος καὶ Κτησίας
καὶ Ἑλλάνικος καὶ οἱ τὰ Ἰνδικὰ συγγράψαντες.

   28. Diodorus xvi. 3. 8:   10

   τῶν δὲ συγγραφέων Θεόπομπος ὁ Χῖος τὴν ἀρχὴν τῶν
περὶ Φιλίππου ἱστοριῶν ἐντεῦθεν[1] ποιησάμενος γέγραφεν
βύβλους ὀκτὼ πρὸς ταῖς πεντήκοντα, ἐξ ὧν πέντε
διαφωνοῦσιν.

   *29 (M 30). Syncellus *Chronograph.* p. 262 b–c (p. 499 15
ed. Dindorf):

   οὗτος ὁ Κάρανος ἀπὸ μὲν Ἡρακλέους ια᾽ ἦν, ἀπὸ δὲ
Τημένου τοῦ μετὰ τῶν ἄλλων Ἡρακλειδῶν κατελθόντος εἰς
Πελοπόννησον ἔβδομος. γενεαλογοῦσι δ᾽ αὐτὸν οὕτως,
ὥς φησιν ὁ Διόδωρος ⟨καὶ⟩ οἱ πολλοὶ τῶν συγγραφέων, ὧν 20
εἷς καὶ Θεόπομπος· Κάρανος Φείδωνος τοῦ Ἀριστοδαμίδα
τοῦ Μέροπος τοῦ Θεοστίου τοῦ Κισσίου τοῦ Τημένου τοῦ
Ἀριστομάχου τοῦ Κλεαδάτους τοῦ Ὕλλου τοῦ Ἡρακλέους.

   *30 (M 31). Athenaeus v. 217 d:

   Περδίκκας τοίνυν πρὸ Ἀρχελάου βασιλεύει, ὡς μὲν 25
ὁ Ἀκάνθιός φησιν Νικομήδης, ἔτη μα᾽, Θεόπομπος δὲ
λε᾽, Ἀναξιμένης μ᾽, Ἱερώνυμος κη᾽, Μαρσύας δὲ καὶ
Φιλόχορος κγ᾽.

   31 (M 32). Harpocration:

   Ἀργαῖος· . . . περὶ τούτου καὶ Θεόπομπος ἐν τῷ α᾽ τῶν 30

---

[1] sc. ab Olymp. 105. 1

---

  20 καὶ add. Scaliger   21 Ἀριστοδαμίδα τοῦ Scaliger: ἀριστοδαμη-
δάτου cod. Parisinus

Φιλιππικῶν λέγει 'τὸν 'Αρχέλαόν καλοῦσι καὶ 'Αργαῖον καὶ Παυσανίαν'.

32 (M 33). Athenaeus xii. 531 e–532 a :

ἐν δὲ τῇ α΄ τῶν Φιλιππικῶν Θεόπομπος περὶ Φιλίππου
5 λέγων φησίν· 'καὶ τριταῖος εἰς 'Ονόκαρσιν ἀφικνεῖται,
χωρίον τι τῆς Θρᾴκης ἄλσος ἔχον πολὺ κατεσκευασμένον
καλῶς καὶ πρὸς τὸ διαιτηθῆναι κεχαρισμένον ἄλλως τε καὶ
τὴν θερινὴν ὥραν. ἦν γὰρ καὶ τῶν ὑπὸ Κότυος προκρι-
θέντων, ὃς ἁπάντων τῶν βασιλέων τῶν ἐν τῇ Θρᾴκῃ
10 γεγενημένων μάλιστα πρὸς ἡδυπαθείας καὶ τρυφὰς ὥρμησε,
καὶ περιὼν τὴν χώραν ὅπου κατίδοι τόπους δένδρεσι
συσκίους καὶ καταρρύτους ὕδασι, τούτους κατεσκεύασεν
ἑστιατόρια· καὶ φοιτῶν εἰς ἑκάστους ὁπότε τύχοι θυσίας
τε τοῖς θεοῖς ἐποιεῖτο καὶ συνῆν μετὰ τῶν ὑπάρχων,
15 εὐδαίμων καὶ μακαριστὸς ὢν ἕως εἰς τὴν 'Αθηνᾶν βλασφη-
μεῖν καὶ πλημμελεῖν ἐπεχείρησεν'. διηγεῖταί τε ἑξῆς
ὁ συγγραφεὺς ὅτι δεῖπνον κατεσκεύασεν ὁ Κότυς ὡς γαμου-
μένης αὐτῷ τῆς 'Αθηνᾶς καὶ θάλαμον κατασκευάσας ἀνέμενεν
μεθύων τὴν θεόν. ἤδη δ' ἔκφρων γενόμενος ἔπεμπέ τινα
20 τῶν δορυφόρων ὀψόμενον εἰ παραγέγονεν ἡ θεὸς εἰς τὸν
θάλαμον. ἀφικομένου δ' ἐκείνου καὶ εἰπόντος μηδένα εἶναι
ἐν τῷ θαλάμῳ, τοξεύσας τοῦτον ἀπέκτεινεν καὶ ἄλλον
δεύτερον ἐπὶ τοῖς αὐτοῖς, ἕως ὁ τρίτος συνεὶς παραγενο-
μένην ἔφη πάλαι τὴν θεὸν αὐτὸν ἀναμένειν. ὁ δὲ βασιλεὺς
25 οὗτός ποτε καὶ ζηλοτυπήσας τὴν αὐτοῦ γυναῖκα ταῖς αὐτοῦ
χερσὶν ἀνέτεμε τὴν ἄνθρωπον ἀπὸ τῶν αἰδοίων ἀρξάμενος.

33 (M 34). Stephanus Byz. :

Μόκαρσος· Θρᾴκης χωρίον. Θεόπομπος πρώτῳ τῶν Φιλιππικῶν.

30 **34 (M 36).** Stephanus Byz. :

Χάλκη· . . . λέγεται καὶ πληθυντικῶς Χάλκαι. Θεόπομπος

---

1 'Αρχέλαον Gronovius : ἀγγέλαον vel ἀγέλαον codd.   7 ἐνδιαιτηθῆ-
ναι Meineke   23 παραγενομένην Kaibel : παραγενόμενος A E

πρώτῳ Φιλιππικῶν ⟨ ⟩, καὶ τρίτῳ· ʻἔτι συνεπολέμησεν
ὡρμημένος ἐκ Χαλκῶν τῆς Λαρισαίας᾽.

35 (M 37). Harpocration :

Κινέας· . . . ὡμολόγηται καὶ παρὰ τοῖς ἱστορικοῖς ὅτι
Κινέας εἷς ἦν τῶν προϊεμένων Φιλίππῳ τὰ Θετταλῶν πρά- 5
γματα, καὶ μάλιστα Θεοπόμπῳ ἐν αʹ, ἅμα καὶ διεξερχομένῳ
τὰ περὶ τὸν ἄνδρα.

36 (M 38). Stephanus Byz.:

Ἀλλάντη· πόλις Μακεδονίας καὶ Ἀρκαδίας. Θεόπομπος
δ᾽ ἐν πρώτῳ Φιλιππικῶν Ἀλλάντιον αὐτὴν εἶπε.   10

37 (M 39). Athenaeus vi. 275 b :

νῦν δέ, ὡς ὁ Θεόπομπος ἱστορεῖ ἐν τῇ πρώτῃ τῶν Φιλιπ-
πικῶν, οὐδείς ἐστι καὶ τῶν μετρίως εὐπορουμένων, ὅστις οὐ
πολυτελῆ μὲν τράπεζαν παρατίθεται, μαγείρους δὲ καὶ θερα-
πείαν ἄλλην πολλὴν κέκτηται καὶ πλείω δαπανᾷ τὰ καθ᾽ ἡμέραν 15
ἢ πρότερον ἐν ταῖς ἑορταῖς καὶ ταῖς θυσίαις ἀνήλισκον.

38 (M 40). (a) Suidas :

λόγον ἔχειν· ἀντὶ τοῦ φροντίζειν. Θεόπομπος Φιλιπ-
πικῶν α.

Eadem sine libri numero apud (b) Photium *Lex.* et 20
(c) Antiatticistam ap. Bekk. *Anecd.* p. 107. 4.

LIBER II

39 (M 41). (a) Athenaeus x. 443 a–c :

ἐν δὲ τῇ δευτέρᾳ τῶν Φιλιππικῶν ʻἸλλυριοί, φησί,
δειπνοῦσι καθήμενοι καὶ πίνουσιν, ἄγουσι δὲ καὶ τὰς γυναῖκας
εἰς τὰς συνουσίας· καὶ καλὸν αὐταῖς προπίνειν οἷς ἂν τύχωσι 25
τῶν παρόντων. ἐκ δὲ τῶν συμποσίων αὗται τοὺς ἄνδρας
ἀπάγουσι. καὶ κακόβιοι δὲ πάντες εἰσὶ καὶ ζώννυνται τὰς
κοιλίας ζώναις πλατείαις ὅταν πίνωσι. καὶ τοῦτο μὲν πρῶτον
μετρίως ποιοῦσιν, ἐπειδὰν δὲ σφοδρότερον πίνωσι, μᾶλλον
αἰεὶ συνάγουσι τὴν ζώνην. Ἀρδιαῖοι δέ, φησί, κέκτηνται 30

---

1 Lacunam post Φιλιππικῶν statuit Meineke   2 ὡρμημένος V :
ὁρμώμενος R Ald.   4 κεινέας Harpocration   30 Ἀρδιαῖοι
Casaubon, cf. (b) et Strab. vii. p. 315 : ἀριαῖοι A C

προσπελατῶν ὥσπερ εἱλώτων τριάκοντα μυριάδας. καθ᾽
ἑκάστην δὲ ἡμέραν μεθύουσιν καὶ ποιοῦνται συνουσίας καὶ
διάκεινται πρὸς ἐδωδὴν καὶ πόσιν ἀκρατέστερον. διὸ καὶ
Κελτοὶ πολεμοῦντες αὐτοῖς καὶ εἰδότες αὐτῶν τὴν ἀκρασίαν
5 παρήγγειλαν ἅπασι τοῖς στρατιώταις δεῖπνον ὡς λαμπρότατον
παρασκευάσαντας κατὰ σκηνὴν ἐμβαλεῖν εἰς τὰ σιτία πόαν
τινὰ φαρμακώδη δυναμένην διακόπτειν τὰς κοιλίας καὶ δια-
καθαίρειν. γενομένου δὲ τούτου οἱ μὲν αὐτῶν καταληφθέντες
ὑπὸ τῶν Κελτῶν ἀπώλοντο, οἱ δὲ καὶ εἰς τοὺς ποταμοὺς αὐτοὺς
10 ἔρριψαν, ἀκράτορες τῶν γαστέρων γενόμενοι᾽.

(b) Athenaeus vi. 271 e :
ἔτι Θεόπομπος ἐν τῇ δευτέρᾳ τῶν Φιλιππικῶν ᾽Αρδιαίους
φησὶ κεκτῆσθαι προσπελατῶν ὥσπερ εἱλώτων τριάκοντα
μυριάδας.
15   (c) Aelianus Var. Hist. iii. 15 :
ἐφεῖται [1] τοῖς ἐν τῷ συνδείπνῳ παροῦσι ξένοις προπίνειν
ταῖς γυναιξίν, ἕκαστον ᾗ ἂν βούληται, κἂν μηδὲν προσήκῃ
ἡ γυνὴ αὐτῷ.

40 (M 43). (a) Athenaeus xi. 476 d–e :
20   τοὺς δὲ Παιόνων βασιλεῖς φησι Θεόπομπος ἐν δευτέρᾳ
Φιλιππικῶν, τῶν βοῶν τῶν παρ᾽ αὐτοῖς γινομένων μεγάλα
κέρατα φυόντων, ὡς χωρεῖν τρεῖς καὶ τέτταρας χόας, ἐκπώ-
ματα ποιεῖν ἐξ αὐτῶν, τὰ χείλη περιαργυροῦντας καὶ
χρυσοῦντας.
25   (b) Athenaeus xi. 468 d :
περὶ δὲ τὴν Μολοσσίδα οἱ βόες ὑπερφυῆ ἱστοροῦνται
κέρατα ἔχειν· περὶ ὧν τῆς κατασκευῆς Θεόπομπος ἱστορεῖ.

41 (M 45). Harpocration :
Νέων . . . περὶ τῆς πρὸς Φίλιππον τούτου φιλίας
30 Θεόπομπος ἐν β᾽ Φιλιππικῶν ἱστορεῖ.

---

[1] sc. apud Illyrios

---

12 ᾽Αρδιαίους Casaubon : ἀρκαδίους A, ἀρκάδας C

42 (M 46). (*a*) Suidas:

φρουρήσεις ἐν Ναυπάκτῳ· . . . ἔνιοι δὲ ὅτι Φίλιππος
ἑλὼν Ναύπακτον Ἀχαιῶν γνώμῃ τοὺς φρουροὺς αὐτῆς
ἀπέκτεινε πάντας. ἱστορεῖ δὲ τοῦτο καὶ Θεόπομπος ἐν
δευτέρῳ.   5

(*b*) Zenobius *Centur.* vi. 33:

φρουρῆσαι ἐν Ναυπάκτῳ· Φιλίππου Ναύπακτον ἑλόντος
Ἀχαιοὶ τοὺς φρουροὺς ἀπέσφαξαν καὶ Παυσανίαν τὸν
ἄρχοντα τῆς φρουρᾶς ἀπέκτειναν, ὥς φησι Θεόπομπος.

LIBER III

43 (M 47). Harpocration: 10

Ἱέραξ . . . ὅτι ὁ Ἱέραξ εἷς ἦν τῶν ὑπ᾿ Ἀμφιπολιτῶν
πεμφθέντων πρέσβεων Ἀθήναζε, βουλομένων αὐτῶν
Ἀθηναίοις παραδοῦναι καὶ τὴν πόλιν καὶ τὴν χώραν,
εἴρηκε Θεόπομπος ἐν γ´ Φιλιππικῶν.

44 (M 48). (*a*) Harpocration: 15

Δάτος· πόλις ἐστὶ Θρᾴκης σφόδρα εὐδαίμων· . . . ἅπαξ
δ᾿ ἀρσενικῶς τὸν Δάτον Θεόπομπος γ´ Φιλιππικῶν.

(*b*) Mich. Apostolius *Centur.* vi. 74 (Leutsch v. 83):

Δάτος ἀγαθῶν· ἐπὶ εὐδαιμονούντων· ἡ γὰρ Δάτος πόλις
ἦν ἐπὶ Θρᾴκης, σφόδρα εὐδαίμων· δεδηλώκατον δὲ περὶ αὐ- 20
τῆς Θεόπομπος ἐν τρίτῳ Φιλιππικῷ καὶ Ἔφορος ἐν τετάρτῳ.

45 (M 48). Stephanus Byz.:

Ζειρηνία· πόλις Θρᾴκης. Θεόπομπος Φιλιππικῶν γ´.

46 (M 49). Harpocration:

Πανδοσία· . . . περὶ τῆς ἁλώσεως τῶν ἐν Κασσωπίᾳ 25
πόλεων, ὧν ἐστι καὶ Πανδοσία, Θεόπομπος ἐν γ´ ἱστόρηκεν.

47 (M 50). Stephanus Byz.:

Χάλκη· . . . λέγεται καὶ πληθυντικῶς Χάλκαι. Θεό-
πομπος πρώτῳ Φιλιππικῶν ⟨   ⟩, καὶ τρίτῳ ʻἔτι
συνεπολέμησεν ὡρμημένος ἐκ Χαλκῶν τῆς Λαρισαίαςʼ.   30

23 ζειρηνία R : ζειρινία V Ald.   29 Lacunam post Φιλιππικῶν
indicavit Meineke   30 ὡρμημένος V : ὁρμώμενος R Ald.

48 (M 51). Hesychius :

ἱππάκη· Σκυθικὸν βρῶμα ἐξ ἵππου γάλακτος. οἱ δὲ
ὀξύγαλα ἱππεῖον, ᾧ χρῶνται Σκύθαι. πίνεται δὲ καὶ
ἐσθίεται πηγνύμενον, ὡς Θεόπομπος ἐν τρίτῳ αὐτοῦ λόγῳ.

5 **49** (M 52). Schol. in Apollon. Rhod. iv. 272 :

Σεσόγχωσις Αἰγύπτου πάσης βασιλεὺς ... ἀκριβέστερον
δέ ἐστι τὰ περὶ αὐτοῦ παρὰ Ἡροδότῳ. Θεόπομπος δὲ ἐν
τρίτῳ Σέσωστριν αὐτὸν καλεῖ.

50 (M 53). Stephanus Byz. :

10 Θάψακος· πόλις Συρίας πρὸς τῷ Εὐφράτῃ. Θεόπομπος
ἐν Φιλιππικῶν τρίτῳ.

LIBER IV

51 (M 54). Athenaeus xii. 527 a :

περὶ δὲ Θετταλῶν λέγων ἐν τῇ τετάρτῃ φησὶν ὅτι
' ζῶσιν οἱ μὲν σὺν ταῖς ὀρχηστρίσιν καὶ ταῖς αὐλητρίσιν
15 διατρίβοντες, οἱ δ' ἐν κύβοις καὶ πότοις καὶ ταῖς τοιαύταις
ἀκολασίαις διημερεύοντες, καὶ μᾶλλον σπουδάζουσιν ὅπως
ὄψων παντοδαπῶν τὰς τραπέζας παραθήσονται πλήρεις
ἢ τὸν αὐτῶν βίον ὅπως παρασχήσονται κεκοσμημένον.
Φαρσάλιοι δὲ πάντων, φησίν, ἀνθρώπων εἰσὶν ἀργότατοι
20 καὶ πολυτελέστατοι'.

52 (M 55). Harpocration :

Ἡιών· ... Θεόπομπος δ' ἐν τῇ δ' φησὶν ὡς Ἀθηναῖοι
ἐκβαλόντες ἐξ Ἡιόνος Ἀμφιπολίτας κατέσκαψαν τὸ χωρίον.

53 (M 56). Harpocration :

25 Ἁλόννησος· ... μνημονεύει δὲ τῆς ἀμφισβητήσεως
τῆς περὶ Ἁλοννήσου καὶ Θεόπομπος ἐν δ' καὶ Ἀναξιμένης
ἐν δ' Φιλιππικῶν.

54. Didymus *De Demosth. Comment.* xii. 43–50 :

περὶ μὲν γὰρ τὴν Μεθώνης πολιορκίαν τὸν δεξιὸν

___

2 ἵππου] ἵππων vel ἱππείου ci. M. Schmidt; cf. Ael. Dionys. apud
Eustath. p. 916. 16   17, 18 παραθήσονται ... παρασχήσονται Musurus :
παραθήσωνται ... παρασχήσωνται A   23 τὸ χωρίον] v. l. τὴν πόλιν

ὀφθαλμὸν ἐξεκόπη τοξεύματι πληγείς, ἐν ᾧ τὰ μηχανώματα
καὶ τὰς χωστρίδας λεγομένας ἐφεώρα, καθάπερ ἐν τῇ δ΄ τῶν
περὶ αὐτὸν ἱστοριῶν ἀφηγεῖται Θεόπομπος, οἷς καὶ Μαρσύας
ὁ Μακεδὼν ὁμολογεῖ. Cf. Iustin. vii. 6. 14.

LIBER V

55 (M 57). (*a*) Athenaeus iv. 157 d-e: 5

Θεόπομπος οὖν ἐν ε΄ Φιλιππικῶν φησι· ‘τὸ γὰρ ἐσθίειν
πολλὰ καὶ κρεαφαγεῖν τοὺς μὲν λογισμοὺς ἐξαιρεῖ καὶ τὰς
ψυχὰς ποιεῖται βραδυτέρας, ὀργῆς δὲ καὶ σκληρότητος καὶ
πολλῆς σκαιότητος ἐμπίπλησι’.

(*b*) Eadem sine libri numero apud Eustathium in Hom. 10
p. 1724 (Ed. Rom.).

56 (M 58). Stephanus Byz.:

Ἀμφαναί· πόλις Δωρική. . . . Θεόπομπος Ἀμφαναίαν
αὐτὴν καλεῖ ἐν πέμπτῳ Φιλιππικῶν.

57 (M 59). Stephanus Byz.:   15

Μακκάραι· χώρα ὑπὲρ Φάρσαλον. Θεόπομπος πέμπτῳ
Φιλιππικῶν.

58 (M 60). Stephanus Byz.:

Ὄλυκα· πόλις Μακεδονίας. Θεόπομπος πέμπτῳ Φιλιπ-
πικῶν.   20

59 (M 61). Harpocration:

Παγασαί· . . . ἐπίνειόν ἐστι Φεραίων αἱ Παγασαί, ὡς
Θεόπομπος ἐν τῇ ε΄ τῶν Φιλιππικῶν δηλοῖ.

60 (M iv. p. 643, post 61). Pollux *Onomast.* x. 161:

σάγματα μὲν οὖν ὑποζυγίων κατὰ τοὺς πολλοὺς ἐν τῇ 25
πέμπτῃ τῶν Φιλιππικῶν ἔστιν εὑρεῖν.

LIBER VI

61 (M 62). (*a*) Harpocration:

Πύγελα· . . . πόλις ἐστὶν ἐν τῇ Ἰωνίᾳ τὰ Πύγελα ἦν

---

7 Legebatur κρέα φαγεῖν: κρεοφαγεῖν ci. Kaibel   16 μακκάραι
V Ald.: μάκαραι R   25, 26 Scribendum esse aut παρὰ Θεοπόμπῳ ἐν
aut τῶν Θεοπόμπου Φιλιππ. censuit Meineke

Θεόπομπός φησιν ἐν ϛ′ λαβεῖν τοὔνομα ἐπειδὴ τῶν μετ᾽
Ἀγαμέμνονός τινες διὰ νόσον τὴν περὶ τὰς πυγὰς ἐνταῦθα
κατέμειναν.

(*b*) Strabo xiv. 1. 20 (639 C.):

5 εἶτα Πύγελα πολίχνιον, ἱερὸν ἔχον Ἀρτέμιδος Μουνυχίας,
ἵδρυμα Ἀγαμέμνονος, οἰκούμενον ὑπὸ μέρους τῶν ἐκείνου
λαῶν· πυγαλγέας γάρ τινας καὶ γενέσθαι καὶ κληθῆναι,
κάμνοντας δ᾽ ὑπὸ τοῦ πάθους καταμεῖναι, καὶ τυχεῖν οἰκείου
τοῦδε τοῦ ὀνόματος τὸν τόπον.

10   Cf. Etym. Magnum s. v. Πύγελα.

(c) Ancient Greek Inscr. in the Brit. Mus. III. 1. cccciii.
(= Inschriften von Priene, No. 37) ll. 118–22:

ἀμὲς[1] δὲ θεωροῦντες τοὺς γράψαντας τὸμ [πόλεμον τὸμ]
Μελιακὸν καὶ τὰν διαίρεσιν τᾶς χώρας τοὺς μὲν ἄλλους
15 πάντας φαμένους ἐκ τᾶς διαιρέσιος λ[αχ]ό[ντας Σαμίους]
Φύγελα, καίπερ ὄντας τέσσερας μὲν Σαμίους, Οὐλιάδην
καὶ Ὀλύμπιχον καὶ Δοῦριν καὶ Εὐάγωνα, δύο δὲ Ἐφε-
σίους, Κρεώφυλον καὶ Εὐάλκη, Χῖον δὲ Θεύπομπον, οὓς
πάντας ἐν ταῖς ἱστορίαις εὑρίσκομεν κατακεχωρικότας
20 διότι ἔλαχον Φύγελα, μόνον δὲ ἐν ταῖς ἐπιγεγραμμέναις
Μαιανδρίου τοῦ Μιλησίου ἱστορίαις κατακεχωρισμένον
διότι ἔλαχον Σάμιοι Κάριον καὶ Δρυοῦσσαν, αἷς πολλοὶ
τῶν συγγραφέων ἀντιγράφοντι φάμενοι ψ[ευδε]πιγράφους
εἴμειν.

25 **62** (M 63). Stephanus Byz. :

Εὖα· πόλις Ἀρκαδίας.   Θεόπομπος ἐν ἕκτῳ.

63 (M 64). Stephanus Byz. :

Εὐαίμων· πόλις Ὀρχομενίων.   Θεόπομπος ἐν ἕκτῳ.

64. Papyrus Oxyrhynchia inedita saeculi iii, Grammatici

---

[1] sc. arbitri Rhodii

7 πυγαλγέας Coraes : πυγαλλίας vel πυγαλίας codd.   16 Φύγελα
idem ac Πύγελα esse constat, cuius historiam bis tractavisse Theopom-
pum vix credibile est   20 ἔλαχον Hiller v. Gaertringen : ἔλαχον
[Σάμιοι] Hicks

cuiusdam commentarii fragmenta continens, apud quae citatur
Theopompus:

[.] . παρὰ Φιλίππο[υ . . . .
πρεσβευσάντων [. . . . .
τὰ ὀνόματα, ἦσαν δ[ὲ   5
καὶ Παρμενίων κ[αὶ . . . . .,
ὡς ἱστορεῖ Θεόπομ[πος ἐν τῇ
ἔ[κ]τῃ τῶν Φιλιππι[κῶν.

LIBER VIII

65 (M 65). Athenaeus xii. 526 d–f:

καὶ τῶν παρωκεανιτῶν δέ τινάς φησι Θεόπομπος ἐν ὀγδόῃ 10
Φιλιππικῶν ἀβροδιαίτους γενέσθαι. περὶ δὲ Βυζαντίων καὶ
Χαλκηδονίων ὁ αὐτός φησι Θεόπομπος τάδε· 'ἦσαν δὲ οἱ
Βυζάντιοι καὶ διὰ τὸ δημοκρατεῖσθαι πολὺν ἤδη χρόνον καὶ
τὴν πόλιν ἐπ' ἐμπορίου κειμένην ἔχειν καὶ τὸν δῆμον ἅπαντα
περὶ τὴν ἀγορὰν καὶ τὸν λιμένα διατρίβειν ἀκόλαστοι καὶ 15
συνουσιάζειν καὶ πίνειν εἰθισμένοι ἐπὶ τῶν καπηλείων.
Καλχηδόνιοι δὲ πρὶν μὲν μετασχεῖν αὐτοῖς τῆς πολιτείας
ἅπαντες ἐν ἐπιτηδεύμασι καὶ βίῳ βελτίονι διετέλουν ὄντες,
ἐπεὶ δὲ τῆς δημοκρατίας τῶν Βυζαντίων ἐγεύσαντο, διε-
φθάρησαν εἰς τρυφὴν ⟨ ⟩ καὶ τὸν καθ' ἡμέραν βίον ἐκ 20
σωφρονεστάτων καὶ μετριωτάτων φιλοπόται καὶ πολυτελεῖς
γενόμενοι'.

*66 (M 66). (a) Diogenes Laert. i. 11. 116 :

τοῦτόν[1] φησι Θεόπομπος πρῶτον περὶ φύσεως καὶ θεῶν
Ἕλλησι γράψαι. πολλὰ δὲ καὶ θαυμάσια λέγεται περὶ 25
αὐτοῦ. καὶ γὰρ παρὰ τὸν αἰγιαλὸν τῆς Σάμου περιπατοῦντα
καὶ ναῦν οὐριοδρομοῦσαν ἰδόντα εἰπεῖν ὡς μετ' οὐ πολὺ

---

[1] sc. Pherecydem

3 Fortasse Φιλίππῳ [.   5 Pro δ[ὲ fortasse Δ[, sc. nomen legati
16 εἰθισμένοι propter hiatum post καπηλείων posuit Benseler   20 Post
τρυφὴν lacunam statuit Kaibel, velut ⟨παρενεχθέντες⟩   26 Σάμου
Scaliger : ψάμμου codd.

καταδύσεται· καὶ ἐν ὀφθαλμοῖς αὐτοῦ καταδῦναι. καὶ ἀνιμη-
θέντος ἐκ φρέατος ὕδατος πιόντα προειπεῖν ὡς εἰς τρίτην
ἡμέραν ἔσοιτο σεισμός· καὶ γενέσθαι. ἀνιόντα τε εἰς
Ὀλυμπίαν ἐς Μεσσήνην τῷ ξένῳ Περιλάῳ συμβουλεῦσαι
5 ἐξοικῆσαι μετὰ τῶν οἰκείων· καὶ τὸν μὴ πεισθῆναι, Μεσσήνην
δὲ ἑαλωκέναι. καὶ Λακεδαιμονίοις εἰπεῖν μήτε χρυσὸν τιμᾶν
μήτε ἄργυρον, ὥς φησι Θεόπομπος ἐν ⟨τοῖς⟩ θαυμασίοις·
προστάξαι δὲ αὐτῷ ὄναρ τοῦτο τὸν Ἡρακλέα· ὃν καὶ τῆς
αὐτῆς νυκτὸς τοῖς βασιλεῦσι κελεῦσαι Φερεκύδῃ πείθεσθαι.
10 ἔνιοι δὲ Πυθαγόρᾳ προσάπτουσι ταῦτα.

(b) Apollon. Dyscolus *Hist. Mirab.* 5 :

τὰ δὲ περὶ Φερεκύδην τοιαῦτά τινα ἱστορεῖται. ἐν Σύρῳ
ποτὲ τῇ νήσῳ διψῶντα ὑδάτιον αἰτῆσαι παρά τινος τῶν
γνωρίμων, πιόντα δὲ προειπεῖν σεισμὸν ἐσόμενον ἐν τῇ
15 νήσῳ μετὰ τρίτην ἡμέραν. τούτου δὲ συμβάντος μεγάλην
δόξαν αὐτὸν ἀπενέγκασθαι. πάλιν δὲ εἰς Σάμον πορευόμενον
εἰς τὸ τῆς Ἥρας ἱερὸν ἰδεῖν πλοῖον εἰς τὸν λιμένα καταγό-
μενον, καὶ εἰπεῖν τοῖς συνεστῶσιν ὡς οὐκ εἰσελεύσεται ἐντὸς
τοῦ λιμένος. ἔτι δὲ λέγοντος αὐτοῦ καταρραγῆναι γνόφον
20 καὶ τέλος ἀφανισθῆναι τὴν ναῦν.

(c) Paradoxogr. Vatican. Rohdii 31 :

Φερεκύδης ὁ Σύριος ἀπό τινος ἐν Σύρῳ τῇ νήσῳ ⟨φρέατος⟩
ὕδωρ πιὼν μαντικώτατος γέγονε καί τινα προεμήνυσε, σει-
σμοὺς καὶ ἄλλα.

25   (d) Plinius *Nat. Hist.* ii. 79 (81) : perhibetur et Pherecydi
Pythagorae doctori alia coniectatio, sed et illa divina, haustu
aquae e puteo praesensisse ac praedixisse civibus terrae
motum.

---

3 εἰς Ὀλυμπίαν: ἀπ᾽ Ὀλυμπίας ci. Casaubon   5 ἐξοικῆσαι Β: v.l.
μετοικίσαι   μεσσήνη δὲ ἑάλω Β   6 εἰπεῖν] om. Β   7 Θεόπομπος]
v.l. θεόπεμπτος   τοῖς add. ed. princeps : om. codd.   9 φερεκύδει Β
10 προσάπτουσι Β : v.l. περιάπτουσι   12 τοιαῦτα Leopardi : τοσαῦτα
cod.   Σύρῳ Xylander : σκύρῳ cod.   14 πιόντα δὲ προειπεῖν Hercher :
τὸν δὲ πιόντα εἰπεῖν cod.   16 πορευόμενον Hercher : πορευόμενος cod.
22 Σύριος Rohde : ἀσσύριος cod.   φρέατος add. Rohde   27 civibus
Mayhoff : tibi vel ibi codd.

(*e*) Porphyrius apud Eusebium *Praep. Evang.* x. 464 d–
465 b):

πραγμάτων δ᾽ ὑφαίρεσιν πεποίηται[1], μεταθεὶς τὰ ἐπ᾽
ἄλλων ἄλλοις, ἵνα καὶ ψεύστης ἁλῷ τοῦτον τὸν τρόπον.
Ἄνδρωνος γὰρ ἐν τῷ Τρίποδι περὶ Πυθαγόρου τοῦ φιλο- 5
σόφου τὰ περὶ τὰς προρρήσεις ἱστορηκότος, εἰπόντος τε
ὡς διψήσας ποτὲ ἐν Μεταποντίῳ καὶ ἔκ τινος φρέατος
ἀνιμήσας καὶ πιὼν προεῖπεν ὡς εἰς τρίτην ἡμέραν ἔσοιτο
σεισμός· καὶ ἕτερά τινα τούτοις ἐπαγαγὼν ἐπιλέγει. ταῦτ᾽
οὖν τοῦ Ἄνδρωνος περὶ Πυθαγόρου ἱστορηκότος πάντα 10
ὑφείλετο Θεόπομπος. εἰ μὲν περὶ Πυθαγόρου λέγων, τάχα
ἂν καὶ ἕτεροι ἠπίσταντο περὶ αὐτοῦ καὶ ἔλεγον· ταῦτα καὶ
αὐτὸς εἶπεν· νῦν δὲ τὴν κλοπὴν δήλην πεποίηκεν ἡ τοῦ
ὀνόματος μετάθεσις. τοῖς μὲν γὰρ πράγμασι κέχρηται
τοῖς αὐτοῖς, ἕτερον δ᾽ ὄνομα μετενήνοχε· Φερεκύδην γὰρ 15
τὸν Σύριον πεποίηκε ταῦτα προλέγοντα. οὐ μόνον δὲ
τούτῳ τῷ ὀνόματι ἀποκρύπτει τὴν κλοπήν, ἀλλὰ καὶ τόπων
μεταθέσει. τό τε γὰρ περὶ τῆς προρρήσεως τοῦ σεισμοῦ
ἐν Μεταποντίῳ ὑπ᾽ Ἄνδρωνος ῥηθὲν ἐν Σύρῳ εἰρῆσθαί
φησιν ὁ Θεόπομπος· τό τε περὶ τὸ πλοῖον, οὐκ ἀπὸ Μεγάρων 20
τῆς Σικελίας ἀπὸ δὲ Σάμου φησὶ θεωρηθῆναι· καὶ τὴν
Συβάρεως ἅλωσιν ἐπὶ τὴν Μεσσήνης μετατέθεικεν. ἵνα
δέ τι δοκῇ λέγειν περιττόν, καὶ τοῦ ξένου προστέθεικε
τοὔνομα, Περίλαον αὐτὸν καλεῖσθαι λέγων.

*67 (M 67). Clemens Alexandrinus *Strom.* i. 14. 62 25
(p. 352):

Πυθαγόρας μὲν οὖν Μνησάρχου Σάμιος, ὥς φησιν
Ἱππόβοτος, ὡς δὲ Ἀριστόξενος ἐν τῷ Πυθαγόρου βίῳ καὶ
Ἀρίσταρχος καὶ Θεόπομπος, Τυρρηνὸς ἦν, ὡς δὲ Νεάνθης,
Σύριος ἢ Τύριος.   30

---

[1] sc. Theopompus

13 εἶπεν ed. Viguier in marg. : εἰπὼν codd.   19 Σύρῳ M : συρίᾳ vel
συρίῳ codd.   28, 29 καὶ Ἀριστοτέλης καὶ Θεόφραστος ci. Preller ad
Polemon. p. 59.   Ἀρίσταρχος Clementem errore scripsisse censet
Stählin

68 (M 68). Athenaeus v. 213 f–214 a :

καὶ μετ' οὐ πολλὰς ἡμέρας τύραννον αὐτὸν ἀποδείξας
ὁ φιλόσοφος[1] καὶ τὸ τῶν Πυθαγορικῶν ἀναδείξας δόγμα
⟨τὸ⟩ περὶ τῆς ἐπιβουλῆς καὶ τί ἠβούλετο αὐτοῖς ἡ φιλοσοφία
5 ἦν ὁ καλὸς Πυθαγόρας εἰσηγήσατο, καθάπερ ἱστόρησε
Θεόπομπος ἐν ὀγδόῃ Φιλιππικῶν καὶ ῞Ερμιππος ὁ Καλλι-
μάχειος, εὐθέως καὶ οὗτος τοὺς μὲν εὖ φρονοῦντας τῶν
πολιτῶν—παρὰ τὰ ᾿Αριστοτέλους καὶ Θεοφράστου δόγματα·
ὡς ἀληθῆ εἶναι τὴν παροιμίαν τὴν λέγουσαν ᾿μὴ παιδὶ
10 μάχαιραν᾿—ἐκποδὼν †εὐθὺς ἐποιήσατο, φύλακας δ' ἐπὶ
τὰς πύλας κατέστησεν, ὡς νύκτωρ πολλοὺς τῶν ᾿Αθηναίων
εὐλαβουμένους τὸ μέλλον κατὰ τῶν τειχῶν αὐτοὺς
καθιμήσαντας φεύγειν.

*69 (M 69). (*a*) Apollonius Dyscolus *Hist. Mirab.* 1 :

15 Βώλου· ᾿Επιμενίδης ὁ Κρὴς λέγεται ὑπὸ τοῦ πατρὸς καὶ
τῶν ἀδελφῶν τοῦ πατρὸς ἀποσταλεὶς εἰς ἀγρόν, πρόβατον
ἀγαγεῖν εἰς τὴν πόλιν, καταλαβούσης αὐτὸν νυκτὸς παραλ-
λάξαι τῆς τρίβου καὶ κατακοιμηθῆναι ἔτη ἑπτὰ καὶ πεντήκοντα,
καθάπερ ἄλλοι τε πολλοὶ εἰρήκασιν, ἔτι ⟨δὲ⟩ καὶ Θεόπομπος
20 ἐν ταῖς ἱστορίαις ἐπιτρέχων τὰ κατὰ τόπους θαυμάσια.
ἔπειτα συμβῆναι ἐν τῷ μεταξὺ χρόνῳ τοὺς μὲν οἰκείους τοῦ
᾿Επιμενίδου ἀποθανεῖν, αὐτὸν δὲ ἐγερθέντα ἐκ τοῦ ὕπνου
ζητεῖν ἐφ' ὃ ἀπεστάλη πρόβατον, μὴ εὑρόντα δὲ πορεύεσθαι
εἰς τὸν ἀγρόν (ὑπελάμβανεν δὲ ἐγηγέρθαι τῇ αὐτῇ ἡμέρᾳ
25 ᾗπερ ἔδοξεν κεκοιμῆσθαι), καὶ καταλαβὼν τὸν ἀγρὸν πεπρα-
μένον καὶ τὴν σκευὴν ἠλλαγμένην ἀπαίρειν εἰς τὴν
πόλιν. καὶ εἰσελθὼν εἰς τὴν οἰκίαν ἐκεῖθεν πάντα ἔγνω,
ἐν οἷς καὶ τὰ περὶ τοῦ χρόνου καθ' ὃν ἀφανὴς ἐγένετο.
λέγουσι δὲ οἱ Κρῆτες, ὥς φησιν ὁ Θεόπομπος, ἔτη

---

[1] Athenio peripateticus

2 ἀποδείξας Kaibel : ἀναδείξας codd.   4 τὸ add. Kaibel ; cf. Diog.
Laert. viii. 39   10 εὐθὺς A, sed post εὐθέως sanum esse non potest :
om. C, locum turbatum esse censet Kaibel   12 κατὰ Meineke : διὰ
codd.   19 δὲ add. Hercher

βιώσαντα αὐτὸν ἑκατὸν πεντήκοντα ⟨καὶ ἑπτὰ⟩ ἀποθανεῖν.
λέγεται δὲ περὶ τοῦ ἀνδρὸς τούτου καὶ ἄλλα οὐκ ὀλίγα
παράδοξα.

(b) Diogenes Laert. i. 10. 109:

Ἐπιμενίδης, καθά φησι Θεόπομπος καὶ ἄλλοι συχνοί, 5
πατρὸς μὲν ἦν Φαιστίου, οἱ δὲ Δωσιάδα, οἱ δὲ Ἀγησάρχου,
Κρὴς τὸ γένος ἀπὸ Κνωσσοῦ, καθέσει τῆς κόμης τὸ εἶδος
παραλλάσσων. οὗτός ποτε πεμφθεὶς παρὰ τοῦ πατρὸς εἰς
ἀγρὸν ἐπὶ πρόβατον, τῆς ὁδοῦ κατὰ μεσημβρίαν ἐκκλίνας
ὑπ' ἄντρῳ τινὶ κατεκοιμήθη ἑπτὰ καὶ πεντήκοντα ἔτη. 10
διαναστὰς δὲ μετὰ ταῦτα ἐζήτει τὸ πρόβατον, νομίζων ἐπ'
ὀλίγον κεκοιμῆσθαι. ὡς δὲ οὐχ εὕρισκε παρεγένετο εἰς τὸν
ἀγρόν, καὶ μετεσκευασμένα πάντα καταλαβὼν καὶ παρ'
ἑτέρῳ τὴν κτῆσιν, πάλιν ἧκεν εἰς ἄστυ διαπορούμενος.
κἀκεῖ δὲ εἰς τὴν ἑαυτοῦ εἰσιὼν οἰκίαν περιέτυχε τοῖς 15
πυνθανομένοις τίς εἴη· ἕως τὸν νεώτερον ἀδελφὸν εὑρὼν
τότε ἤδη γέροντα ὄντα πᾶσαν ἔμαθε παρ' ἐκείνου τὴν
ἀλήθειαν.

Cf. Suidas s.v. Ἐπιμενίδης.

(c) Proverb. Appendix Vatic.-Bodl. iii. 97, ap. Leutsch- 20
Schneidewin *Paroem. Gr.* i. p. 309:

ἐβίω δὲ οὗτος[1], ὡς φησὶν ὁ Θεόπομπος, ἔτη ἑκατὸν πεν-
τήκοντα καὶ ἑπτά, ἅπερ ἑπτὰ ⟨καὶ πεντήκοντα⟩ ἐκαθεύδησεν.

(d) Valerius Maximus viii. 13. 5 : Epimenides Cnosius
quem Theopompus dicit septem et L et centum annos vixisse. 25

(e) Plinius *Nat. Hist.* vii. 48 (49): Theopompus Epi-
menidi Gnosio CLVII.[2]

(f) Plinius ibid. vii. 52 (53): quam equidem et in

---

[1] sc. Epimenides   [2] sc. annos tribuit

---

1 καὶ ἑπτὰ add. Wichers   6 Φαιστίου] φεστίου B¹, Φαίστου Suidas
Δωσιάδα] sic B : v. l. -δον, Δοσιάδου Suidas   Ἀγησάρχου] v. l. -κου :
Ἁγιασάρχου Suid.   7 ante Κρὴς habet Suidas καὶ μητρὸς Βλάστας,
quod hic reponendum esse censuit Casaubon   23 καὶ πεντήκοντα
add. Meursius, ad Apoll. Dysc. 1   27 CLVII Detlefsen : CLIII, clui.
cluih, duih codd.

Gnosio Epimenide simili modo accipio, puerum aestu et
itinere fessum in specu septem et quinquaginta dormisse
annis, rerum faciem mutationemque mirantem velut postero
die experrectum, hinc pari numero dierum senio ingruente,
5 ut tamen in septimum et quinquagesimum atque centesimum
vitae duraret annum.

*70 (M 70). Diogenes Laert. i. 10. 115:

Θεόπομπος δ' ἐν τοῖς θαυμασίοις, κατασκευάζοντος
αὐτοῦ[1] τὸ τῶν Νυμφῶν ἱερὸν ῥαγῆναι φωνὴν ἐξ οὐρανοῦ,
10 ' Ἐπιμενίδη, μὴ Νυμφῶν ἀλλὰ Διός '. Κρησίν τε προει-
πεῖν τὴν Λακεδαιμονίων ἧτταν ὑπὸ 'Αρκάδων, καθάπερ
προείρηται· καὶ δὴ καὶ ἐλήφθησαν πρὸς 'Ορχομενῷ. γηρᾶσαί
τε ἐν τοσαύταις ἡμέραις αὐτὸν ὅσαπερ ἔτη κατεκοιμήθη·
καὶ γὰρ τοῦτό φησι Θεόπομπος.

15 71. (a) (M 71) Diogenes Laert. i. Prooem. 8–9:

'Αριστοτέλης δ' ἐν πρώτῳ περὶ φιλοσοφίας καὶ πρεσ-
βυτέρους εἶναι[2] τῶν Αἰγυπτίων· καὶ δύο κατ' αὐτοὺς εἶναι
ἀρχάς, ἀγαθὸν δαίμονα καὶ κακὸν δαίμονα· καὶ τῷ μὲν
ὄνομα εἶναι Ζεὺς καὶ 'Ωρομάσδης, τῷ δὲ "Αιδης καὶ 'Αρει-
20 μάνιος. φησὶ δὲ τοῦτο καὶ "Ερμιππος ἐν τῷ πρώτῳ περὶ
Μάγων καὶ Εὔδοξος ἐν τῇ Περιόδῳ καὶ Θεόπομπος ἐν τῇ
ὀγδόῃ τῶν Φιλιππικῶν· ὃς καὶ ἀναβιώσεσθαι κατὰ τοὺς
Μάγους φησὶ τοὺς ἀνθρώπους καὶ ἀθανάτους ἔσεσθαι, καὶ
τὰ ὄντα ταῖς αὐτῶν ἐπικλήσεσι διαμένειν. ταῦτα δὲ καὶ
25 Εὔδημος ὁ 'Ρόδιος ἱστορεῖ.

(b) Aeneas Gazaeus *Theophrastus* ed. Boissonade p. 72:

ὁ δὲ Ζωροάστρης προλέγει ὡς ἔσται ποτὲ χρόνος ἐν ᾧ
πάντων νεκρῶν ἀνάστασις ἔσται. οἶδεν ὁ Θεόπομπος
ὃ λέγω καὶ τοὺς ἄλλους αὐτὸς ἐκδιδάσκει.

---

[1] sc. Epimenidis   [2] sc. Magos

---

19 "Αιδης] v.l. ἄρης   23 ἀθανάτους ἔσεσθαι] ἔσεσθαι ἀθανάτους cod.
Laur.   24 αὐτῶν] αὑτῶν vel αὐταῖς ci. Casaubon   ἐπικλήσεσι]
ἐπικυκλήσεσι ci. Holsten, quod probat Hübner, ἐπικηλήσεσι Mericus
διαμένειν B : v.l. διαμενεῖν

(c) (M 72) Plutarchus *De Iside et Osiride* c. 47, p. 370 b–c :

Θεόπομπος δέ φησι κατὰ τοὺς Μάγους ἀνὰ μέρος τρισχίλια
ἔτη τὸν μὲν κρατεῖν τὸν δὲ κρατεῖσθαι τῶν θεῶν, ἄλλα δὲ
τρισχίλια μάχεσθαι καὶ πολεμεῖν καὶ ἀναλύειν τὰ τοῦ ἑτέρου 5
τὸν ἕτερον· τέλος δ' ἀπολείπεσθαι τὸν ᾍδην, καὶ τοὺς μὲν
ἀνθρώπους εὐδαίμονας ἔσεσθαι, μήτε τροφῆς δεομένους μήτε
σκιὰν ποιοῦντας· τὸν δὲ ταῦτα μηχανησάμενον θεὸν ἠρεμεῖν
καὶ ἀναπαύεσθαι χρόνον, ἄλλως μὲν οὐ πολὺν ὡς θεῷ,
ὥσπερ ⟨δ'⟩ ἀνθρώπῳ κοιμωμένῳ μέτριον.   10

72 (M 73). Photius *Lex.*:

Ζωπύρου τάλαντα· . . . τοῦτόν φησι Θεόπομπος ἐν τῇ
ὀγδόῃ τῶν περὶ Φίλιππον Πέρσην ὄντα ὑπὸ φιλοτιμίας
χαριζόμενον βασιλεῖ μαστιγῶσαι ἑαυτόν· καὶ τῆς ῥινὸς καὶ
τῶν ὤτων ἀποστερήσαντα εἰσελθεῖν εἰς Βαβυλῶνα καὶ πιστευ- 15
θέντα διὰ ταύτην τὴν κακουχίαν καταλαβεῖν τὴν πόλιν· ἐκ
μεταφορᾶς οὖν εἶπε τάλαντα καὶ ζυγά, οἱονεὶ ἔργα καὶ πράξεις.

73. (a) (M 74) Athenaeus ii. 45 c :

Ἡλιόδωρος δέ φησι τὸν Ἐπιφανῆ Ἀντίοχον, ὃν διὰ τὰς
πράξεις Πολύβιος Ἐπιμανῆ καλεῖ, τὴν κρήνην τὴν ἐν Ἀντιο- 20
χείᾳ κεράσαι οἴνῳ· καθάπερ καὶ τὸν Φρύγα Μίδαν φησὶ
Θεόπομπος ὅτε ἑλεῖν τὸν Σιληνὸν ὑπὸ μέθης ἠθέλησεν.

(b) (M 75) Servius in Vergil. *Ecl.* vi. 13 et 26 : sane
hoc de Sileno non dicitur fictum a Vergilio sed a Theopompo
translatum. is enim apprehensum Silenum a Midae regis 25
pastoribus dicit, crapula madentem et ex ea soporatum ; illos
dolo adgressos dormientem vinxisse ; postea vinculis sponte
labentibus liberatum de rebus naturalibus et antiquis Midae
interroganti disputavisse. . . . haec autem omnia de Sileno
a Theopompo in eo libro qui Thaumasia appellatur exscripta 30
sunt.

---

9 ἄλλως . . . ὡς Reiske : καλῶς . . . τῷ codd.   10 δ' add. Reiske
26 madentem Daniel : adentem cod. Lemovicensis   29 disputavisse]
respondisse Daniel

74 (M 76). (*a*) Aelianus *Var. Hist.* iii. 18 :

περιηγεῖταί τινα Θεόπομπος συνουσίαν Μίδου τοῦ Φρυγὸς
καὶ Σειληνοῦ. νύμφης δὲ παῖς ὁ Σειληνὸς οὗτος, θεοῦ μὲν
ἀφανέστερος τὴν φύσιν, ἀνθρώπου δὲ κρείττων, ἐπεὶ καὶ
5 ἀθάνατος ἦν. πολλὰ μὲν οὖν καὶ ἄλλα ἀλλήλοις διελέ-
χθησαν, καὶ ὑπὲρ τούτων ⟨δὲ⟩ ὁ Σειληνὸς ἔλεγε πρὸς τὸν
Μίδαν. τὴν μὲν Εὐρώπην καὶ τὴν Ἀσίαν καὶ τὴν Λιβύην
νήσους εἶναι, ἃς περιρρεῖν κύκλῳ τὸν Ὠκεανόν, ἤπειρον δὲ
εἶναι μόνην ἐκείνην τὴν ἔξω τούτου τοῦ κόσμου. καὶ τὸ μὲν
10 μέγεθος αὐτῆς ἄπειρον διηγεῖτο. τρέφειν δὲ τὰ ἄλλα ζῷα
μεγάλα, καὶ τοὺς ἀνθρώπους δὲ τῶν ἐνταυθοῖ διπλασίονας τὸ
μέγεθος, καὶ χρόνον ζῆν αὐτοὺς οὐχ ὅσον ἡμεῖς, ἀλλὰ καὶ
ἐκεῖνον διπλοῦν. καὶ πολλὰς μὲν εἶναι καὶ μεγάλας πόλεις
καὶ βίων ἰδιότητας, καὶ νόμους αὐτοῖς τετάχθαι ἐναντίως
15 κειμένους τοῖς παρ' ἡμῖν νομιζομένοις. δύο δὲ εἶναι πόλεις
ἔλεγε μεγέθει μεγίστας, οὐδὲν δὲ ἀλλήλαις ἐοικέναι· καὶ τὴν
μὲν ὀνομάζεσθαι Μάχιμον τὴν δὲ Εὐσεβῆ. τοὺς μὲν οὖν
Εὐσεβεῖς ἐν εἰρήνῃ τε διάγειν καὶ πλούτῳ βαθεῖ, καὶ λαμβά-
νειν τοὺς καρποὺς ἐκ τῆς γῆς χωρὶς ἀρότρων καὶ βοῶν,
20 γεωργεῖν δὲ καὶ σπείρειν οὐδὲν αὐτοῖς ἔργον εἶναι. καὶ
διατελοῦσιν, ἦ δ' ὅς, ὑγιεῖς καὶ ἄνοσοι, καὶ καταστρέφουσι
τὸν ἑαυτῶν βίον γελῶντες εὖ μάλα καὶ ἡδόμενοι. οὕτω δὲ
ἀναμφιλόγως εἰσὶ δίκαιοι, ὡς μηδὲ τοὺς θεοὺς πολλάκις
ἀπαξιοῦν ἐπιφοιτᾶν αὐτοῖς. οἱ δὲ τῆς Μαχίμου πόλεως
25 μαχιμώτατοί τέ εἰσι καὶ αὐτοὶ καὶ γίνονται μεθ' ὅπλων,
καὶ ἀεὶ πολεμοῦσι, καὶ καταστρέφονται τοὺς ὁμόρους, καὶ
παμπόλλων ἐθνῶν μία πόλις κρατεῖ αὕτη. εἰσὶ δὲ οἱ οἰκή-
τορες οὐκ ἐλάττους διακοσίων μυριάδων. ἀποθνήσκουσι δὲ
τὸν μὲν ἄλλον χρόνον νοσήσαντες· σπάνιον δὲ τοῦτο, ἐπεὶ
30 τά γε πολλὰ ἐν τοῖς πολέμοις ἢ λίθοις ἢ ξύλοις παιόμενοι·
ἄτρωτοι γάρ εἰσι σιδήρῳ. χρυσοῦ δὲ ἔχουσι καὶ ἀργύρου

4 ἐπεὶ Hercher : εἰ codd.   6 δὲ add. Hercher   23 μηδὲ
Hercher : μήτε codd.

ἀφθονίαν, ὡς ἀτιμότερον εἶναι παρ' αὐτοῖς τὸν χρυσὸν τοῦ
παρ' ἡμῖν σιδήρου. ἐπιχειρῆσαι δέ ποτε καὶ διαβῆναι τούτους
ἐς τάσδε τὰς ἡμεδαπὰς νήσους ἔλεγε, καὶ διαπλεύσαντάς γε
τὸν Ὠκεανὸν μυριάσι χιλίαις ἀνθρώπων ἕως Ὑπερβορέων
ἀφικέσθαι. καὶ πυθομένους τῶν παρ' ἡμῖν τούτους εἶναι τοὺς 5
εὐδαιμονεστάτους, καταφρονῆσαι ὡς φαύλως καὶ ταπεινῶς
πράττοντας, καὶ διὰ ταῦτα ἀτιμάσαι προελθεῖν περαιτέρω.
τὸ δὲ ἔτι θαυμασιώτερον προσετίθει. Μέροπάς τινας οὕτω
καλουμένους ἀνθρώπους οἰκεῖν παρ' αὐτοῖς ἔφη πόλεις πολλὰς
καὶ μεγάλας, ἐπ' ἐσχάτῳ δὲ τῆς χώρας αὐτῶν τόπον εἶναι καὶ 10
ὀνομάζεσθαι Ἄνοστον, ἐοικέναι δὲ χάσματι, κατειλῆφθαι δὲ
οὔτε ὑπὸ σκότους οὔτε ὑπὸ φωτός, ἀέρα δὲ ἐπικεῖσθαι ἐρυθή-
ματι μεμιγμένον θολερῷ. δύο δὲ ποταμοὺς περὶ τοῦτον τὸν
τόπον ῥεῖν, καὶ τὸν μὲν Ἡδονῆς καλεῖσθαι τὸν δὲ Λύπης· καὶ
παρ' ἑκάτερον τούτων ἑστηκέναι δένδρα τὸ μέγεθος πλατάνου 15
μεγάλης. φέρειν δὲ καρποὺς τὰ μὲν παρὰ τὸν τῆς Λύπης
ποταμὸν τοιαύτην ἔχοντας τὴν φύσιν. ἐάν τις αὐτῶν ἀπο-
γεύσηται, τοσοῦτον ἐκβάλλει δακρύων ὥστε κατατήκεσθαι
πάντα τὸν ἑαυτοῦ βίον τὸν λοιπὸν θρηνοῦντα, καὶ οὕτω
τελευτᾶν. τὰ δὲ ἕτερα τὰ παραπεφυκότα τῷ τῆς Ἡδονῆς 20
ποταμῷ ἀντίπαλον ἐκφέρειν καρπόν. ὃς γὰρ ἂν γεύσηται
τούτων, τῶν μὲν ἄλλων τῶν πρότερον ἐπιθυμιῶν παύεται,
ἀλλὰ καὶ εἴ του ἦρα καὶ αὐτοῦ λαμβάνει λήθην, καὶ γίνεται
κατὰ βραχὺ νεώτερος καὶ τὰς φθανούσας ἡλικίας καὶ τὰς ἤδη
διελθούσας ἀναλαμβάνει ὀπίσω. τὸ μὲν γὰρ γῆρας ἀπορρίψας 25
ἐπὶ τὴν ἀκμὴν ὑποστρέφει, εἶτα ἐπὶ τὴν τῶν μειρακίων ἡλικίαν
ἀναχωρεῖ, εἶτα παῖς γίνεται, εἶτα βρέφος, καὶ ἐπὶ τούτοις
ἐξαναλώθη. καὶ ταῦτα εἴ τῳ πιστὸς ὁ Χῖος λέγων, πεπι-
στεύσθω· ἐμοὶ δὲ δεινὸς εἶναι δοκεῖ μυθολόγος καὶ ἐν τούτοις
καὶ ἐν ἄλλοις δέ. 30

(b) Theon *Progymn.* 2 (Spengel *Rhet. Graec.* ii. p. 66):
διηγήσεως δὲ παραδείγματα ἂν εἴη κάλλιστα . . . καὶ

17 ἔχοντας Faber: ἔχοντα codd.   18 δακρύων Hercher: δάκρυον
codd.

παρὰ Θεοπόμπῳ ἐν τῇ ὀγδόῃ τῶν Φιλιππικῶν ἡ τοῦ
Σειληνοῦ.

(c) Dionysius Halic. *Ad Cn. Pompeium* c. 6 :

οὔτε γὰρ ἀναγκαῖαί τινες αὐτῶν[1] οὔτ᾿ ἐν καιρῷ γιγνόμεναι,
5 πολὺ δὲ τὸ παιδιῶδες ἐμφαίνουσαι. ἐν αἷς ἐστι καὶ τὰ
περὶ Σειληνοῦ τοῦ φανέντος ἐν Μακεδονίᾳ καὶ τὰ περὶ τοῦ
δράκοντος τοῦ διαναυμαχήσαντος πρὸς τὴν τριήρη.

Cf. eundem *De Vet. Script. Censura* c. 3.

(d) Strabo vii. 3. 6 (C. 299):

10 ἀπὸ δὲ τούτων ἐπὶ τοὺς συγγραφέας βαδίζει[2] ῾Ριπαῖα
ὄρη λέγοντας καὶ τὸ ᾿Ωγύιον ὄρος καὶ τὴν τῶν Γοργόνων καὶ
῾Εσπερίδων κατοικίαν, καὶ τὴν παρὰ Θεοπόμπῳ Μεροπίδα γῆν.

*75 (M 78). Ammianus Marcellinus xxii. 9. 6 :

alii memorant Ilum, Trois filium Dardaniae regem, locum[3]
15 sic appellasse. Theopompus non Ilum id egisse, sed Midam
adfirmat Phrygiae quondam potentissimum regem.

Cf. Diod. iii. 59. 8.

*76 (M 79). (a) Apollonius Dyscolus *Hist. Mirab.* 10 :

Θεόπομπος δὲ ἐν τοῖς θαυμασίοις, ἐν τῷ ἀγῶνι τῶν
20 ᾿Ολυμπίων πολλῶν ἐπιπολαζόντων ἰκτίνων ἐν τῇ πανηγύρει
καὶ διασυρόντων τὰ διαφερόμενα κρέα, ⟨τὰ⟩ τῶν ἱεροθυτῶν
ἀθιγῆ μένειν.

(b) Pseudo-Arist. *Mirab. Auscult.* 123 (135):

εἶναι δέ φασι παρ᾿ αὐτοῖς[4] καὶ ἰκτίνους, οἳ παρὰ μὲν
25 τῶν διὰ τῆς ἀγορᾶς τὰ κρέα φερόντων ἁρπάζουσι, τῶν δὲ
ἱεροθύτων οὐχ ἅπτονται.

(c) Aelianus *De Nat. Anim.* ii. 47 :

ἰκτῖνος ἐς ἁρπαγὴν ἀφειδέστατος. οἶδε τῶν μὲν ἐξ
ἀγορᾶς ἐμπολωθέντων κρεαδίων ἐὰν γένωνται κρείττους,

---

[1] sc. Theopompi digressionum   [2] sc. Apollodorus
[3] sc. Pessinuntem   [4] sc. Eleis

---

2 Σειληνοῦ] σελίνου codd., corr. Valckenaer   5 αἷς ... τὰ περὶ
Herwerden e cod. Amb. : οἷς ... περὶ vulg.   21 διασυρόντων
Emperius : διασυριζόντων cod.   ⟨τὰ⟩ add. Keller   ἱεροθυτῶν Hercher:
ἱεροθύτων cod.   28 οἶδε Hercher: οἶδε εἰ δέοι codd.

ἥρπασαν προσπεσόντες, τῶν δὲ ἐκ τῆς τοῦ Διὸς ἱερουργίας
οὐκ ἂν προσάψαιντο.

     Cf. Pausan. v. 14. 1 et Plin. *Nat. Hist.* x. 10 (12).

77 (M 80). (*a*) Harpocration :

     Ἀμφικτύονες· συνέδριόν ἐστιν Ἑλληνικὸν συναγόμενον 5
ἐν Θερμοπύλαις. ὠνομάσθη δὲ ἤτοι ἀπὸ Ἀμφικτύονος
τοῦ Δευκαλίωνος, ὅτι αὐτὸς συνήγαγε τὰ ἔθνη βασιλεύων,
ὥς φησι Θεόπομπος ἐν η΄· ταῦτα δ᾽ ἦν ιβ΄, Ἴωνες Δωριεῖς
Περραιβοὶ Βοιωτοὶ Μάγνητες Ἀχαιοὶ Φθιῶται Μηλιεῖς
Δόλοπες Αἰνιᾶνες Δελφοὶ Φωκεῖς.   10

     (*b*) Eadem ap. Mich. Apostolium *Centur.* iii. 4 (Leutsch
ii. 70), qui Μέδοντες pro Μάγνητες habet.

LIBER IX

78 (M 81). (*a*) Schol. in Aristoph. *Pacem* 1071 :

     Θεόπομπος δὲ ἐν τῇ θ΄ τῶν Φιλιππικῶν ἄλλα τε πολλὰ
περὶ τοῦ Βοιωτοῦ Βάκιδος ἱστορεῖ παράδοξα, καὶ ὅτι 15
ποτὲ τῶν Λακεδαιμονίων τὰς γυναῖκας μανείσας ἐκάθηρεν,
Ἀπόλλωνος αὐτοῖς τοῦτον καθαρτὴν δόντος.

     (*b*) Eadem apud Schol. in Aristoph. *Aves* 962 et
(*c*) Suidam s.v. Βάκις.

79 (M 82). Priscianus *Inst.* xviii. 267 (ed. Hertz p. 346) : 20
Attici ʻ περὶ τόσους ʼ καὶ ʻ περὶ τόσοις ʼ. Theopompus
Philippicon VIIII : τὸ μὲν μῆκος περὶ τεσσαράκοντα σταδίους.

80 (M 83). Theon *Progymn.* 2 (Spengel *Rhet. Graec.* ii. p. 68) :

     ἔχομεν δὲ καὶ ἐν τῇ ἐνάτῃ τῶν Φιλιππικῶν Θεοπόμπου
τὰ ἐν Θετταλίᾳ Τέμπη, ἅ ἐστι μὲν μεταξὺ δύο ὀρῶν 25
μεγάλων τῆς τε Ὄσσης καὶ τοῦ Ὀλύμπου, ῥεῖ δὲ δι᾽ αὐτῶν
μέσος ὁ Πηνειός, εἰς ὃν ἅπαντες οἱ κατὰ τὴν Θετταλίαν
ποταμοὶ συρρέουσι.

81 (M 86). Stephanus Byz. :

     Δρόγγιλον· χωρίον Θρᾴκης. Θεόπομπος Φιλιππικῶν θ΄. 30

---

15 τοῦ Βοιωτοῦ G–H coll. Schol. in *Aves* 962 : τούτου τοῦ codd.
17 αὐτοῖς G–H coll. Schol. in *Aves* 962 : τούτοις codd.   30 Θρᾴκης
Holsten : θετταλίας codd.

82 (M 88). Stephanus Byz.:

Κῶβρυς· πόλις Θρᾴκης. Θεόπομπος Φιλιππικῶν ἐνάτῳ.

83 (M 87). Stephanus Byz.:

Φαρκηδών· πόλις Θεσσαλίας. Θεόπομπος δὲ θ′ Φιλιπ-
5 πικῶν Φαρκαδόνα καὶ διὰ τοῦ ᾱ φησίν.

84 (M 136). Athenaeus vi. 259 f–260 a:

καὶ Θεόπομπος γὰρ ἐν τῇ θ′ τῶν Φιλιππικῶν φησιν·
''Αγαθοκλέα δοῦλον γενόμενον καὶ τῶν ἐκ Θετταλίας πενε-
στῶν Φίλιππος μέγα παρ' αὑτῷ δυνάμενον διὰ τὴν κολακείαν
10 καὶ ὅτι ἐν τοῖς συμποσίοις συνὼν αὑτῷ ὠρχεῖτο καὶ γέλωτα
παρεσκεύαζεν ἀπέστειλε διαφθεροῦντα Περραιβοὺς καὶ τῶν
ἐκεῖ πραγμάτων ἐπιμελησόμενον. τοιούτους δ' εἶχεν ἀεὶ περὶ
αὑτὸν ἀνθρώπους ὁ Μακεδών, οἷς διὰ φιλοποσίαν καὶ βωμο-
λοχίαν πλείω χρόνον ὡς τὰ πολλὰ συνδιέτριβε καὶ συνήδρευε
15 περὶ τῶν μεγίστων βουλευόμενος'.

LIBER X

85 (M 89). Plutarchus *Themist.* c. 19, p. 121:

γενόμενος δ' ἀπὸ τῶν πράξεων ἐκείνων εὐθὺς ἐπεχείρει [1]
τὴν πόλιν ἀνοικοδομεῖν καὶ τειχίζειν, ὡς μὲν ἱστορεῖ Θεό-
πομπος, χρήμασι πείσας μὴ ἐναντιωθῆναι τοὺς ἐφόρους, ὡς
20 δ' οἱ πλεῖστοι, παρακρουσάμενος.

86 (M 90). Plutarchus *Themist.* c. 25, p. 124:

τῶν δὲ χρημάτων αὑτῷ [2] πολλὰ μὲν ὑπεκκλαπέντα διὰ τῶν
φίλων εἰς 'Ασίαν ἔπλει· τῶν δὲ φανερῶν γενομένων καὶ
συναχθέντων εἰς τὸ δημόσιον Θεόπομπος μὲν ἑκατὸν τάλαντα,
25 Θεόφραστος δὲ ὀγδοήκοντά φησι γενέσθαι τὸ πλῆθος, οὐδὲ
τριῶν ἄξια ταλάντων κεκτημένου τοῦ Θεμιστοκλέους πρὶν
ἅπτεσθαι τῆς πολιτείας.

87 (M 91). Plutarchus *Themist.* c. 31, p. 127:

οὐ γὰρ πλανώμενος περὶ τὴν 'Ασίαν, ὥς φησι Θεόπομπος,

---

[1] sc. Themistocles   [2] sc. Themistocli

5 Φαρκαδόνα καὶ] sic R : φαρκακαδόνα καὶ V, om. καὶ Ald.   7 τῇ θ′]
τῆι θ′ AC: τῇ ιθ′ ed. M   10 αὑτῷ συνὼν ci. Kaibel

ἀλλ' ἐν Μαγνησίᾳ μὲν οἰκῶν, καρπούμενος δὲ δωρεὰς μεγάλας
καὶ τιμώμενος ὅμοια Περσῶν τοῖς ἀρίστοις, ἐπὶ πολὺν χρόνον
ἀδεῶς διῆγεν, οὐ πάνυ τι τοῖς Ἑλληνικοῖς πράγμασι βασιλέως
προσέχοντος ὑπ' ἀσχολιῶν περὶ τὰς ἄνω πράξεις.

88 (M 92). (*a*) Schol. in Aristid. Ὑπὲρ τῶν τεττάρων 158 5
(ed. Dindorf. iii. p. 528):

Θεόπομπος ἐν τῷ δεκάτῳ τῶν Φιλιππικῶν περὶ Κίμωνος·
'οὐδέπω δὲ πέντε ἐτῶν παρεληλυθότων, πολέμου συμβάντος
πρὸς Λακεδαιμονίους ὁ δῆμος μετεπέμψατο τὸν Κίμωνα,
νομίζων διὰ τὴν προξενίαν ταχίστην ἂν αὐτὸν εἰρήνην ποιή- 10
σασθαι· ὁ δὲ παραγενόμενος τῇ πόλει τὸν πόλεμον κατέλυσε'.

(*b*) Nepos *Cimon* 3 : itaque post annum quintum quam
expulsus erat in patriam revocatus est. ille quod hospitio
Lacedaemoniorum utebatur, satius existimans contendere
Lacedaemonem, sua sponte est profectus pacemque inter 15
duas potentissimas civitates conciliavit.

89 (M 94). (*a*) Athenaeus xii. 533 a–c :

περὶ οὗ καὶ αὐτοῦ ἱστορῶν ἐν τῇ δεκάτῃ τῶν Φιλιππικῶν
ὁ Θεόπομπός φησι· 'Κίμων ὁ Ἀθηναῖος ἐν τοῖς ἀγροῖς
καὶ τοῖς κήποις οὐδένα τοῦ καρποῦ καθίστα φύλακα, ὅπως 20
οἱ βουλόμενοι τῶν πολιτῶν εἰσιόντες ὀπωρίζωνται καὶ
λαμβάνωσιν εἴ τινος δέοιντο τῶν ἐν τοῖς χωρίοις. ἔπειτα
τὴν οἰκίαν παρεῖχε κοινὴν ἅπασι· καὶ δεῖπνον αἰεὶ εὐτελὲς
παρασκευάζεσθαι πολλοῖς ἀνθρώποις καὶ τοὺς ἀπόρους
προσιόντας τῶν Ἀθηναίων εἰσιόντας δειπνεῖν. ἐθεράπευεν 25
δὲ καὶ τοὺς καθ' ἑκάστην ἡμέραν αὐτοῦ τι δεομένους, καὶ
λέγουσιν ὡς περιήγετο μὲν ἀεὶ νεανίσκους δύ' ἢ τρεῖς
ἔχοντας κέρματα τούτοις τε διδόναι προσέταττεν, ὁπότε
τις προσέλθοι αὐτοῦ δεόμενος. καί φασι μὲν αὐτὸν καὶ

---

7 δεκάτῳ] v. l. ἕκτῳ   14 satius existimans (Graeciae civitates de
controversiis suis inter se iure disceptare quam armis) contendere,
Lacedaemonem Fleckeisen : s. ex. (concedere quam armis) contendere,
Lac. ci. Halm   25 εἰσιόντας del. Stephanus, προσιόντας delere
mavult Kaibel   29 αὐτοῦ] αὐτοῦ ⟨τι⟩ ci. Kaibel, τον Wilamowitz

εἰς ταφὴν εἰσφέρειν. ποιεῖν δὲ καὶ τοῦτο πολλάκις, ὁπότε
τῶν πολιτῶν τινα ἴδοι κακῶς ἠμφιεσμένον, κελεύειν αὐτῷ
μεταμφιέννυσθαι τῶν νεανίσκων τινὰ τῶν συνακολουθούντων
αὐτῷ. ἐκ δὴ τούτων ἀπάντων ηὐδοκίμει καὶ πρῶτος ἦν
5 τῶν πολιτῶν'.

(b) Nepos Cimon 4 : fuit enim tanta liberalitate, cum
compluribus locis praedia hortosque haberet, ut numquam
in eis custodem posuerit fructus servandi gratia, ne quis
impediretur quominus eis rebus quibus quisque vellet frueretur.
10 semper eum pedisequi cum nummis sunt secuti, ut si quis
opis eius indigeret haberet quod statim daret, ne differendo
videretur negare. saepe cum aliquem offensum fortunae
videret minus bene vestitum, suum amiculum dedit. cotidie
sic cena ei coquebatur ut quos invocatos vidisset in foro
15 omnes ad se vocaret, quod facere nullo die praetermittebat.
nulli fides eius, nulli opera, nulli res familiaris defuit : multos
locupletavit, complures pauperes mortuos qui unde efferrentur
non reliquissent suo sumptu extulit.

(c) Plutarchus Cimon c. 10, p. 484 :

20 τῶν τε γὰρ ἀγρῶν τοὺς φραγμοὺς ἀφεῖλεν, ἵνα καὶ τοῖς
ξένοις καὶ τῶν πολιτῶν τοῖς δεομένοις ἀδεῶς ὑπάρχῃ
λαμβάνειν τῆς ὀπώρας, καὶ δεῖπνον οἴκοι παρ' αὐτῷ λιτὸν
μέν, ἀρκοῦν δὲ πολλοῖς, ἐποιεῖτο καθ' ἡμέραν, ἐφ' ὃ τῶν
πενήτων ὁ βουλόμενος εἰσῄει καὶ διατροφὴν εἶχεν ἀπράγμονα,
25 μόνοις τοῖς δημοσίοις σχολάζων . . . αὐτῷ δὲ νεανίσκοι
παρείποντο συνήθεις ἀμπεχόμενοι καλῶς, ὧν ἕκαστος, εἴ
τις συντύχοι τῷ Κίμωνι τῶν ἀστῶν πρεσβύτερος ἠμφιε-
σμένος ἐνδεῶς, διημείβετο πρὸς αὐτὸν τὰ ἱμάτια· καὶ τὸ
γινόμενον ἐφαίνετο σεμνόν. οἱ δ' αὐτοὶ καὶ νόμισμα

---

1 Post εἰσφέρειν lacunam (velut τοῖς ἐν ἀπορίᾳ ἀποθνήσκουσιν) statuit
Kaibel   12 fortunae Fleckeisen : fortuna codd. : fortuito Nipperdey
15 nullo die Nipperdey : nullum diem codd.   17 mortuos del.
Fleckeisen   23 ὃ Muretus : ᾧ codd.   26 συνήθεις] hoc Athenaei
verbis (a) 10 δύ' ἢ τρεῖς opponit Sintenis

κομίζοντες ἄφθονον παριστάμενοι τοῖς κομψοῖς τῶν πενήτων
ἐν ἀγορᾷ σιωπῇ τῶν κερματίων ἐνέβαλλον εἰς τὰς χεῖρας.
      Cf. Plutarch. *Pericl.* c. 9, p. 156.

   90 (M 95). Athenaeus iv. 166 d–e :

      Θεόπομπος δ᾽ ἐν τῇ δεκάτῃ τῶν Φιλιππικῶν, ἀφ᾽ ἧς 5
   τινες τὸ τελευταῖον μέρος χωρίσαντες, ἐν ᾧ ἐστι τὰ περὶ
   τῶν Ἀθήνησι δημαγωγῶν, Εὔβουλόν φησι τὸν δημαγωγὸν
   ἄσωτον γενέσθαι. τῇ λέξει δὲ ταύτῃ ἐχρήσατο· ᾽καὶ
   τοσοῦτον ἀσωτίᾳ καὶ πλεονεξίᾳ διενήνοχε τοῦ δήμου τοῦ
   Ταραντίνων ὅσον ὁ μὲν περὶ τὰς ἑστιάσεις εἶχε μόνον 10
   ἀκρατῶς, ὁ δὲ τῶν Ἀθηναίων καὶ τὰς προσόδους κατα-
   μισθοφορῶν διατετέλεκε. Καλλίστρατος δέ, φησίν, ὁ
   Καλλικράτους δημαγωγὸς καὶ αὐτὸς πρὸς μὲν τὰς ἡδονὰς
   ἦν ἀκρατής, τῶν δὲ πολιτικῶν πραγμάτων ἐπιμελής᾽.

   91 (M 96). Harpocration :   15

      Εὔβουλος· . . . ὅτι δὴ δημαγωγὸς ἦν ἐπιφανέστατος,
   ἐπιμελής τε καὶ φιλόπονος, ἀργύριόν τε συχνὸν πορίζων
   τοῖς Ἀθηναίοις διένειμε, διὸ καὶ τὴν πόλιν ἐπὶ τῆς τούτου
   πολιτείας ἀνανδροτάτην καὶ ῥᾳθυμοτάτην συνέβη γενέσθαι,
   Θεόπομπος ἐν τῇ ι´ τῶν Φιλιππικῶν.   20

   92 (M 97). Harpocration :

      σύνταξις· . . . ἔλεγον δὲ καὶ τοὺς φόρους συντάξεις,
   ἐπειδὴ χαλεπῶς ἔφερον οἱ Ἕλληνες τὸ τῶν φόρων ὄνομα,
   Καλλιστράτου οὕτω καλέσαντος, ὥς φησι Θεόπομπος ἐν
   ι´ Φιλιππικῶν.   25

   93 (M 98). (*a*) Schol. in Aristoph. *Vesp.* 947 :

      Θεόπομπος μέντοι ὁ ἱστορικὸς τὸν Πανταίνου [1] φησὶν
   ἀντιπολιτεύσασθαι Περικλεῖ, ἀλλ᾽ οὐκ Ἀνδροτίων, ἀλλὰ
   καὶ αὐτὸς τὸν Μελησίου.

   ─────────
   [1] sc. Thucydidem

   ─────────
   7 Post δημαγωγῶν lacunam statuit Kaibel   12 (ὁ) δημαγωγὸς
   Kaibel   14 ἦν ἐπιμελής codd. : ἦν del. Wilamowitz   19 συνέβη
   γενέσθαι : v. l. γενέσθαι ἐξειργάσατο   22 ἔλεγον δὲ καὶ τοὺς] sic
   Valckenaer ad Herod. ii. 109 : ἔλεγε (sc. Demosthenes) δὲ καὶ ἑκάστους
   vel ἔλεγε δὲ ἑκάστους codd., ἔλεγον ἑκάστους Etym. Magnum p. 736

(*b*) Ammonius:

διαπολιτεύεσθαι . . . Θεόπομπος δὲ καὶ τοὺς ἐν μιᾷ
πόλει φιλοτιμουμένους πρὸς ἀλλήλους ἀντιπολιτεύεσθαι ἔφη.

94 (M 99). (*a*) Schol. in Lucian. *Tim.* c. 30:

5 Κλέων δημαγωγὸς ἦν Ἀθηναίων προστὰς αὐτῶν ἑπτὰ
ἔτη, ὃς πρῶτος δημηγορῶν ἀνέκραγεν ἐπὶ βήματος καὶ
ἐλοιδορήσατο, θρασὺς ὢν καὶ οὕτως ὥστε, καθὼς Θεό-
πομπος ἱστορεῖ, συνεληλυθότων Ἀθηναίων παρελθεῖν εἰς
τὴν ἐκκλησίαν στέφανον ἔχοντα καὶ κελεῦσαι αὐτοὺς
10 ἀναβαλέσθαι τὸν σύλλογον (τυγχάνειν γὰρ αὐτὸν θύοντα
καὶ ξένους ἑστιᾶν μέλλοντα) καὶ διαλῦσαι τὴν ἐκκλησίαν.

(*b*) Plutarchus *Praecepta Ger. Reip.* c. 3, p. 799 d:

οὐκ ἂν οὗτοι[1] Κλέωνος ἀξιοῦντος αὐτούς, ἐπεὶ τέθυκε
καὶ ξένους ἑστιᾶν μέλλει, τὴν ἐκκλησίαν ὑπερθέσθαι,
15 γελάσαντες ἂν καὶ κροτήσαντες ἀνέστησαν.

95 (M 100). Schol. in Aristoph. *Equit.* 226:

Θεόπομπος ἐν δεκάτῳ Φιλιππικῶν φησὶν ὅτι οἱ ἱππεῖς
ἐμίσουν αὐτόν[2]. προπηλακισθεὶς γὰρ ὑπ' αὐτῶν καὶ παρ-
οξυνθεὶς ἐπετέθη τῇ πολιτείᾳ, καὶ διετέλεσεν εἰς αὐτοὺς κακὰ
20 μηχανώμενος. κατηγόρησε γὰρ αὐτῶν ὡς λειποστρατούντων.

96 (M 101). Schol. in Aristoph. *Acharn.* 6:

παρὰ τῶν νησιωτῶν ἔλαβε πέντε τάλαντα ὁ Κλέων
ἵνα πείσῃ τοὺς Ἀθηναίους κουφίσαι αὐτοὺς τῆς εἰσφορᾶς.
αἰσθόμενοι δὲ οἱ ἱππεῖς ἀντέλεγον καὶ ἀπήτησαν αὐτόν.
25 μέμνηται Θεόπομπος.

97 (M 102). Schol. in Lucian. *Tim.* c. 30:

ἐστὶ δὲ τῇ ἀληθείᾳ[3] Χρέμητος, ὡς Θεόπομπος ἐν τῷ
περὶ δημαγωγῶν.

98 (M 103). (*a*) Schol. in Lucian. *Tim.* c. 30:

30 Θεόπομπος δὲ πάλιν ἐν δεκάτῳ Φιλιππικῶν ἐν Σάμῳ

---

[1] sc. Carthaginienses   [2] sc. Cleonem   [3] sc. Hyperbolus

---

30 Φιλιππικῶν] om. cod. Vat. 89

φησὶν ἐπιβουλευθέντα [1] ὑπὸ τῶν Ἀθήνηθεν ἐχθρῶν ἀναιρε-
θῆναι, τὸ δὲ νεκρὸν αὐτοῦ εἰς σάκκον βληθὲν ῥιφῆναι εἰς τὸ
πέλαγος.

(b) Schol. in Aristoph. *Vesp.* 1007 :

Θεόπομπος δέ φησι καὶ τὸν νεκρὸν αὐτοῦ καταποντωθῆναι, 5
γράφων ὅτι ' ἐξωστράκισαν τὸν Ὑπέρβολον ἐξ ἔτη· ὁ δὲ
καταπλεύσας εἰς Σάμον καὶ τὴν οἴκησιν αὐτοῦ ποιησάμενος
ἀπέθανε, καὶ τούτου τὸν νεκρὸν εἰς ἀσκὸν ἀγαγόντες εἰς τὸ
πέλαγος κατεπόντωσαν '.

LIBER XI

99 (M 109). Harpocration :   10

Ἀμάδοκος· . . . δύο γεγόνασιν οὗτοι, πατὴρ καὶ υἱός, ὃς
καὶ Φιλίππῳ συμμαχήσων ἦλθεν εἰς τὸν πρὸς Κερσοβλέπτην
πόλεμον. ἀμφοτέρων μέμνηται Θεόπομπος ἐν τῇ ια΄ τῶν
Φιλιππικῶν.

100 (M 110). Porphyrius apud Eusebium *Praep. Evang.* 15
x. 464 c :

πρὸς ὃν ὁ γραμματικὸς Ἀπολλώνιος ἔφη· οὐ γὰρ ἔγνως
ὅτι καὶ τὸν Θεόπομπον, ὃν σὺ προτιμᾷς, κατείληφε τουτὶ
τὸ πάθος, ἐν μὲν τῇ ἑνδεκάτῃ τῶν περὶ Φιλίππου ἐκ τοῦ
Ἰσοκράτους Ἀρεοπαγιτικοῦ μεταγράψαντα αὐτοῖς ὀνόμασιν 20
ἐκεῖνα ὅτι ' τῶν ἀγαθῶν καὶ τῶν κακῶν οὐδὲν αὐτὸ καθ'
αὑτὸ παραγίνεται τοῖς ἀνθρώποις ', καὶ τὰ ἑξῆς [2]. καίτοι
ὑπερφρονεῖ τὸν Ἰσοκράτην καὶ νενικῆσθαι ὑφ' ἑαυτοῦ λέγει
κατὰ τὸν ἐπὶ Μαυσώλῳ ἀγῶνα τὸν διδάσκαλον.

---

[1] sc. Hyperbolum   [2] sc. ἀλλὰ συντέτακται καὶ συνακολουθεῖ τοῖς
μὲν πλούτοις καὶ ταῖς δυναστείαις ἄνοια καὶ μετὰ ταύτης ἀκολασία, ταῖς δ'
ἐνδείαις καὶ ταῖς ταπεινότησι σωφροσύνη καὶ πολλὴ μετριότης, ὥστε χαλεπὸν
εἶναι διαγνῶναι ποτέραν ἄν τις δέξαιτο τῶν μερίδων τούτων τοῖς παισὶ τοῖς
αὐτοῦ καταλιπεῖν. Isocr. *Areop.* 140 d

---

2 σάκκον] ἀσκόν (b) : utrum scripserit Theopompus non liquet
6 ἐξ] πέντε ci. Meineke *Hist. Com.* p. 194   7 αὐτοῦ] ἐκεῖ cod. Marc.
474   12 Φιλίππῳ Bekker : φιλιππικῷ codd.   22, 23 καίτοι κτλ.]
In eodem xi libro id dixisse Theopompum non veri simile est, si quidem
umquam dixit ; suspecta enim sunt haec verba quia Suidas s.v. Ἰσοκράτης
et Θεοδέκτης non Atheniensem sed Apolloniatem Isocratem certasse
refert. Cf. tamen Ps. Plut. *X Orat. Vit.* 838 b, Aul. Gell. x. 18

LIBER XII

101 (M 111). Photius *Biblioth.* 176 (ed. Bekker p. 120):
ἀνεγνώσθησαν Θεοπόμπου λόγοι ἱστορικοί. νʹ δὲ καὶ γʹ
εἰσὶν οἱ σῳζόμενοι αὐτοῦ τῶν ἱστορικῶν λόγοι· διαπεπτω-
κέναι δὲ καὶ τῶν παλαιῶν τινες ἔφησαν τήν τε ἕκτην καὶ
5 ἑβδόμην καὶ δὴ καὶ τὴν ἐνάτην καὶ εἰκοστὴν καὶ τὴν τρια-
κοστήν. ἀλλὰ ταύτας μὲν οὐδ᾽ ἡμεῖς εἴδομεν, Μηνοφάνης
δέ τις τὰ περὶ Θεόπομπον διεξιὼν (ἀρχαῖος δὲ καὶ οὐκ
εὐκαταφρόνητος ὁ ἀνήρ) καὶ τὴν δωδεκάτην συνδιαπεπτω-
κέναι λέγει· καίτοι αὐτὴν ἡμεῖς ταῖς ἄλλαις συνανέγνωμεν.
10 καὶ περιέχει ὁ δωδέκατος λόγος περί τε ᾿Ακώριος τοῦ
Αἰγυπτίων βασιλέως ὡς πρός τε τοὺς Βαρκαίους ἐσπείσατο
καὶ ὑπὲρ Εὐαγόρου ἔπραττε τοῦ Κυπρίου, ἐναντία πράττων
τῷ Πέρσῃ· ὅν τε τρόπον παρὰ δόξαν Εὐαγόρας τῆς Κυπρίων
ἀρχῆς ἐπέβη, ᾿Αβδύμονα κατασχὼν τὸν Κιτιέα ταύτης ἐπ-
15 άρχοντα· τίνα τε τρόπον ῞Ελληνες οἱ σὺν ᾿Αγαμέμνονι
τὴν Κύπρον κατέσχον ἀπελάσαντες τοὺς μετὰ Κιννύρου ὧν
εἰσὶν ὑπολιπεῖς ᾿Αμαθούσιοι· ὅπως τε ὁ βασιλεὺς Εὐαγόρᾳ
συνεπείσθη πολεμῆσαι, στρατηγὸν ἐπιστήσας Αὐτοφραδάτην
τὸν Λυδίας σατράπην, ναύαρχον δὲ ῾Εκατόμνων· καὶ περὶ
20 τῆς εἰρήνης ἣν αὐτὸς τοῖς ῞Ελλησιν ἐβράβευσεν· ὅπως τε
πρὸς Εὐαγόραν ἐπικρατέστερον ἐπολέμει, καὶ περὶ τῆς ἐν
Κύπρῳ ναυμαχίας· καὶ ὡς ᾿Αθηναίων ἡ πόλις ταῖς πρὸς
βασιλέα συνθήκαις ἐπειρᾶτο ἐμμένειν, Λακεδαιμόνιοι δὲ
ὑπέρογκα φρονοῦντες παρέβαινον τὰς συνθήκας· τίνα τε
25 τρόπον τὴν ἐπὶ ᾿Ανταλκίδου ἔθεντο εἰρήνην· καὶ ὡς Τιρίβαζος
ἐπολέμησεν, ὅπως τε Εὐαγόρᾳ ἐπεβούλευσεν, ὅπως τε αὐτὸν
Εὐαγόρας πρὸς βασιλέα διαβαλὼν συνέλαβε μετ᾽ ᾿Ορόντου·
καὶ ὡς Νεκτενίβιος παρειληφότος τὴν Αἰγύπτου βασιλείαν
πρὸς Λακεδαιμονίους πρέσβεις ἀπέστειλεν Εὐαγόρας· τίνα

10 ᾿Ακώριος] cf. infra et Diodor. xv. 2. 3 ῞Ακορις: πακώριος codd.,
quod vero nomen idem est, adiecto articulo   11 Βαρκαίους]
v.l. βαρβάρους   14 ᾿Αβδύμονα cod. Marcianus: Αὐδύμονα vulg.
27 συνέλαβε Bekker, coll. Diod. xv. 8: συνέβαλλε cod. Marc.

THEOP.   5

τε τρόπον ὁ περὶ Κύπρον αὐτῷ πόλεμος διελύθη· καὶ περὶ
Νικοκρέοντος ὡς ἐπεβούλευσεν, ὡς παραδόξως ἐφωράθη,
ὡς ἔφυγε· καὶ ὡς τῇ ἐκείνου παιδὶ καταλειφθείσῃ κόρῃ
Εὐαγόρας τε καὶ ὁ τούτου παῖς Πνυταγόρας λανθάνοντες
ἀλλήλους συνεκάθευδον, Θρασυδαίου τοῦ εὐνούχου, ὃς ἦν 5
Ἠλεῖος τὸ γένος, αὐτοῖς παρὰ μέρος ὑπηρετουμένου τῇ
πρὸς τὴν κόρην ἀκολασίᾳ· καὶ ὡς τοῦτο αὐτοῖς αἴτιον
ὀλέθρου γέγονε, Θρασυδαίου τὴν ἐκείνων ἀναίρεσιν κατεργα-
σαμένου· εἶτα τίνα τρόπον Ἄκωρις ὁ Αἰγύπτιος πρὸς τοὺς
Πισίδας ἐποιήσατο συμμαχίαν, περί τε τῆς χώρας αὐτῶν 10
καὶ τῶν Ἀσπενδίων· περί τε τῶν ἐν Κῷ καὶ Κνίδῳ ἰατρῶν,
ὡς Ἀσκληπιάδαι, καὶ ὡς ἐκ Σύρνου οἱ πρῶτοι ἀφίκοντο
ἀπόγονοι Ποδαλειρίου· καὶ περὶ Μόψου τοῦ μάντεως καὶ
τῶν θυγατέρων Ῥόδης καὶ Μηλιάδος καὶ Παμφυλίας, ἐξ
ὧν ἥ τε Μοψουεστία καὶ ἡ ἐν Λυκίᾳ Ῥοδία καὶ ἡ Παμφυλία 15
χώρα τὰς ἐπωνυμίας ἔλαβον· τίνα τε τρόπον ὑφ' Ἑλλήνων
ἡ Παμφυλία κατῳκίσθη, καὶ ὁ πρὸς ἀλλήλους συνέστη
πόλεμος· καὶ ὡς Λύκιοι πρὸς Τελμισσεῖς, ἡγουμένου αὐτοῖς
τοῦ σφῶν βασιλέως Περικλέους, ἐπολέμησαν, καὶ οὐκ
ἀνῆκαν πολεμοῦντες ἕως αὐτοὺς τειχήρεις ποιήσαντες καθ' 20
ὁμολογίαν παρεστήσαντο. ἃ μὲν οὖν ὁ ἠφανισμένος
Μηνοφάνει δωδέκατος λόγος περιέχει ταῦτά ἐστιν.

Cf. Diodor. xiv. 98, xv. 2, 5, 8–11.

102 (M 115). Schol. in Aristoph. *Aves* 880:

Χίοισιν ἥσθην· καὶ τοῦτο ἀφ' ἱστορίας ἔλαβεν. ηὔχοντο 25
γὰρ Ἀθηναῖοι κοινῇ ἐπὶ τῶν θυσιῶν ἑαυτοῖς τε καὶ Χίοις,
ἐπειδὴ ἔπεμπον οἱ Χῖοι συμμάχους εἰς Ἀθήνας ὅτε χρεία
πολέμου προσῆν· καθάπερ Θεόπομπος ἐν τῷ ιβ' τῶν Φιλιπ-
πικῶν φησιν οὕτως· 'οἱ δὲ πολλοὶ τοῦ ταῦτα πράττειν
ἀπεῖχον, ὥστε τὰς εὐχὰς κοινὰς καὶ περὶ ἐκείνων καὶ σφῶν 30
αὐτῶν ἐποιοῦντο, καὶ σπένδοντες ἐπὶ ταῖς θυσίαις ταῖς

---

5 εὐνούχου cod. Marc.: v.l. ἡμάρρενος   17 συνέστη cod. Par.:
om. cod. Marc.   27 ἐπειδὴ ... προσῆν] om. cod. Ven. et Ald.
30 κοινὰς] om. Ald.

δημοτελέσιν ὁμοίως ηὔχοντο τοῖς θεοῖς Χίοις διδόναι τἀγαθὰ
καὶ σφίσιν αὐτοῖς'. . . . τὰ αὐτὰ τοῖς Θεοπόμπου καὶ Θρασύ-
μαχός φησιν ἐν τῇ μεγάλῃ τέχνῃ.

LIBER XIII

103 (M 117). (*a*) Athenaeus xii. 532 a–b:

5　ἐν δὲ τῇ τρισκαιδεκάτῃ τῶν Φιλιππικῶν περὶ Χαβρίου τοῦ
Ἀθηναίων ⟨στρατηγοῦ⟩ ἱστορῶν φησιν· ' οὐ δυνάμενος δὲ ζῆν
ἐν τῇ πόλει τὰ μὲν διὰ τὴν ἀσέλγειαν καὶ διὰ τὴν πολυτέλειαν
τὴν αὑτοῦ τὴν περὶ τὸν βίον, τὰ δὲ διὰ τοὺς Ἀθηναίους·
ἅπασι γάρ εἰσι χαλεποί· διὸ καὶ εἵλοντο αὐτῶν οἱ ἔνδοξοι
10　ἔξω τῆς πόλεως καταβιοῦν, Ἰφικράτης μὲν ἐν Θράκῃ, Κόνων
δ' ἐν Κύπρῳ, Τιμόθεος δ' ἐν Λέσβῳ, Χάρης δ' ἐν Σιγείῳ,
καὶ αὐτὸς ὁ Χαβρίας ἐν Αἰγύπτῳ'.

(*b*) Nepos *Chabr.* 3 : non enim libenter erat ante oculos
suorum civium, quod et vivebat laute et indulgebat sibi liber-
15　alius, quam ut invidiam vulgi posset effugere. est enim hoc
commune vitium {in} magnis liberisque civitatibus, ut invidia
gloriae comes sit et libenter de iis detrahant, quos eminere
videant altius, neque animo aequo paüperes alienam {opulen-
tium} intueantur fortunam. itaque Chabrias, quoad ei licebat,
20　plurimum aberat. neque vero solus ille aberat Athenis libenter,
sed omnes fere principes fecerunt idem, quod tantum se ab
invidia putabant afuturos, quantum a conspectu suorum reces-
serint. itaque Conon plurimum Cypri vixit, Iphicrates in
Thraecia, Timotheus Lesbi, Chares Sigei, dissimilis quidem
25　Chares horum et factis et moribus, sed tamen Athenis et
honoratus et potens.

---

1 ὁμοίως] om. Ald.   6 στρατηγοῦ add. Kaibel   9 γὰρ ⟨τοῖς
εὐδοκιμοῦσιν⟩ ci. Meineke ; cf. Nepos *Chabr.* c. 3 (= (*b*))   16 in del.
Halm   18 opulentum vel opulentium codd., del. Halm cum
Scheffer ; opulentiam Fleckeisen deleto fortunam   19 intueantur
Halm: intuuntur vel intuentur codd.   quoad] v. l. quo: quom
Halm cum Rinck et Klotz   22 afuturos Fleckeisen: futuros codd.
24 Lesbi] v.l. lesbo   Sigei Fleckeisen : sigeo (sygaeo, sygeo)
vel in sigaeo codd.

104 (M 119) = **22**, q. v.

***105** (M 120). Athenaeus xiv. 616 d–e :

ὕστερον γὰρ ἀφισταμένων τῶν Αἰγυπτίων, ὥς φησι
Θεόπομπος καὶ Λυκέας ὁ Ναυκρατίτης ἐν τοῖς Αἰγυπτιακοῖς,
οὐδὲν αὐτῷ¹ συμπράξας ἐποίησεν ἐκπεσόντα τῆς ἀρχῆς 5
φυγεῖν εἰς Πέρσας.

106 (M iv. p. 644, 119 a). Lexici Rhet. frag. ed. M. Meier
p. 29 vel ap. Phot. *Lex.* 2 ed. Dobree p. 675 :

ἄγγαροι δὲ οἱ πρεσβευταί². Θεόπομπος ἐν τῇ τρισκαι-
δεκάτῃ οὕτως· ' κατέπεμψε πρέσβεις, οὓς ἐκεῖνοι ἀγγάρους 10
καλοῦσιν'.

107 (M 122). (*a*) Mich. Apostolius *Centur.* vii. 37 (vi. 35) :

Δούλων πόλις· . . . ἐστὶ δέ τις καὶ περὶ Θρᾴκην Πονηρό-
πολις ἦν Φίλιππόν φασιν συνοικίσαι, τοὺς ἐπὶ πονηρίᾳ
διαβαλλομένους αὐτόθι συναγαγόντα, συκοφάντας καὶ ψευδο- 15
μάρτυρας καὶ τοὺς συνηγόρους καὶ τοὺς ἄλλους πονηροὺς ὡς
δισχιλίους, ὡς Θεόπομπος ἐν τρισκαιδεκάτῃ τῶν Φιλιππικῶν
φησι.

(*b*) Eadem Suidas s.v. Δούλων πόλις et Πονηρόπολις.

108 (M iv. p. 644, post 122). (*a*) Schol. in Aristoph. 20
Pacem 363 (cod. Venetus) :

Θεόπομπος δὲ ἐν τῷ ιγ´ τῶν ἱστοριῶν τῶν ἑαυτοῦ Σύρον
φησὶν αὐτὸν³ τὴν νῆσον προδεδωκέναι Σαμίοις. πυνθανο-
μένων δὲ πολλάκις αὐτοῦ τινων τί μέλλοι ποιεῖν, ἔλεγε
πάντα ἀγαθά. . . . τῆς δὲ προδοσίας τοιαύτην ὑποσχεῖν 25
τιμωρίαν. Θεαγένην τινὰ ἄνδρα Σύριον τῆς νήσου τῆς
ὑπὸ τοῦ Κιλλικῶντος προδοθείσης πολίτην, πρὸ πολλοῦ
μετοικήσαντα εἰς τὴν Σάμον κρεοπωλεῖν καὶ οὕτως ἀπάγειν
τὸν ἑαυτοῦ βίον. ἀγανακτήσαντα δὴ ἐπὶ τῇ προδοσίᾳ τῆς
πατρίδος, ἐπιστάντος τοῦ Κιλλικῶντος ὠνήσασθαι παρ' 30

---

¹ sc. Tacho Agesilaus   ² sc. apud Persas vocantur
³ sc. Cillicontem

---

22 Θεόπομπος Preller : θεόφραστος cod. Ven.

αὐτοῦ κρέας, δοῦναι κρατεῖν αὐτῷ ἵνα ἀποκόψῃ τὸ περιττόν.
τοῦ δὲ πεισθέντος καὶ κρατοῦντος, τοῦ Κιλλικῶντος προφάσει
τοῦ πλεονάζον ἀποκόψαι τὸ κρέας, ἐπανατειυάμευον τὴν
κοπίδα κόψαι τὴν χεῖρα τοῦ Κιλλικῶντος καὶ εἰπεῖν ὡς
5 ‘ ταύτῃ τῇ χειρὶ ἑτέραν οὐ προδώσεις πόλιν ’.

    (b) Ibid. (cod. Ravenn.) :

    Κιλλικῶν· (Θεόπομπος ἐν τῷ ιγ´ τῶν ἱστοριῶν φησιν
οὕτως· ‘) ὕστερον μὲν οὖν παρὰ Θεαγένῃ εἰσῆλθεν
ὠνησόμενος κρέα, κἀκεῖνος ὑποδεῖξαι ἐκέλευσεν πόθεν κόψαι
10 θέλει, προτείναντος δὲ τὴν χεῖρα ἀπέκοψεν {τὴν ἑαυτοῦ
χεῖρα} καὶ εἶπεν· ‘ ταύτῃ σου τῇ χειρὶ οὐ μὴ προδώσεις
πόλιν ἑτέραν ’.

    (c) Eadem apud Suidam s.v. πονηρός, ubi προτείναντος
δὲ τὴν χεῖρα ἀπέκοψε καὶ εἶπε scriptum est.

15 **109** (M 123). (a) Stephanus Byz. :

    Ἄνδειρα· πόλις ⟨τῆς Τρῳάδος⟩, οὐδετέρως, ἐν ᾗ λίθος
‘ ὃς καιόμενος σίδηρος γίνεται· εἶτα μετὰ γῆς τινος καμι-
νευθεὶς ἀποστάζει ψευδάργυρον· εἶτα κραθεὶς χαλκῷ
ὀρείχαλκος γίνεται ’, Στράβων ιγ´ καὶ Θεόπομπος ιγ´.

20   (b) Strabo xiii. 1. 56 (C. 610) :

    ἔστι δὲ λίθος περὶ τὰ Ἄνδειρα ὃς καιόμενος σίδηρος
γίνεται· εἶτα μετὰ γῆς τινος καμινευθεὶς ἀποστάζει ψευ-
δάργυρον, ἣ προσλαβοῦσα χαλκὸν τὸ καλούμενον γίνεται
κρᾶμα ὅ τινες ὀρείχαλκον καλοῦσι.

LIBER XIV

25 **110** (M 124). Athenaeus iv. 145 a :

    ὁ δ’ αὐτὸς Θεόπομπος ἐν τῇ τεσσαρεσκαιδεκάτῃ τῶν
Φιλιππικῶν ‘ ὅταν, φησί, βασιλεὺς εἰς τινας ἀφίκηται τῶν

7, 8 Θεόπ.... οὕτως et lacunam inseruit Rutherford; cf. (a)   8 Θεα-
γένη G–H (Θεογένη Rutherford): θεαγένους cod.   10 προτείναντος
Rutherford: προτείνας cod. ; cf. (c)   τὴν χεῖρα Rutherford: τῇ χειρὶ
cod.   τὴν ἑαυτοῦ χεῖρα delevit Rutherford   16 τῆς Τρῳάδος add.
Berkel   23 προσλαβοῦσα] προσλαβὼν cod. Med. 28. 19, unde ἣ
προσλαβὼν ci. Coraes; cf. (a)

ἀρχομένων, εἰς τὸ δεῖπνον αὐτοῦ δαπανᾶσθαι εἴκοσι τάλαντα,
ποτὲ δὲ καὶ τριάκοντα· οἱ δὲ καὶ πολὺ πλείω δαπανῶσιν.
ἑκάσταις γὰρ τῶν πόλεων κατὰ τὸ μέγεθος ὥσπερ ὁ φόρος
καὶ τὸ δεῖπνον ἐκ παλαιοῦ τεταγμένον ἐστίν'.

LIBER XV

111 (M 126). (*a*) Athenaeus xii. 531 a–d: 5

Θεόπομπος δ' ἐν πεντεκαιδεκάτῃ Φιλιππικῶν ἱστοριῶν
Στράτωνά φησι τὸν Σιδώνιον βασιλέα ὑπερβάλλειν ἡδυ-
παθείᾳ καὶ τρυφῇ πάντας ἀνθρώπους. οἷα γὰρ τοὺς
Φαίακας ῞Ομηρος ποιεῖν μεμυθολόγηκεν ἑορτάζοντας καὶ
πίνοντας καὶ κιθαρῳδῶν καὶ ῥαψῳδῶν ἀκρoωμένους, τοιαῦτα 10
καὶ ὁ Στράτων διετέλει ποιῶν πολὺν χρόνον. καὶ τοσούτῳ
μᾶλλον ἐκείνων παρεκεκινήκει πρὸς τὰς ἡδονάς, ὅσον οἱ
μὲν Φαίακες, ὥς φησιν ῞Ομηρος, μετὰ τῶν οἰκείων γυναικῶν
καὶ θυγατέρων ἐποιοῦντο τοὺς πότους, ὁ δὲ Στράτων μετ'
αὐλητρίδων καὶ ψαλτριῶν καὶ κιθαριστριῶν κατεσκευάζετο 15
τὰς συνουσίας· καὶ μετεπέμπετο πολλὰς μὲν ἑταίρας ἐκ
Πελοποννήσου πολλὰς δὲ μουσουργοὺς ἐξ Ἰωνίας, ἑτέρας
δὲ παιδίσκας ἐξ ἁπάσης τῆς Ἑλλάδος, τὰς μὲν ᾠδικάς, τὰς
δὲ ὀρχηστρικάς, ὧν εἴθιστο μετὰ τῶν φίλων ἀγῶνας τιθέναι
καὶ μεθ' ὧν συνουσιάζων διέτριβεν, χαίρων μὲν καὶ ⟨αὐτὸς⟩ 20
τῷ βίῳ τῷ τοιούτῳ {καὶ} δοῦλος ὢν φύσει τῶν ἡδονῶν, ἔτι
δὲ μᾶλλον πρὸς τὸν Νικοκλέα φιλοτιμούμενος. ἐτύγχανον
γὰρ ὑπερφιλοτίμως ἔχοντες πρὸς ἀλλήλους καὶ σπουδάζων
ἑκάτερος αὐτὸς ἥδιον καὶ ῥαθυμότερον ποιεῖσθαι τὸν βίον·
οἵ γε προῆλθον εἰς τοσαύτην ἅμιλλαν, ὡς ἡμεῖς ἀκούομεν, 25
ὥστε πυνθανόμενοι παρὰ τῶν ἀφικνουμένων τάς τε παρα-
σκευὰς τῶν οἰκιῶν καὶ τὰς πολυτελείας τῶν θυσιῶν τὰς
παρ' ἑκατέρῳ γινομένας ἐφιλονίκουν ὑπερβάλλεσθαι τοῖς

---

9 ποιεῖν] διαβιοῦν vel sim. ci. Kaibel   12 ὅσον Kaibel : ὅθεν A,
πλὴν ὅσον οἱ μὲν (narratione compendiata) E, ὅσῳ Schweighäuser
15 κατεσκευάζετο Kaibel : κατεσκεύαστο A   20 αὐτὸς add. et καὶ
del. Kaibel

τοιούτοις ἀλλήλους. ἐσπούδαζον δὲ δοκεῖν εὐδαίμονες εἶναι
καὶ μακαριστοί. οὐ μὴν περί γε τὴν τοῦ βίου τελευτὴν
διηυτύχησαν, ἀλλ' ἀμφότεροι βιαίῳ θανάτῳ διεφθάρησαν.

(b) Aelianus *Var. Hist.* vii. 2 :

5   Στράτων ὁ Σιδώνιος λέγεται τρυφῇ καὶ πολυτελείᾳ
ὑπερβαλέσθαι σπεῦσαι ἀνθρώπους πάντας. καὶ Θεόπομπος
ὁ Χῖος παραβάλλει αὐτοῦ τὸν βίον τῇ τῶν Φαιάκων διαίτῃ,
ἥνπερ καὶ Ὅμηρος κατὰ τὴν ἑαυτοῦ μεγαλόνοιαν ὥσπερ
εἴθιστο ἐξετραγῴδησεν. τούτῳ γε μὴν οὐχ εἷς παρῆν
10 ᾠδός, κατᾴδων αὐτοῦ τὸ δεῖπνον καὶ καταθέλγων αὐτόν,
ἀλλὰ πολλαὶ μὲν παρῆσαν γυναῖκες μουσουργοὶ καὶ αὐλη-
τρίδες καὶ ἑταῖραι κάλλει διαπρέπουσαι καὶ ὀρχηστρίδες.
διεφιλοτιμεῖτο δὲ ἰσχυρῶς καὶ πρὸς Νικοκλέα τὸν Κύπριον,
ἐπεὶ καὶ ἐκεῖνος πρὸς αὐτόν. ἦν δὲ ἡ ἅμιλλα ὑπὲρ οὐδενὸς
15 σπουδαίου, ἀλλ' ὑπὲρ τῶν προειρημένων. καὶ πυνθανόμενοι
παρὰ τῶν ἀφικνουμένων τὰ παρ' ἀλλήλοις, εἶτα ἀντεφιλοτι-
μοῦντο ἑκάτερος ὑπερβαλέσθαι τὸν ἕτερον. οὐ μὴν ἐς τὸ
παντελὲς ἐν τούτοις διεγένοντο· ἀμφότεροι γὰρ βιαίου
θανάτου ἔργον ἐγένοντο.

20 **112 (M 127).** Stephanus Byz. :

Διωνία· πόλις, ἣν συγκαταλέγει ταῖς Κυπρίαις πόλεσι.
Θεόπομπος πεντεκαιδεκάτῃ Φιλιππικῶν.

113 (M 128). Stephanus Byz. :

Κρήσιον· πόλις Κύπρου. Θεόπομπος Φιλιππικῶν πεντε-
25 καιδεκάτῳ.

114 (M 129). (a) Athenaeus xii. 526 c :

Θεόπομπος δ' ἐν πεντεκαιδεκάτῃ ἱστοριῶν χιλίους φησὶν
ἄνδρας αὐτῶν [1] ἁλουργεῖς φοροῦντας στολὰς ἀστυπολεῖν· ὃ
δὴ καὶ βασιλεῦσιν σπάνιον τότ' ἦν καὶ περισπούδαστον.
30 ἰσοστάσιος γὰρ ἦν ἡ πορφύρα πρὸς ἄργυρον ἐξεταζομένη.

---

[1] sc. Colophoniorum

---

28 ὃ δὴ Coraes : ὅθεν A E

τοιγαροῦν διὰ τὴν τοιαύτην ἀγωγὴν ἐν τυραννίδι καὶ στάσεσι
γενόμενοι αὐτῇ πατρίδι διεφθάρησαν.

(*b*) Ciceronis *De Republica* lib. vi fragmentum ap. Nonium
Compend. Doct. p. 501. 27 :

    ut, quem ad modum scribit ille, cotidiano in forum mille 5
hominum cum palliis conchylio tinctis descenderent.

115 (M 130). Pseudo-Plutarch. *Orat. X Vit.* p. 833 a :

    ὅτι δ' ὑπὸ τῶν τριάκοντα ἀπέθανεν[1] ἱστορεῖ καὶ Θεό-
πομπος ἐν τῇ πεντεκαιδεκάτῃ τῶν Φιλιππικῶν· ἀλλ' οὗτός
γ' ἂν εἴη ἕτερος, Λυσιδωνίδου πατρός, ⟨οὗ⟩ καὶ Κρατῖνος ἐν 10
Πυτίνῃ ὡς πονηροῦ μνημονεύει.

116 (M 131). Harpocration :

    Κερκιδᾶς· ... ὅτι δ' οὗτος τῶν τὰ Μακεδονικὰ φρονούντων
ἦν εἴρηκε καὶ Θεόπομπος ἐν ιε' Φιλιππικῶν.

    Cf. Suidam s. v., qui tamen Theopompum non nominat. 15

117 (M 132). Harpocration :

    Νότιον· ... ὅτι δέ ἐστι χωρίον προκείμενον τῆς Κολο-
φωνίων πόλεως Θεόπομπος ἐν τῇ ιε' φησίν.

LIBER XVI

118 (M 133). Athenaeus x. 444 e–445 a :

    Θεόπομπος δ' ἐν τῇ ἑκκαιδεκάτῃ τῶν ἱστοριῶν περὶ ἄλλου 20
Ῥοδίου διαλεγόμενός φησι· 'τοῦ δὲ Ἡγησιλόχου τὰ μὲν
ἀχρείου γεγονότος ὑπὸ οἰνοφλυγίας καὶ κύβων καὶ παντά-
πασιν οὐκ ἔχοντος ἀξίωμα παρὰ τοῖς Ῥοδίοις, ἀλλὰ διαβε-
βλημένου διὰ τὴν ἀσωτίαν τὴν τοῦ βίου καὶ παρὰ τοῖς
ἑταίροις καὶ παρὰ τοῖς ἄλλοις πολίταις'. εἶθ' ἑξῆς λέγων 25
περὶ τῆς ὀλιγαρχίας ἣν κατεστήσατο μετὰ τῶν φίλων ἐπι-
φέρει· 'καὶ πολλὰς μὲν γυναῖκας εὐγενεῖς καὶ τῶν πρώτων
ἀνδρῶν ᾔσχυναν, οὐκ ὀλίγους δὲ παῖδας καὶ νεανίσκους

---

sc. Antiphon

  9 οὗτός γ' ἂν εἴη ἕτερος Taylor : οὗτος τὲ ἂν ἡμέτερος codd.
10 Μειδωνίδου ci. Keil   οὗ add. Sauppe   11 ὡς] ὡς ⟨οὗ⟩ ci. Meier
14 ἐν ιε'] v.l. ἐν ε'   23 ἀξίωμα Casaubon : ἰδίωμα A   28 ἀνδρῶν
Herwerden : ἀνθρώπων A

διέφθειραν· εἰς τοῦτο δὲ προέβησαν ἀσελγείας, ὥστε καὶ
κυβεύειν ἠξίωσαν πρὸς ἀλλήλους περὶ τῶν γυναικῶν τῶν
ἐλευθέρων καὶ διωμολογοῦντο τοὺς ἐλάττω τοῖς ἀστραγάλοις
βάλλοντας ἥντινα χρὴ τῶν πολιτίδων τῷ νικῶντι εἰς συνου-
5 σίαν ἀγαγεῖν, οὐδεμίαν ὑπεξαιρούμενοι πρόφασιν, ἀλλ' ὅπως
ἂν ἕκαστος ᾖ δυνατὸς πείθων ἢ βιαζόμενος, οὕτω προσ-
τάττοντες ἄγειν. καὶ ταύτην τὴν κυβείαν ἔπαιζον μὲν καὶ
τῶν ἄλλων Ῥοδίων τινές, ἐπιφανέστατα δὲ καὶ πλειστάκις
αὐτὸς ὁ Ἡγησίλοχος ὁ προστατεῖν τῆς πόλεως ἀξιῶν '.

LIBER XVII

10 **119** (M 134). (a) Athenaeus vi. 265 b–c :

ἱστορεῖ Θεόπομπος ἐν τῇ ἑβδόμῃ καὶ δεκάτῃ τῶν ἱστοριῶν·
' Χῖοι πρῶτοι τῶν Ἑλλήνων μετὰ Θετταλοὺς καὶ Λακεδαι-
μονίους ἐχρήσαντο δούλοις, τὴν μέντοι κτῆσιν αὐτῶν οὐ τὸν
αὐτὸν τρόπον ἐκείνοις 〈   〉. Λακεδαιμόνιοι μὲν γὰρ καὶ
15 Θετταλοὶ φανήσονται κατασκευασάμενοι τὴν δουλείαν ἐκ τῶν
Ἑλλήνων τῶν οἰκούντων πρότερον τὴν χώραν ἣν ἐκεῖνοι
νῦν ἔχουσιν, οἱ μὲν Ἀχαιῶν, Θετταλοὶ δὲ Περραιβῶν καὶ
Μαγνήτων, καὶ προσηγόρευσαν τοὺς καταδουλωθέντας οἱ μὲν
εἵλωτας, οἱ δὲ πενέστας. Χῖοι δὲ βαρβάρους κέκτηνται τοὺς
20 οἰκέτας καὶ τιμὴν αὐτῶν καταβάλλοντες '.

(b) Schol. in Theocrit. Idyll. xvi. 35 :

Θεόπομπός φησι τοὺς δουλεύοντας τῶν ἐλευθέρων πενέ-
στας καλεῖσθαι παρὰ Θεσσαλοῖς, ὡς παρὰ Λακεδαιμονίοις
εἵλωτας.

25   Cf. Stephanus Byz. s. v. Χίος.

120 (M 166). Stephanus Byz. :

Ἀσσησσός· πόλις Μιλησίας γῆς. Θεόπομπος Φιλιπ-
πικῶν ιζ'.

---

4 χρὴ] χρήζοι ci. Kaibel   6 ᾖ G–H : ἦν A ; εἴη (deleto ἂν cum
Meineke) Kaibel   14 Post ἐκείνοις suppl. velut ἐποιήσαντο Kaibel
20 καταβάλλοντες] καταβαλόντες Wilamowitz   22 τῶν ἐλευθέρων]
v. l. τοῖς ἐλευθέροις   27 ἀσσησσός R V Π : ἀσσησός Ald.   28 ιζ'
R V : κδ' Π Ald.

LIBER XVIII

121 (M 135). Athenaeus vi. 252 a–c:

Θεόπομπος δ᾽ ἐν ὀκτωκαιδεκάτῃ ἱστοριῶν περὶ Νικο-
στράτου Ἀργείου λέγων ὡς ἐκολάκευε τὸν Περσῶν βασιλέα
γράφει καὶ ταῦτα· 'Νικόστρατον δὲ τὸν Ἀργεῖον πῶς οὐ
χρὴ φαῦλον νομίζειν, ὃς προστάτης γενόμενος τῆς Ἀργείων 5
πόλεως καὶ παραλαβὼν καὶ γένος καὶ χρήματα καὶ πολλὴν
οὐσίαν παρὰ τῶν προγόνων ἅπαντας ὑπερεβάλετο τῇ κολακείᾳ
καὶ ταῖς θεραπείαις, οὐ μόνον τοὺς τότε στρατείας μετα-
σχόντας, ἀλλὰ καὶ τοὺς ἔμπροσθεν γενομένους; πρῶτον
μὲν γὰρ οὕτως ἠγάπησε τὴν παρὰ τοῦ βαρβάρου τιμὴν 10
ὥστε βουλόμενος ἀρέσκειν καὶ πιστεύεσθαι μᾶλλον ἀνεκόμισε
πρὸς βασιλέα τὸν υἱόν· ὃ τῶν ἄλλων οὐδεὶς πώποτε φανή-
σεται ποιήσας. ἔπειτα καθ᾽ ἑκάστην ἡμέραν, ὁπότε μέλλοι
δειπνεῖν, τράπεζαν παρετίθει χωρὶς ὀνομάζων τῷ δαίμονι
τῷ βασιλέως, ἐμπλήσας σίτου καὶ τῶν ἄλλων ἐπιτηδείων, 15
ἀκούων μὲν τοῦτο ποιεῖν καὶ τῶν Περσῶν τοὺς περὶ τὰς
θύρας διατρίβοντας, οἰόμενος δὲ διὰ τῆς θεραπείας ταύτης
χρηματιεῖσθαι μᾶλλον παρὰ τοῦ βασιλέως· ἦν γὰρ αἰσχρο-
κερδὴς καὶ χρημάτων ὡς οὐκ οἶδ᾽ εἴ τις ἕτερος ἥττων'.

LIBER XX

122 (M 137). (*a*) Athenaeus ix. 401 a–b: 20

Θεόπομπος δὲ ἐν τῇ κ᾽ τῶν ἱστοριῶν περὶ τὴν Βισαλτίαν
φησὶ λαγωοὺς γίγνεσθαι δύο ἥπατα ἔχοντας.

(*b*) Aelianus *De Nat. Anim.* v. 27:

τοὺς ἐν τοῖς Βισάλταις λαγὼς διπλᾶ ἥπατα ἔχειν
Θεόπομπος λέγει. Eadem xi. 40. 25

(*c*) Aulus Gellius *Noct. Att.* xvi. 15. 1:

Theopompus in Bisaltia lepores bina iecora.[1]

(*d*) Stephanus Byz.:

Βισαλτία· πόλις καὶ χώρα Μακεδονίας, . . . περὶ ταύτην

---

[1] sc. habere dicit

8 τότε] τῆς τότε ci. Wilamowitz   29 περὶ] παρὰ R

οἱ λαγοὶ σχεδὸν πάντες ἁλίσκονται δύο ἥπατα ἔχοντες, ὡς
Θεόπομπος ἱστορεῖ καὶ Φαβωρῖνος.

(e) Pseudo-Arist. *Mirab. Auscult.* 122 (132):

φασὶ δὲ καὶ ἐν τῇ Κραστωνίᾳ παρὰ τὴν Βισαλτῶν χώραν
5 τοὺς ἁλισκομένους λαγὼς δύο ἥπατα ἔχειν, καὶ τόπον τινὰ
εἶναι ὅσον πλεθριαῖον, εἰς ὃν ὅ τι ἂν εἰσέλθῃ ζῷον, ἀπο-
θνήσκειν.

123 (M 138). Stephanus Byz.:

Σίρρα· πόλις Θρᾴκης.   Θεόπομπος ἐν Φιλιππικῶν κ΄.

10 **124** (M 139). Theon *Progymnast.* 2 (Spengel *Rhet. Graec.*
ii. p. 66):

μύθου δὲ ὁποῖός ἐστι . . . καὶ ἐν τῇ εἰκοστῇ Θεοπόμπου
τῶν Φιλιππικῶν ὁ τοῦ πολέμου καὶ τῆς ὕβρεως, ὃν ὁ
Φίλιππος διεξέρχεται πρὸς τοὺς αὐτοκράτορας τῶν Χαλκι-
15 δέων.

LIBER XXI

125 (M 140). (a) Schol. in Apollon. Rhod. iv. 308:

τὸ Ἰόνιον πέλαγος τῆς Ἰταλίας . . . ὠνομάσθη δὲ ἀπὸ
Ἰονίου τὸ γένος Ἰλλυριοῦ, ὥς φησιν Θεόπομπος ἐν εἰκοστῷ
πρώτῳ.

20   (b) Schol. in Pind. *Pyth.* iii. 120:

τὸ Ἰόνιον πέλαγος τὸ περὶ Σικελίαν τὸ ὄνομα ἔλαβεν,
ὡς μὲν ἔνιοι, ἀπὸ Ἰοῦς· Θεόπομπος δὲ ἀπὸ Ἰονίου ἀνδρὸς
Ἰλλυριοῦ.

(c) Tzetzes in Lycophr. 631:

25   Θεόπομπος δὲ καὶ ἄλλοι πολλοὶ[1] ἀπ' Ἰονίου Ἰλλυρικοῦ
τὸ γένος, βασιλεύσαντος τῶν τόπων ἐκείνων, υἱοῦ Ἀδρίου
τοῦ περὶ τοῦτο τὸ πέλαγος κτίσαντος πόλιν τὴν λεγομένην

---

[1] sc. ὠνόμασαν τὸ Ἰόνιον πέλαγος

---

4 Κραστωνίᾳ] v.l. κροτωνίᾳ   6 Quae quoque post ἀποθνήσκειν de
Dionysi templo sequuntur (133) e Theopompo fort. hausta sunt
9 κ΄ R Π Ald.: η΄ V   25 Θεόπομπος Thryllitsch: δεύπος, θέσπος,
θέσος, αὐτόθεπος codd.

'Αδρίαν, ἣν 'Αδρίαν ἕτεροί φασιν ὑπὸ Διονυσίου τοῦ προτέρου
τυράννου Σικελίας κτισθῆναι.

(*d*) Strabo vii. 5. 9 (C. 317):

φησὶ δ' ὁ Θεόπομπος τῶν ὀνομάτων[1] τὸ μὲν ἥκειν ἀπὸ
ἀνδρὸς ἡγησαμένου τῶν τόπων, ἐξ Ἴσσης τὸ γένος, τὸν 5
'Αδρίαν δὲ ποταμοῦ ἐπώνυμον γεγονέναι. στάδιοι δ' ἀπὸ
τῶν Λιβυρνῶν ἐπὶ τὰ Κεραύνια μικρῷ πλείους ἢ δισχίλιοι.
Θεόπομπος δὲ τὸν πάντα ἀπὸ τοῦ μυχοῦ πλοῦν ἡμερῶν ἓξ
εὕρηκε, πεζῇ δὲ τὸ μῆκος τῆς 'Ιλλυρίδος καὶ τριάκοντα·
πλεονάζειν δέ μοι δοκεῖ. καὶ ἄλλα δ' οὐ πιστὰ λέγει, τό 10
τε συντετρῆσθαι τὰ πελάγη, ἀπὸ τοῦ εὑρίσκεσθαι κέραμόν
τε Χῖον καὶ Θάσιον ἐν τῷ Νάρωνι, καὶ τὸ ἄμφω κατο-
πτεύεσθαι τὰ πελάγη ἀπό τινος ὄρους, καὶ τῶν νήσων τῶν
Λιβυρνίδων † τιθείς, ὥστε κύκλον ἔχειν σταδίων καὶ πεντα-
κοσίων, καὶ τὸ τὸν Ἴστρον ἑνὶ τῶν στομάτων εἰς τὸν 'Αδρίαν 15
ἐμβάλλειν.

(*e*) (M iv. p. 644, 140 a) Scymnus Chius 369–390:

  εἶτ' ἔστιν 'Αδριανὴ θάλαττα λεγομένη.

Θεόπομπος ἀναγράφει δὲ ταύτης τὴν θέσιν,
  ὡς δὴ συνισθμίζουσα πρὸς τὴν Ποντικὴν   20
νήσους ἔχει ταῖς Κυκλάσιν ἐμφερεστάτας,
τούτων δὲ τὰς μὲν λεγομένας 'Αψυρτίδας
'Ηλεκτρίδας τε, τὰς δὲ καὶ Λιβυρνίδας.

τὸν κόλπον ἱστοροῦσι τὸν 'Αδριατικὸν
  τῶν βαρβάρων πλῆθός τι περιοικεῖν κύκλῳ   25
ἑκατὸν σχεδὸν μυριάσι πεντήκοντά τε
χώραν ἀρίστην νεμομένων καὶ καρπίμην·

---

[1] sc. maris Ionii et Adriatici

5 Ἴσσης Tzschuck: ἴσης Parisini duo, v.l. ὧν   6 ποταμοῦ] πόλεως
ci. Casaubon ; cf. 125 (*c*), Strab. v. 1. 8 (C. 214), Iustin. xx. 1. 9
11 Lacunam ante ἀπὸ statuit Meineke, qui e.g. ⟨τεκμαιρόμενος⟩ ci.
12 τε] ⟨τόν⟩ τε Coraes; τε omittere vult Kramer   14 τιθείς corrup-
tum : τὴν θέσιν ci. Coraes, τοσοῦτον εἶναι τὸ μέγεθος Groskurd, cui
assentit Kramer   19 Θεόπομπος ἀναγράφει δὲ edd. : θεόπεμπτος
ἀναγράφη cod. Parisinus

διδυμητοκεῖν γάρ φασι καὶ τὰ θρέμματα.
ἀὴρ διαλλάττων δὲ παρὰ τὸν Ποντικὸν
ἐστὶν ὑπὲρ αὐτούς, καίπερ ὄντας πλησίον·
οὐ γὰρ νιφετώδης οὐδ' ἄγαν ἐψυγμένος,
5 ὑγρὸς δὲ παντάπασι διὰ τέλους μένει,
ὀξὺς ταραχώδης ὤν τε πρὸς τὰς μεταβολάς,
μάλιστα τοῦ θέρους δέ, πρηστήρων τε καὶ
βολὰς κεραυνῶν τούς τε λεγομένους ἐκεῖ
τυφῶνας. Ἐνετῶν δ' εἰσὶ πεντήκοντά που
10 πόλεις ἐν αὐτῷ κείμεναι πρὸς τῷ μυχῷ,
οὓς δὴ μετελθεῖν φασιν ἐκ τῆς Παφλαγόνων
χώρας κατοικῆσαί τε περὶ τὸν Ἀδρίαν.
Cf. Eustath. in Dionys. *Orbis Descr.* 92.

126 (M 141). Stephanus Byz.:
15 Λάδεστα ἢ Λάδεστον· μία τῶν Λιβυρνίδων νήσων.
Θεόπομπος κα' Φιλιππικῶν.

127 (M 142). Athenaeus xii. 526 f–527 a:
κἀν τῇ πρώτῃ δὲ πρὸς ταῖς εἴκοσι τῶν Φιλιππικῶν τὸ
τῶν Ὀμβρικῶν φησιν ἔθνος—ἐστὶν δὲ περὶ τὸν Ἀδρίαν—
20 ἐπιεικῶς εἶναι ἁβροδίαιτον παραπλησίως τε βιοτεύειν τοῖς
Λυδοῖς χώραν τε ἔχειν ἀγαθήν, ὅθεν προελθεῖν εἰς
εὐδαιμονίαν.

128 (M 143). (a) Antigonus Caryst. *Hist. Mirab.* 173 (189):
τοὺς δὲ περὶ τὸν Ἀδρίαν ἐνοικοῦντας Ἐνετοὺς Θεό-
25 πομπον φάσκειν κατὰ τὸν σπόρου καιρὸν τοῖς κολοιοῖς
ἀποστέλλειν δῶρα, ταῦτα δ' εἶναι ψαιστὰ καὶ μάζας.
προθέντας δὲ τοὺς ταῦτα κομίζοντας ἀποχωρεῖν, τῶν δὲ
ὀρνέων τὸ μὲν πλῆθος ἐπὶ τοῖς ὁρίοις μένειν τῆς χώρας
συνηθροισμένον, δύο δ' ἢ τρεῖς προσπτάντας καὶ κατα-
30 μαθόντας ἀφίπτασθαι πάλιν καθαπερεί τινας πρέσβεις ἢ

2 διαλλάττων δὲ παρὰ Meineke: διαλλάσσων δὲ περὶ cod. Par.
3 ὄντας Meineke : ὄντα cod. Par. 8 λεγομένους] γινομένους ci.
Meineke 24 Ἐνετοὺς Keller cum cod. : Ἐνετοὺς vulg. 27 προθέν-
τας Keller προσθέντας cod.

κατασκόπους. ἐὰν μὲν οὖν τὸ πλῆ[θος τῶν κολοιῶν
γεύσωνται τῶν δώρων οὐχ ὑπερβαίνουσιν κ.τ.λ., cf. (b)].

(b) Pseudo-Aristot. *Mirab. Auscult.* 119 (129):

θαυμαστὸν δέ τι καὶ παρὰ τοῖς Ἐνετοῖς φασι γίνεσθαι.
ἐπὶ γὰρ τὴν χώραν αὐτῶν πολλάκις κολοιῶν ἀναριθμήτους 5
μυριάδας ἐπιφέρεσθαι καὶ τὸν σῖτον αὐτῶν σπειράντων
καταναλίσκειν· οἷς τοὺς Ἐνετοὺς πρὸ τοῦ ἐφίπτασθαι
μέλλειν ἐπὶ τὰ μεθόρια τῆς γῆς προτιθέναι δῶρα, παντο-
δαπῶν καρπῶν καταβάλλοντας σπέρματα. ὧν ἐὰν μὲν
γεύσωνται οἱ κολοιοί, οὐχ ὑπερβαίνουσιν ἐπὶ τὴν χώραν 10
αὐτῶν, ἀλλ᾿ οἴδασιν οἱ Ἐνετοὶ ὅτι ἔσονται ἐν εἰρήνῃ· ἐὰν
δὲ μὴ γεύσωνται, ὡσεὶ πολεμίων ἔφοδον αὐτοῖς γινομένην
οὕτω προσδοκῶσιν.

(c) Aelianus *De Nat. Anim.* xvii. 16:

Θεόπομπος λέγει τοὺς περὶ τὸν Ἀδρίαν οἰκοῦντας 15
Ἐνετούς, ὅταν ἀρότου καὶ σπόρου ᾖ ὥρα, τοῖς κολοιοῖς
ἀποστέλλειν δῶρα· εἴη δ᾿ ἂν τὰ δῶρα ψαιστὰ ἄττα καὶ
μεμαγμέναι μάζαι καλῶς τε καὶ εὖ. βούλεται δὲ ἄρα ἡ τῶνδε
τῶν δώρων πρόθεσις μειλίγματα τοῖς κολοιοῖς εἶναι καὶ
σπονδῶν ὁμολογίαι, ὡς ἐκείνους τὸν καρπὸν τὸν Δημήτρειον 20
μὴ ἀνορύττειν καταβληθέντα ἐς τὴν γῆν μηδὲ παρεκλέγειν.
Λύκος δὲ ἄρα καὶ ταῦτα μὲν ὁμολογεῖ, καὶ ἐκεῖνα δὲ ἐπὶ
τούτοις προστίθησι ⟨ ⟩ καὶ φοινικοῦς ἱμάντας τὴν χρόαν,
καὶ τοὺς μὲν προθέντας ταῦτα εἶτα ἀναχωρεῖν. καὶ τὰ
μὲν τῶν κολοιῶν νέφη τῶν ὅρων ἔξω καταμένειν, δύο δὲ 25
ἄρα ἢ τρεῖς προηγηρημένους κατὰ τοὺς πρέσβεις τοὺς ἐκ
τῶν πόλεων πέμπεσθαι κατασκεψομένους τῶν ξενίων τὸ
πλῆθος· οἵπερ οὖν ἐπανίασι θεασάμενοι καὶ καλοῦσιν αὐτούς,
ᾗ πεφύκασιν οἱ μὲν καλεῖν, οἱ δὲ ὑπακούειν. ἔρχονται
μὲν ⟨οὖν⟩ κατὰ νέφη· ἐὰν δὲ γεύσωνται τῶν προειρημένων, 30

1 πλῆ[θος κ.τ.λ. e *Mirab. Auscult.* supplevit Bentley   23 Lacunam
statuit Schneider : ⟨προτιθέναι⟩ vel ⟨προθεῖναι⟩ ci. Jacobs   24 καὶ τοὺς
μὲν corrupta esse censet Hercher   28 αὐτούς] τοὺς ἄλλους ci.
Hercher   30 οὖν add. Jacobs   προειρημένων] προκειμένων ci.
Hercher

ἴσασιν οἱ Ἐνετοὶ ὅτι ἄρα αὐτοῖς πρὸς τοὺς ὄρνιθας τοὺς
προειρημένους ἔνσπονδά ἐστιν· ἐὰν δὲ ὑπερίδωσι καὶ
ἀτιμάσαντες ὡς εὐτελῆ μὴ γεύσωνται, πεπιστεύκασιν οἱ
ἐπιχώριοι ὅτι τῆς ἐκείνων ὑπεροψίας ἐστὶν αὐτοῖς λιμὸς
5 τὸ τίμημα. ἄγευστοι γὰρ ὄντες οἱ προειρημένοι καὶ
ἀδέκαστοί γε ὡς εἰπεῖν ἐπιπέτονταί τε ταῖς ἀρούραις καὶ
τό γε πλεῖστον τῶν κατεσπαρμένων συλῶσι πικρότατά γε
ἐκεῖνοι, σὺν τῷ θυμῷ καὶ ἀνορύττοντες καὶ ἀνιχνεύοντες.

(*d*) Mich. Apostolius *Centur.* i. 54 (Leutsch i. 38):

10 οἱ περὶ Ἀδρίαν οἰκοῦντες Αἴνετοι, ὅταν ἀρότρου καὶ
σπόρου ὥρα ἦν, τοῖς κολοιοῖς ἀπέστελλον δῶρα ψαιστὰ
καὶ μάζας. βούλεται δὲ τὰ δῶρα μειλίγματα τοῖς κολοιοῖς
εἶναι καὶ σπονδῶν ὁμολογίαι, ὡς ἐκείνους τὸν καρπὸν τὸν
Δημήτριον μὴ ἀνορύττειν μηδὲ παρεκλέγειν καταβληθέντα
15 εἰς γῆν. καὶ οἱ μὲν ἀναχωροῦσι, τὰ δὲ τῶν κολοιῶν νέφη
δύο ἢ τρεῖς κατὰ τοὺς πρέσβεις τοὺς ἐκ τῶν πόλεων
πέμπουσι κατασκεψομένους τῶν ξενίων τὸ πλῆθος· οἵπερ
οὖν καὶ ἐπανίασι θεασάμενοι καὶ καλοῦσιν αὐτούς, ᾗ
πεφύκασιν οἱ μὲν καλεῖν οἱ δὲ ὑπακούειν. ἐρχόμενοι δὲ
20 κατὰ νέφη ἐὰν μὲν γεύσωνται κ.τ.λ., isdem verbis ac
supra (*c*).

129 (M 145). Athenaeus xiv. 650 a:

Θεόπομπος τε ἐν εἰκοστῇ πρώτῃ Φιλιππικῶν μνημονεύει
αὐτῶν [1].

25 **130** (M 146). Athenaeus vi. 261 a–b:

καὶ περὶ Διονυσίου δὲ τὰ παραπλήσια ἱστορεῖ ἐν τῇ
πρώτῃ πρὸς ταῖς εἴκοσι· ʻ Διονύσιος ὁ Σικελίας τύραννος
τοὺς ἀποβάλλοντας τὰς οὐσίας εἰς μέθας καὶ κύβους καὶ τὴν
τοιαύτην ἀκολασίαν [2]· ἠβούλετο γὰρ ἅπαντας εἶναι διεφθαρ-
30 μένους καὶ φαύλους· οὓς καὶ εὖ περιεῖπε ʼ.

---

[1] sc. τῶν κοννάρων καὶ παλιούρων   [2] sc. ἀνελάμβανεν : cf. 260 d

5 ὄντες] μένοντες Hercher   καὶ ἀδέκαστοί γε] ἀδεκατεύτοις Hercher
10–1 Αἴνετοι ... ἀρότρου ... ἦν] sic Apost. in cod. Paris. 3059

131 (M 147). Athenaeus xii. 532 f–533 a :

καίτοι ὁ πατὴρ αὐτῶν Πεισίστρατος μετρίως ἐχρῆτο ταῖς
ἡδοναῖς· ὅς γε οὐδ' ἐν τοῖς χωρίοις οὐδ' ἐν τοῖς κήποις
φύλακας καθίστα, ὡς Θεόπομπος ἱστορεῖ ἐν τῇ πρώτῃ καὶ
εἰκοστῇ, ἀλλ' εἴα τὸν βουλόμενον εἰσιόντα ἀπολαύειν καὶ 5
λαμβάνειν ὧν δεηθείη.

132 (M 148). (a) Harpocration :

Λύκειον· . . . ἐν τῶν παρ' Ἀθηναίοις γυμνασίων ἐστὶ τὸ
Λύκειον, ὃ Θεόπομπος μὲν ἐν τῇ κα' Πεισίστρατον ποιῆσαι,
Φιλόχορος δ' ἐν τῇ δ' Περικλέους φησὶν ἐπιστατοῦντος αὐτὸ 10
γενέσθαι.

(b) Eadem sine librorum numeris apud Suidam h.v.

LIBER XXII

133 (M 149). Athenaeus x. 442 e–f :

Θεόπομπος δ' ἐν τῇ δευτέρᾳ καὶ εἰκοστῇ περὶ Χαλκιδέων
ἱστορῶν τῶν ἐν Θρᾴκῃ φησίν· 'ἐτύγχανον γὰρ τῶν μὲν 15
βελτίστων ἐπιτηδευμάτων ὑπερορῶντες, ἐπὶ δὲ τοὺς πότους
καὶ ῥαθυμίαν καὶ πολλὴν ἀκολασίαν ὡρμηκότες ἐπιεικῶς'.

134 (M 150). Stephanus Byz. :

Χυτρόπολις· Θρᾴκης χωρίον. Θεόπομπος Φιλιππικῶν
εἰκοστῷ δευτέρῳ· 'παρῆλθεν εἰς Χυτρόπολιν, χωρίον ἀπῳ- 20
κισμένον ἐξ Ἀφύτεως'. τὸ ἐθνικὸν ἑξῆς ἐπάγει· 'εἰσδεξα-
μένων δὲ τῶν Χυτροπολιτῶν αὐτόν'.

135 (M 151). Harpocration :

Θέρμαν· . . . Θρᾴκιον τοῦτό ἐστι πόλισμα, ὡς καὶ Θεό-
πομπος ἐν κβ' φησίν. 25

4 καθίστα Meineke: εφιστα A ; cf. 533 a (= 89)   9 κα'] v.l.
κατὰ   πεισίστρατον Epit.: πεισιστράτου vel πεισιστράτους codd.
17 Verba corrupta quae ἐπιεικῶς sequuntur τὸ δ' εἰσὶν πάντες οἱ Θρᾷκες
πολυπόται Athenaei non Theopompi esse vidit Kaibel qui ὅτι pro τὸ
legit et ⟨κοινόν⟩ post πολυπόται add.   20 εἰς Χυτρόπολιν Böhnecke:
ἡ χυτρόπολις codd.   χωρίον Pp R, χώρα V Π, χω . . Ald.   21 εἰσ-
δεξαμένων] εἰσδεξάμενον R   22 τῶν Χυτροπολιτῶν Xylander: τὸν
χυτροπολίτην codd.

136 (M 152). Stephanus Byz.:

Θέστωρος· ὡς Κύτωρος, πόλις Θρᾴκης. Θεόπομπος εἰκοστῇ δευτέρᾳ.

137 (M 153). Stephanus Byz.:

5 Ὁμάριον· πόλις Θετταλίας. Θεόπομπος Φιλιππικῶν κβ'. ἐν ταύτῃ τιμᾶται Ζεὺς καὶ Ἀθηνᾶ.

138 (M 154). Stephanus Byz.:

Σύμαιθα· πόλις Θετταλίας. ὁ πολίτης Συμαιθεύς, ὡς Θεόπομπος Φιλιππικῶν εἰκοστῷ δευτέρῳ.

LIBER XXIII

10 **139** (M 155). Athenaeus x. 436 b–c:

ἐν δὲ τῇ τρίτῃ καὶ εἰκοστῇ περὶ Χαριδήμου τοῦ Ὠρείτου διηγούμενος, ὃν Ἀθηναῖοι πολίτην ἐποιήσαντο, φησίν· ‘τήν τε γὰρ δίαιταν ἑωρᾶτο τὴν καθ᾽ ἡμέραν ἀσελγῆ καὶ τοιαύτην ποιούμενος ὥστε πίνειν καὶ μεθύειν αἰεί, καὶ γυναῖκας ἐλευ-
15 θέρας ἐτόλμα διαφθείρειν· καὶ εἰς τοσοῦτον προῆλθεν ἀκρασίας ὥστε μειράκιόν τι παρὰ τῆς βουλῆς τῆς τῶν Ὀλυνθίων αἰτεῖν ἐπεχείρησεν, ὃ τὴν μὲν ὄψιν ἦν εὐειδὲς καὶ χαρίεν, ἐτύγχανε δὲ μετὰ Δέρδου τοῦ Μακεδόνος αἰχμάλωτον γεγενημένον’.

20 **140** (M 156). Stephanus Byz.:

Αἰόλειον· τῆς Θρᾴκης χερρονήσου πόλις. Θεόπομπος ἐν Φιλιππικοῖς εἰκοστῇ τρίτῃ· ‘ἐπορεύθη εἰς πόλιν Αἰόλειον τῆς Ἀττικῆς μὲν οὖσαν, πολιτευομένην δὲ μετὰ τῶν Χαλκιδέων’.

25 **141** (M 157). Stephanus Byz.:

Βρέα· πόλις ⟨Θρᾴκης⟩, εἰς ἣν ἀποικίαν ἐστείλαντο Ἀθηναῖοι. τὸ ἐθνικὸν ἔδει Βρεάτης· ἔστι δὲ Βρεαῖος παρὰ Θεοπόμπῳ εἰκοστῷ τρίτῳ.

---

5 Θετταλίας] Ἰταλίας ci. Meineke   κβ' V (in marg. suppl. m¹) Π Ald. : κα' ex κβ' corr. R   21 αἰόλειον (ε supra scripto) R : αἰόλιον vel αἰόλιον V Π Ald.   Θρᾳκ(ικ)ῆς χερρονήσου (μοῖρα, ἔστι καὶ) ci. Meineke   22 φιλιππικοῖς R V Π Ald. : Φιλιππικῶν vulg.   ἐπορεύθη Meineke : ἐπορεύθην codd.   23 Ἀττικῆς] Βοττικῆς ci. Meineke 26 Θρᾴκης add. Meineke

LIBER XXIV

142 (M 158). Stephanus Byz.:

Βαίτιον· πόλις Μακεδονίας. Θεόπομπος εἰκοστῇ τετάρτῃ.

143 (M 160). Stephanus Byz.:

Ἄρης Ἄρητος ὡς Μένδητος· χωρίον Εὐβοίας. Θεό-
πομπος εἰκοστῇ τετάρτῃ Φιλιππικῶν.   5

144 (M 161). Stephanus Byz.:

Ὄκωλον· χωρίον Ἐρετριέων. Θεόπομπος Φιλιππικῶν
εἰκοστῷ τετάρτῳ.

145 (M 162). Stephanus Byz.:

Σκάβαλα· χώρα Ἐρετριέων. Θεόπομπος εἰκοστῷ τε- 10
τάρτῳ Φιλιππικῶν.

146 (M 163). Stephanus Byz.:

Δύστος· πόλις Εὐβοίας. Θεόπομπος ἐν Φιλιππικῶν κδ´·
' ἀποστήσας δὲ τοὺς ἐν αὐτῇ τῇ περιοικίδι τῶν Ἐρετριέων
ἐστράτευσεν ἐπὶ πόλιν Δύστον '.   15

147 (M 165). Stephanus Byz.:

Ἄσσηρα· οὐδετέρως, πόλις Χαλκιδέων. Θεόπομπος εἰ-
κοστῇ τετάρτῃ.

LIBER XXV

148 (167). Theon *Progymn.* 2 (Spengel *Rhet. Graec.* ii.
p. 67):   20

πλείω δὲ ἔχομεν καὶ παρ' ἄλλων ἱστορικῶν λαβεῖν, ...
παρὰ δὲ Θεοπόμπου ἐκ τῆς πέμπτης καὶ εἰκοστῆς τῶν
Φιλιππικῶν, ὅτι Ἑλληνικὸς ὅρκος καταψεύδεται, ὃν Ἀθη-
ναῖοί φασιν ὀμόσαι τοὺς Ἕλληνας πρὸ τῆς μάχης τῆς ἐν
Πλαταιαῖς πρὸς τοὺς βαρβάρους, καὶ αἱ πρὸς βασιλέα 25
{Δαρεῖον} Ἀθηναίων {πρὸς Ἕλληνας} συνθῆκαι· ἔτι δὲ καὶ
τὴν ἐν Μαραθῶνι μάχην οὐχ οἵαν ἅπαντες ὑμνοῦσι γεγε-

10 χωρίον pro χώρα ci. Meineke   14 περιοικίδι Meineke : περιοικίᾳ
cod. Seguerianus   23 Ἑλληνικὸς] ὁ Ἑλλ. ci. Krüger *Stud.* 1. 118,
Schwartz *Hermes* xxxv   κατέψευσται ci. Schwartz   26 Δαρεῖον
et πρὸς Ἕλληνας secl. Spengel   27 οἵαν ἅπαντες Schwartz : οὐχ ἅμα
πάντες codd., οὐχ ὁμοίως πάντες ci. Riese

νημένην, ʽκαὶ ὅσα ἄλλα, φησίν, ἡ ᾿Αθηναίων πόλις ἀλα-
ζονεύεται καὶ παρακρούεται τοὺς ῞Ελληνας᾿.

149. (*a*) (M 168) Harpocration:

᾿Αττικοῖς γράμμασιν· . . . Θεόπομπος δ᾿ ἐν τῇ κε΄ τῶν
5 Φιλιππικῶν ἐσκευωρῆσθαι λέγει τὰς πρὸς τὸν βάρβαρον
συνθήκας, ἃς οὐ τοῖς ᾿Αττικοῖς γράμμασιν ἐστηλιτεῦσθαι,
ἀλλὰ τοῖς τῶν ᾿Ιώνων.

(*b*) (M 169) Photius *Lex.*:

Σαμίων ὁ δῆμος· . . . τοὺς δὲ ᾿Αθηναίους ἔπεισε χρῆσθαι
10 τοῖς τῶν ᾿Ιώνων γράμμασιν ᾿Αρχῖνος ὁ ᾿Αθηναῖος ἐπ᾿ ἄρ-
χοντος Εὐκλείδου· . . . περὶ δὲ τοῦ πείσαντος ἱστορεῖ
Θεόπομπος.

Eadem apud (*c*) Suidam, cuius codd. ᾿Αρχίνου δ᾿ ᾿Αθη-
ναίου habent, et (*d*) Mich. Apostol. *Centur.* xvii. 25, ubi
15 ᾿Αρχῖνος ὁ ᾿Αθηναίου scriptum est.

150 (M 174). (*a*) Stephanus Byz.:

Μίλκωρος· Χαλκιδικὴ πόλις ἐν Θρᾴκῃ. ὁ πολίτης Μιλ-
κώριος. Θεόπομπος κε΄ Φιλιππικῶν.

{(*b*) Idem:

20 Μιάκωρος· πόλις Χαλκιδική. Θεόπομπος κε΄ Φιλιππικῶν.
ὁ πολίτης Μιακώριος.}

151 (M 176). Harpocration:

῾Ηδύλειον· . . . ὄρος ἐστὶν ἐν Βοιωτίᾳ τὸ ῾Ηδύλειον,
ὡς καὶ Θεόπομπος ἐν τῇ κε΄ φησίν.

25 **152** (M 177). Schol. in Apollon. Rhod. iv. 973: · ·
ἄλλοι δὲ[1] ἀνδριαντοποιοῦ λέγουσιν ὄνομα, ὡς Σωκράτης
καὶ Θεόπομπος ἐν εἰκοστῷ πέμπτῳ.

---

[1] sc. ὀρείχαλκον

6 ἃς οὐ τοῖς] vv. ll. οὐ τοῖς, οἷς οὐκ, οἷς ἐστηλιτεῦσθαι] vv. ll.
ἐστηλίτευται, ἐστηλίτευσε   10 ᾿Αρχῖνος ὁ ᾿Αθηναῖος ἐπ᾿] ἄρχειν· οἱ δ᾿
ἀθηναίοις ἐπὶ cod., corr. Porson et Dobree   20–21 del. Meineke
27 εἰκοστῷ πέμπτῳ] λε΄ cod. Parisinus. Ad bellum sacrum spectare frag-
mentum censent Wichers et M, de quo egisse Theop. in libro xxv
testatur Schol. in Aristoph. *Aves* 556

LIBER XXVI

153 (M 178). Athenaeus vi. 260 b–c:

Θεόπομπος δ' ἐν ἕκτῃ καὶ εἰκοστῇ ἱστοριῶν 'τοὺς
Θετταλούς, φησίν, εἰδὼς ὁ Φίλιππος ἀκολάστους ὄντας
καὶ περὶ τὸν βίον ἀσελγεῖς συνουσίας αὐτῶν κατεσκεύαζε
καὶ πάντα τρόπον ἀρέσκειν αὐτοῖς ἐπειρᾶτο καὶ {γὰρ} ὀρχού- 5
μενος καὶ κωμάζων καὶ πᾶσαν ἀκολασίαν ὑπομένων (ἦν δὲ
καὶ φύσει βωμολόχος καὶ καθ' ἑκάστην ἡμέραν μεθυσκόμενος
καὶ χαίρων τῶν ἐπιτηδευμάτων τοῖς πρὸς ταῦτα συντείνουσι
καὶ τῶν ἀνθρώπων τοῖς εὐφυέσι καλουμένοις καὶ τὰ γέλοια
λέγουσι καὶ ποιοῦσι), πλείους τε τῶν Θετταλῶν τῶν αὐτῷ 10
πλησιασάντων ᾔρει μᾶλλον ἐν ταῖς συνουσίαις ἢ ταῖς
δωρεαῖς'.

154 (M 179). Athenaeus x. 435 b:

καὶ Φίλιππος δ' ὁ τοῦ Ἀλεξάνδρου πατὴρ φιλοπότης
ἦν, ὡς ἱστορεῖ Θεόπομπος ἐν τῇ ἕκτῃ καὶ εἰκοστῇ τῶν 15
ἱστοριῶν.

155 (M 180). Stephanus Byz.:

Ἄπρος· θηλυκόν, πόλις Θράκης. Θεόπομπος εἰκοστῇ
ἕκτῃ 'τοῦ δ' Ἀντιπάτρου διατρίβοντος περὶ τὴν Ἄπρον'.

156 (M 175). Harpocration: 20

Δρῦς . . . ἔστι δὲ καὶ ἑτέρα ἐν Θρᾴκῃ . . . ταύτην
Θεόπομπος ἐν κϛ' φησὶν ὑπὸ Ἰφικράτους κατοικισθῆναι.

157 (M 181). Ammonius:

ἱερὰ . . . καὶ τὰ ξόανα, ὡς Θεόπομπος ἐν εἰκοστῇ ἕκτῃ.

158. Didymus *De Demosth. Comment.* xiv. 52–xv. 10:   25

καταράτους εἶπε τοὺς Μεγαρέας, παρ' ὅσον δυσνόως
εἶχον αὐτοὶ καὶ Βοιωτοὶ πρὸς Ἀθηναίους, καθάπερ ἐν τῇ
κϛ' Θεόπομπος ἀπομαρτυρεῖ, ἐν οἷς Φιλοκράτης ὁ δημαγωγὸς
αὐτῷ παράγεται λέγων ταῦτα· 'ἐνθυμεῖσθε τοίνυν ὡς οὔτε

---

3 Θεσσαλούς Kaibel cum A C   5 γὰρ del. Wilamowitz: καὶ γὰρ
om. C   11 ᾔρει C: ᾑρεῖτο A   22 κϛ' Bekker et Dindorf sine
v. l.: εἰκοστῇ πέμπτῃ Wichers et M   23 Cf. 314   29 αὐτῷ
Wilamowitz: αυτοις p   ἐνθυμεισθε] ενθυμησθε p   οὔτε . . . οὔτε
. . . ἔχει ci. Diels-Schubart: ουδε . . ουδε .. εχειν p

καιρὸς οὐδείς ἐστι φιλονικεῖν οὔτε καλῶς ἔχει τὰ πράγματα
τῆς πόλεως, ἀλλὰ πολλοὶ καὶ μεγάλοι κίνδυνοι περιεστᾶσιν
ἡμᾶς. ἐπιστάμεθα γὰρ Βοιωτοὺς καὶ Μεγαρεῖς δυσμενῶς
ἡμῖν διακειμένους, Πελοποννησίων δὲ τοὺς μὲν Θηβαίοις,
5 τοὺς δὲ Λακεδαιμονίοις τὸν νοῦν προσέχοντας, Χίους δὲ
καὶ Ῥοδίους καὶ τοὺς τούτων συμμάχους πρὸς μὲν τὴν
πόλιν ἐχθρῶς διακειμένους, Φιλίππῳ δὲ περὶ φιλίας δια-
λεγομένους'.

LIBER XXVII

159. Didymus *De Demosth. Comment.*. viii. 58–ix. 8 :

10   περὶ τοῦ τετρακόσια τάλαντα πρόσοδον ἔχειν τοὺς
Ἀθηναίους κατὰ τοὺς Φιλίππου χρόνους καὶ Θεόπομπος
ἐν τῇ ἑβδόμῃ [καὶ εἰ]κοστῇ τῶν περὶ Φίλιππον ἐπιμαρτυρεῖ,
ἐν οἷς Ἀριστοφῶν ὁ δημαγωγὸς αὐτῷ παράγεται λέγων
ταῦτα· ' ἐνθυμεῖσθε δ' ὡς πάντων ἂν ποιήσαιμεν ἀνανδρό-
15 τατον, εἰ τὴν εἰρήνην δεξαίμεθα παραχωρήσαντες Ἀμφιπό-
λεως μεγίστην μὲν πόλιν τῶν Ἑλληνίδων οἰκοῦντες,
πλείστους δὲ συμμάχους ἔχοντες, τριακοσίας δὲ τριήρεις
κεκτημένοι καὶ σχεδὸν τετρακοσίων ταλάντων προσόδους
λαμβάνοντες, ὧν ὑπαρχόντων τίς οὐκ ἂν ἡμῖν ἐπιτιμήσειεν,
20 εἰ τὴν Μακεδόνων δύναμιν φοβηθέντες συγχωρήσαιμέν τι
παρὰ τὸ δίκαιον ; '

160 (M iv. p. 644, post 184). Natalis Com. *Mythol.* vii. 12 :
memoria prodidit Nymphodorus libro iii historiarum et Theo-
pompus libro xxvii Gorgones dictas fuisse a nonnullis non
25 squamosarum anguium spiris capita habuisse implicita, sed
ipsa capita fuisse draconum squamosorum, dentesque in
morem aprorum habuisse, ac oculum, singulas manus ferreas,
alasque quibus volarent.

4–5 Θηβαίοις . . . Λακεδαιμονίοις] θηβαιους . . . λακεδαιμονιους P
13 παράγεται λέγων Wilamowitz (cf. 158), quod vestigiis minus aptum
esse affirmatum a Diels-Schubart comprobat Crönert   14 δ' ὡς
iteratum ante πάντων del. Diels-Schubart

LIBER XXX

161 (M 185). Harpocration :

Κορσιαί· .... πόλις ἐστὶ τῆς Βοιωτίας Κορσιαί, ὡς
Θεόπομπος ἐν τῇ λ′.

162 (M 186). Harpocration :

Πύλαι· ... ὅτι δέ τις ἐγίγνετο σύνοδος τῶν Ἀμφι- 5
κτυόνων εἰς Πύλας Ὑπερείδης τε ἐν Ἐπιταφίῳ καὶ Θεόπομπος
ἐν τῇ λ′ εἰρήκασιν.

163 (M 187). Harpocration :

ἱερομνήμονες· ... οἱ πεμπόμενοι εἰς τὸ τῶν Ἀμφικτυόνων
συνέδριον ἐξ ἑκάστης πόλεως τῶν τοῦ συνεδρίου μετεχουσῶν 10
οὕτω καλοῦνται, ὡς σαφὲς ποιεῖ Θεόπομπος ἐν τῇ λ′.

164 (M 188). Athenaeus vi. 254 f :

διὸ καὶ Θετταλοὶ καλῶς ποιήσαντες κατέσκαψαν τὴν
καλουμένην πόλιν Κολακείαν, ἣν Μηλιεῖς ἐνέμοντο, ὥς φησι
Θεόπομπος ἐν τῇ τριακοστῇ. 15

LIBER XXXI

165 (M 189). (a) Harpocration (p. 290 Dindorf) :

τί ἐστι τὸ ἐν τοῖς Δημοσθένους Φιλιππικοῖς ' καὶ τὸ
θρυλούμενόν ποτε ἀπόρρητον ἐκεῖνο ' Θεόπομπος ἐν λα′ δε-
δήλωκε. φησὶ γὰρ ' καὶ πέμπει πρὸς τὸν Φίλιππον πρεσ-
βευτὰς Ἀντιφῶντα καὶ Χαρίδημον πράξοντας καὶ περὶ φιλίας, 20
οἳ παραγενόμενοι συμπείθειν αὐτὸν ἐπεχείρουν ἐν ἀπορρήτῳ
συμπράττειν Ἀθηναίοις ὅπως ἂν λάβωσιν Ἀμφίπολιν,
ὑπισχνούμενοι Πύδναν. οἱ δὲ πρέσβεις οἱ τῶν Ἀθηναίων
εἰς μὲν τὸν δῆμον οὐδὲν ἀπήγγελλον, βουλόμενοι λανθάνειν
τοὺς Πυδναίους, ἐκδιδόναι μέλλοντες ἐκείνους, ἐν ἀπορρήτῳ 25
δὲ μετὰ τῆς βουλῆς ἔπραττον '.

Eadem apud (b) Photium et (c) Suidam s. v. τί ἐστι.

2 Κορσιαί e Suida Dindorf : κορσίαι codd.   17 τί ἐστι κτλ. in
Epitome Harpocrat. exstant   20 καὶ ante περὶ delendum esse
censuerunt Bernhardy et Dindorf

(*d*) Ulpianus in Demosth. *Olynth.* ii :

διὰ τί ἐν ἀπορρήτῳ; ἵνα μὴ ἑκάτεροι μαθόντες φυλάξων-
ται, οἵ τε Ποτιδαιᾶται καὶ οἱ Πυδναῖοι. Θεόπομπος δέ
φησιν ὅτι περὶ Πύδνης μόνον καὶ Ἀμφιπόλεως, ἵνα δῴη
5 αὐτὸς μὲν Ἀθηναίοις Ἀμφίπολιν, δέξηται δὲ παρ᾽ αὐτῶν
τὴν Πύδναν αὐτοῦ οὖσαν· καὶ τὸ ἀπόρρητον δέ, ἵνα μὴ
μαθόντες οἱ Πυδναῖοι φυλάξωνται· οὐ γὰρ ἐβούλοντο εἶναι
ὑπὸ τὸν Φίλιππον.

LIBER XXXII

166 (M 190). Athenaeus vi. 271 c–d :

10 περὶ δὲ τῶν παρὰ Λακεδαιμονίοις ἐπευνάκτων καλουμένων
(δοῦλοι δ᾽ εἰσὶ καὶ οὗτοι) σαφῶς ἐκτίθεται Θεόπομπος διὰ
τῆς δευτέρας καὶ τριακοστῆς τῶν ἱστοριῶν λέγων οὕτως·
‘ ἀποθανόντων πολλῶν Λακεδαιμονίων ἐν τῷ πρὸς Μεσση-
νίους πολέμῳ οἱ περιλειφθέντες εὐλαβηθέντες μὴ καταφανεῖς
15 γένωνται τοῖς ἐχθροῖς ἐρημωθέντες ἀνεβίβασαν τῶν εἱλώ-
των ἐφ᾽ ἑκάστην στιβάδα τῶν τετελευτηκότων τινάς· οὓς
καὶ πολίτας ὕστερον ποιήσαντες προσηγόρευσαν ἐπευνά-
κτους, ὅτι κατετάχθησαν ἀντὶ τῶν τετελευτηκότων ἐπὶ τὰς
στιβάδας ’.

20 *****167** (M 191). Strabo viii. 6. 11 (C. 373) :

οἱ δ᾽ ἐκ τῆς Ἀ[σίνης (ἔστι δ᾽] αὕτη κώμη τῆς Ἀργείας
πλησίον Ναυπλ[ίας) ὑπὸ Λα]κεδαιμονίων εἰς τὴν Μεσσηνίαν
μετῳκίσθ[ησαν, ὅπου] καὶ ἡ ὁμώνυμος τῇ Ἀργολικῇ Ἀσίνῃ
πολίχ[νη.] οἱ γὰρ Λακεδαιμόνιοι, φησὶν ὁ Θεόπομπος, πολλὴν
25 κατακτησάμενοι τῆς ἀλλοτρίας εἰς ταύτην κατῴκιζον οὓς {ἂν}
ὑποδέξαιντο τῶν φυγόντων ἐπ᾽ αὐτο[ύς· καὶ οἱ] ἐκ τῆς
Ναυπλίας ἐκεῖσε ἀνεχώρησαν.

---

4 Ἀμφιπόλεως Kuster : φιλίππου codd.   13 τῷ πολέμῳ τῷ πρὸς Μεσ-
σηνίους propter hiatum ci. Kaibel   18 ἐπὶ Kaibel : εἰς A   21 ἀσίνης
καὶ αὕτη δὲ codd. aliquot recentiores : ἔστιν] Kramer, ἔστι δ᾽] Meineke
22 ὑπὸ] suppl. Casaubon   23 ὅπου] suppl. Meineke : ἂν] ci. Kramer
24 φησὶν] v. l. ὥς φησιν   25 ἂν seclusimus   26 ὑποδέξαιντο] v. l.
ὑπεδέξαντο   καὶ οἱ codd. aliquot recentiores

168 (M 192). Stephanus Byz.:

Θαλάμαι· πόλις τῆς Μεσσηνίας. Θεόπομπος τριακοστῷ
δευτέρῳ Φιλιππικῶν.

169 (M 205). Stephanus Byz.:

'Ασαί· κώμη Κορίνθου. Θεόπομπος λβ' Φιλιππικῶν
''Ασαὶ καὶ Μαυσὸς κῶμαι μεγάλαι καὶ πολυάνθρωποι'.

170 (M 193). Stephanus Byz.:

Μαυσός· κώμη Κορίνθου. Θεόπομπος τριακοστῷ δευτέρῳ.
Cf. **169**.

171 (M 194). Stephanus Byz.:

Νοστία· κώμη 'Αρκαδίας. Θεόπομπος τριακοστῷ δευ-
τέρῳ Φιλιππικῶν.

LIBER XXXIII

172 (M 195). Athenaeus vi. 271 d:

ὁ δ' αὐτὸς ἱστορεῖ κἂν τῇ τριακοστῇ καὶ τρίτῃ τῶν
ἱστοριῶν παρὰ Σικυωνίοις κατωνακοφόρους καλεῖσθαι δούλους
τινὰς παραπλησίους ὄντας τοῖς ἐπευνάκτοις.

173 (M 196). Stephanus Byz.:

Μελανδία· χώρα Σιθωνίας. Θεόπομπος τριακοστῷ
τρίτῳ Φιλιππικῶν.

174 (M 197). Schol. in Aristoph. *Aves* 1012:

ὥσπερ ἐν Λακεδαίμονι κτλ.· περὶ τῆς ἐν Λακεδαίμονι
ξενηλασίας Θεόπομπος ἐν τῇ τρίτῃ καὶ τριακοστῇ. ὥσπερ
ἐν Λακεδαίμονι κτλ.· ποτὲ γὰρ ἐκεῖσε σιτοδείας γενομένης
ξενηλασία γέγονεν, ὡς Θεόπομπος ἐν τῇ τριακοστῇ ς'
φησίν.

LIBER XXXV

175 (M 198). Athenaeus iv. 144 f:

Θεόπομπος δ' ἐν τῇ τριακοστῇ καὶ πέμπτῃ τῶν ἱστοριῶν
τὸν Παφλαγόνων φησὶ βασιλέα Θῦν ἑκατὸν πάντα παρα-

---

5 λβ' V Π : τριακοστῇ ἐννάτῃ Ald., om. R   15 κατανακοφόρους A C
18 σιθωνίας Pp. : σικωνίας R V Ald.   τριακοστῷ τρίτῳ] ιγ' R
24 τριακοστῇ ς'] aut hic numerus, quem om. Ald., aut superior cor-
ruptus   28 Θῦν] cf. Hell. Oxyrh. XVII. 2 Γύης

τίθεσθαι δειπνοῦντα ἐπὶ τὴν τράπεζαν ἀπὸ βοῶν ἀρξάμενον·
καὶ ἀναχθέντα αἰχμάλωτον ὡς βασιλέα καὶ ἐν φυλακῇ ὄντα
πάλιν τὰ αὐτὰ παρατίθεσθαι ζῶντα λαμπρῶς. διὸ καὶ
ἀκούσαντα Ἀρταξέρξην εἰπεῖν ὅτι οὕτως αὐτῷ δοκοίη ζῆν
5 ὡς ταχέως ἀπολούμενος.

Cf. Athenaeum x. 415 d.

176 (M 199). Stephanus Byz. :

Κατάνειρα· οὐδετέρως, πόλις ⟨   ⟩, ὡς Θεόπομπος λε′
Φιλιππικῶν.

LIBER XXXVI

10   Vide Fr. **174**.

LIBER XXXVIII

177. (a) (M 200) Athenaeus iii. 85 a–b :

τούτοις εἴ τις ἀπιστεῖ, μαθέτω καὶ παρὰ Θεοπόμπου τοῦ
Χίου, ἀνδρὸς φιλαλήθους καὶ πολλὰ χρήματα καταναλώ-
σαντος εἰς τὴν περὶ τῆς ἱστορίας ἐξέτασιν ἀκριβῆ. φησὶ
15 γὰρ οὗτος ἐν τῇ ὀγδόῃ καὶ τριακοστῇ τῶν ἱστοριῶν περὶ
Κλεάρχου διηγούμενος τοῦ Ἡρακλεωτῶν τῶν ἐν τῷ Πόντῳ
τυράννου, ὡς βιαίως ἀνῄρει πολλοὺς καὶ ὡς τοῖς πλείστοις
ἐδίδου ἀκόνιτον πιεῖν· ' ἐπειδὴ οὖν, φησί, πάντες ἔγνωσαν
τὴν τοῦ φαρμάκου ταύτην φιλοτησίαν, οὐ προῄεσαν τῶν
20 οἰκιῶν πρὶν φαγεῖν πήγανον'· τοῦτο γὰρ τοὺς προφαγόντας
μηδὲν πάσχειν πίνοντας τὸ ἀκόνιτον· ὃ καὶ κληθῆναί φησι
διὰ τὸ φύεσθαι ἐν τόπῳ Ἀκόναις καλουμένῳ ὄντι περὶ τὴν
Ἡράκλειαν.

(b) Antigonus Caryst. *Hist. Mirab.* 119 (131) :

25   Θεόπομπος δέ φησιν ὁ ἱστοριογράφος τὸ καλούμενον
ἀκόνιτον γίνεσθαι μὲν περὶ Ἡράκλειαν τὴν ἐν τῷ Πόντῳ
ταῖς ὀνομαζομέναις Ἀκόναις, ὅθεν καὶ τῆς προσηγορίας
τετυχηκέναι, δυναμικὸν ἐναργῶς δ' ὂν οὐκ ἐνεργεῖν οὐδέν,

---

8 post πόλις lacunam indicavit Meineke   16 Ἡρακλεωτῶν Casaubon :
ἡρακλεώτου A   18 ἀκόνιτον Wilamowitz : κώνιον A C E   οὖν del.
Benseler   19 ταύτην] τούτου C E

ἂν πίῃ τις πήγανον ταύτην τὴν ἡμέραν· ὥστε Κλεάρχου
τοῦ τυράννου πολλοὺς ἀποκτείναντος φαρμάκῳ καὶ πειρω-
μένου λανθάνειν, ὡς ἐγένετο συμφανές, τοὺς πλείστους
Ἡρακλεωτῶν οὐ πρότερον ἐξιέναι πρὸ τοῦ φαγεῖν πήγανον.
γράφει δὲ καὶ τὴν πρόφασιν καὶ τὴν ἀρχὴν ἐξ ἧς ὤφθη 5
σφόδρα μακρῶς, διὸ καὶ παρελείπομεν.

(c) (M iv. p. 644, 200 a) Aelius Promotus (Nicander
Alexiph. ed. Schneider p. 92):

τὸ ἀκόνιτον φύεται μὲν ἐν Ἀκόναις· λόφος δέ ἐστιν ἐν
Ἡρακλείᾳ οὕτω καλούμενος Ἀκόναι, ὡς ἱστορεῖ Θεόπομπος 10
καὶ Εὐφορίων δὲ ἐν τῷ Ξενίῳ.

Cf. de Clearcho Iustin. xvi. 3 sqq., quae e Theopompo
fluxisse censuit Heeren.

178 (M 203). Stephanus Byz.:

Οἰδάντιον· πόλις Ἰλλυριῶν. Θεόπομπος Φιλιππικῶν 15
τριακοστῷ ὀγδόῳ.

LIBER XXXIX

179 (M 204). Athenaeus x. 435 f–436 a:

ἐν δὲ τῇ τριακοστῇ ἐνάτῃ φησίν· ''Ἀπολλοκράτης ὁ
Διονυσίου τοῦ τυράννου υἱὸς ἀκόλαστος ἦν καὶ φιλοπότης·
καὶ τῶν κολακευόντων τινὲς αὐτὸν παρεσκεύαζον ὡς ἔνι 20
μάλιστα ἀλλοτριώτατα πρὸς τὸν πατέρα διακεῖσθαι'. καὶ
Ἱππαρῖνον δὲ τὸν Διονυσίου φησὶν ὑπὸ μέθης τυραννοῦντα
ἀποσφαγῆναι. περὶ δὲ τοῦ Νυσαίου καὶ τάδε γράφει·
'Νυσαῖος ὁ Διονυσίου τοῦ προτέρου υἱὸς κύριος τῶν ἐν
Συρακούσαις γενόμενος πραγμάτων κατεσκευάσατο τέθριππον 25
καὶ τὴν ἐσθῆτα τὴν ποικίλην ἀνέλαβεν, ἔτι δὲ καὶ τὴν
ὀψοφαγίαν καὶ τὴν οἰνοφλυγίαν καὶ τὴν τῶν παίδων καὶ
τὴν τῶν γυναικῶν ὕβριν καὶ τὴν τῶν ἄλλων ὅσα συντελῆ
τούτοις πέφυκε καὶ τὴν δίαιταν διῆγεν οὕτως'.

1 Κλεάρχου Mercurialis ex Athenaeo et Iustino xvi. 3: ἀγαθάρχου
cod.   22 Ἱππαρῖνον] ἰπαπαρῖνον A   τυραννοῦντα] παροινοῦντα
ci. Meineke   28 καὶ τὴν τῶν ἄλλων] καὶ τῶν ἄλλων ci. Kaibel
συντελῆ] συντελεῖ A : corr. Kaibel   29 post πέφυκε vocabulum velut
ἐπιτήδευσιν add. Wilamowitz

180 (M 206). Stephanus Byz. :

Μερούσιον· χωρίον ⟨Σικελίας⟩, ὡς Θεόπομπος Φιλιππικῶν
τριακοστῷ ἐνάτῳ.

181 (M 207). Stephanus Byz. :

5 Ξιφωνία· πόλις Σικελίας. Θεόπομπος Φιλιππικῶν τρια-
κοστῷ ἐνάτῳ.

182 (M 209). Stephanus Byz. :

Αἰθικία· ὡς Κιλικία. Θεόπομπος τριακοστῇ ἐνάτῃ Φιλιπ-
πικῶν. . . . ἐν Θετταλίᾳ δ᾽ ᾤκουν ἐν τῷ Πίνδῳ ὄρει.

10 **183** (M 210). Stephanus Byz. :

Ὑδροῦς· φρούριον ⟨ ⟩, ἀρσενικῶς. Θεόπομπος τριακοστῷ
ἐνάτῳ Φιλιππικῶν.

LIBER XL

184 (M 212). Stephanus Byz. :

Δύμη· πόλις Ἀχαΐας, ἐσχάτη πρὸς δύσιν . . . ὁ πολίτης
15 Δυμαῖος. . . . καὶ Θεόπομπος μ᾽· ᾽προστάται δὲ τῆς πόλεως
ἦσαν τῶν μὲν Συρακοσίων Ἄθηνις καὶ Ἡρακλείδης, τῶν δὲ
μισθοφόρων Ἀρχέλαος ὁ Δυμαῖος᾽.

185 (M 226). Stephanus Byz. :

Ἐλευθερίς· πόλις Βοιωτίας Ὠρωποῦ πλησίον, Κόθου καὶ
20 Αἴκλου ⟨κτίσμα⟩. Θεόπομπος μ᾽.

186 (M 214). Stephanus Byz. :

Ταλαρία· πόλις Συρακουσίων. Θεόπομπος ἐν Φιλιπ-
πικῶν μ᾽.

187 (M 213). Athenaeus x. 435 e–f :

25 ἔπινε δὲ πλεῖστον καὶ Νυσαῖος ὁ τυραννήσας Συρακοσίων
καὶ Ἀπολλοκράτης· Διονυσίου δὲ τοῦ προτέρου οὗτοι υἱοί, ὡς
ὁ Θεόπομπος ἱστορεῖ ἐν τῇ μ᾽ κἂν τῇ ἑξῆς τῶν ἱστοριῶν.
γράφει δὲ οὕτως περὶ τοῦ Νυσαίου· ᾽Νυσαῖος ὁ τυραννήσας
ὕστερον Συρακοσίων ἐπὶ θανάτῳ συνειλημμένος καὶ προειδὼς

2 Σικελίας add. Berkel   3 τριακοστῷ ἐνάτῳ] λα᾽ R   5 Φιλιππικῶν]
om. R   11 post φρούριον lacunam indicavit Meineke   20 Αἴκλου
Meineke : ἐγκλέου codd., Αἴκλου Berkel   κτίσμα add. Berkel
μ᾽ RV : μγ᾽ Π Ald.

ὅτι μῆνας ὀλίγους ἤμελλε ἐπιβιώσεσθαι γαστριζόμενος καὶ
μεθύων διῆγεν᾽.

188 (M 218). Athenaeus xii. 536 c :

ἐτρύφησεν δὲ καὶ Φάραξ ὁ Λακεδαιμόνιος, ὡς Θεόπομπος
ἐν τῇ τεσσαρακοστῇ ἱστορεῖ· καὶ ταῖς ἡδοναῖς οὕτως ἀσελγῶς 5
ἐχρήσατο καὶ χύδην ὥστε πολὺ μᾶλλον διὰ τὴν αἰτίαν ταύ-
την αὐτὸν ὑπολαμβάνεσθαι Σικελιώτην ἢ διὰ τὴν πατρίδα
Σπαρτιάτην.

189 (M 219). Athenaeus vi. 231 e–232 b :

καὶ τὰ ἐν Δελφοῖς δὲ ἀναθήματα τὰ ἀργυρᾶ καὶ τὰ χρυσᾶ 10
ὑπὸ πρώτου Γύγου τοῦ Λυδῶν βασιλέως ἀνετέθη· καὶ πρὸ
τῆς τούτου βασιλείας ἀνάργυρος, ἔτι δὲ ἄχρυσος ἦν ὁ Πύθιος,
ὡς Φαινίας τέ φησιν ὁ Ἐφέσιος καὶ Θεόπομπος ἐν τῇ
τεσσαρακοστῇ τῶν Φιλιππικῶν. ἱστοροῦσι γὰρ οὗτοι κοσμη-
θῆναι τὸ Πυθικὸν ἱερὸν ὑπό τε τοῦ Γύγου καὶ τοῦ μετὰ τοῦτον 15
Κροίσου, μεθ᾽ οὓς ὑπό τε Γέλωνος καὶ Ἱέρωνος τῶν Σικε-
λιωτῶν, τοῦ μὲν τρίποδα καὶ Νίκην χρυσοῦ πεποιημένα
ἀναθέντος καθ᾽ οὓς χρόνους Ξέρξης ἐπεστράτευε τῇ Ἑλλάδι,
τοῦ δ᾽ Ἱέρωνος τὰ ὅμοια. λέγει δ᾽ οὕτως ὁ Θεόπομπος· ᾽ ἦν
γὰρ τὸ παλαιὸν τὸ ἱερὸν κεκοσμημένον χαλκοῖς ἀναθήμασιν, 20
οὐκ ἀνδριᾶσιν ἀλλὰ λέβησι καὶ τρίποσι χαλκοῦ πεποιημένοις.
Λακεδαιμόνιοι (μὲν) οὖν χρυσῶσαι βουλόμενοι τὸ πρόσωπον
τοῦ ἐν Ἀμύκλαις Ἀπόλλωνος καὶ οὐχ εὑρίσκοντες ἐν τῇ
Ἑλλάδι χρυσίον εἰς θεοῦ πέμψαντες ἐπηρώτων {τὸν θεὸν}
παρ᾽ οὗ χρυσίον πρίαιντο. ὁ δ᾽ αὐτοῖς ἀνεῖλεν παρὰ Κροῖσον 25
τὸν Λυδὸν πορευθέντας ὠνεῖσθαι παρ᾽ ἐκείνου. καὶ οἱ πορευ-
θέντες παρὰ Κροῖσον ὠνήσαντο. Ἱέρων δ᾽ ὁ Συρακόσιος
βουλόμενος ἀναθεῖναι τῷ θεῷ τὸν τρίποδα καὶ τὴν Νίκην ἐξ
ἀπέφθου χρυσοῦ ἐπὶ πολὺν χρόνον ἀπορῶν χρυσίου ὕστερον

---

1 ἐπιβιώσεσθαι Meineke : βιώσεσθαι A, βόσεσθαι C   22 ⟨μὲν⟩
οὖν ci. Kaibel   24 πέμψαντες εἰς θεοῦ A C   εἰς θεοῦ del. Meineke
et Kaibel   τὸν θεὸν del. G–H   25 Κροῖσον τὸν Λυδὸν Schweig-
häuser : κροίσου τοῦ λυδοῦ A C, Kaibel, qui παρ᾽ ἐκείνου (in C omissum)
del.   27 Κροίσου] fort. Κροῖσον

ἔπεμψε τοὺς ἀναζητήσοντας εἰς τὴν Ἑλλάδα· οἵτινες μόλις
ποτ' εἰς Κόρινθον ἀφικόμενοι καὶ ἐξιχνεύσαντες εὗρον παρ'
Ἀρχιτέλει τῷ Κορινθίῳ, ὃς πολλῷ χρόνῳ συνωνούμενος κατὰ
μικρὸν θησαυροὺς εἶχεν οὐκ ὀλίγους. ἀπέδοτο γοῦν τοῖς
5 παρὰ τοῦ Ἱέρωνος ὅσον ἠβούλοντο καὶ μετὰ ταῦτα πληρώσας
καὶ τὴν ἑαυτοῦ χεῖρα ὅσον ἠδύνατο χωρῆσαι ἐπέδωκεν αὐτοῖς.
ἀνθ' ὧν Ἱέρων πλοῖον σίτου καὶ ἄλλα πολλὰ δῶρα ἔπεμψεν
ἐκ Σικελίας'.

LIBER XLI

Vide Fr. **187**.

10 **190.** Diodorus xvi. 71. 3 :

τῶν δὲ συγγραφέων Θεόπομπος ὁ Χῖος ἐν τῇ τῶν
Φιλιππικῶν ἱστορίᾳ κατέταξε τρεῖς βύβλους περιεχούσας
Σικελικὰς πράξεις· ἀρξάμενος δὲ ἀπὸ τῆς τοῦ Διονυσίου
τοῦ πρεσβυτέρου τυραννίδος διῆλθε χρόνον ἐτῶν πεντήκοντα
15 καὶ κατέστρεψεν εἰς τὴν ἔκπτωσιν Διονυσίου τοῦ νεωτέρου.
εἰσὶ δὲ αἱ βύβλοι τρεῖς, ἀπὸ τῆς μιᾶς τεσσαρακοστῆς ἄχρι
τῆς τρίτης καὶ τεσσαρακοστῆς.

LIBER XLII

191 (M 220). Stephanus Byz. :

Ἵππος· νῆσος Ἐρυθραίας.   Θεόπομπος τεσσαρακοστῷ
20 δευτέρῳ.

192 (M 250). Stephanus Byz. :

Μίσκερα, πόλις Σικανίας.   Θεόπομπος μβ' Φιλιππικῶν.

LIBER XLIII

193 (M 221 a). (a) Stephanus Byz. :

Ἰψίκουροι· ἔθνος Λιγυστικόν.   Θεόπομπος τεσσαρακοστῷ

---

5 ὅσον Casaubon : ὃν A C   16 De librorum numeris erravisse
videtur Diodorus, quem dicere debuisse ἀπὸ τῆς λθ' ἄχρι τῆς μα' censet
M *FHG* i. p. lxxii   19 Ἐρυθραίας Voss : ἐρετρίας codd.   22 μβ'
R V Π : τεσσαρακοστῷ ἐννάτῳ Ald.

τρίτῳ· 'ἣν ἐνέμοντο πρότερον Ἰψίκουροι καὶ Ἀρβαξανοὶ
καὶ Εὔβιοι, Λίγυες τὸ γένος'.

(b) Stephanus Byz.:

Ἀρβαξανοί· ἔθνος Λιγυστικόν· ' παρέπλεον δὲ τὴν χώραν
τὴν μὲν πρώτην ἔρημον ἣν ἐνέμοντο ⟨πρότερον⟩ Ἰψίκουροι 5
καὶ Ἀρβαξανοί'.

194 (M 221 b). Clemens Alex. *Strom.* i. 21. 117 (p. 389):

    ναὶ μὴν Θεόπομπος μὲν ἐν τῇ τεσσαρακοστῇ τρίτῃ τῶν
Φιλιππικῶν μετὰ ἔτη πεντακόσια τῶν ἐπὶ Ἰλίῳ στρατευ-
σάντων γεγονέναι τὸν Ὅμηρον ἱστορεῖ.   10

195 (M 222). Athenaeus xii. 517 d–518 b:

    Θεόπομπος δὲ ἐν τῇ τεσσαρακοστῇ τρίτῃ τῶν ἱστοριῶν
καὶ νόμον εἶναί φησιν παρὰ τοῖς Τυρρηνοῖς κοινὰς ὑπάρχειν
τὰς γυναῖκας. ταύτας δ᾽ ἐπιμελεῖσθαι σφόδρα τῶν σωμάτων
καὶ γυμνάζεσθαι πολλάκις καὶ μετ᾽ ἀνδρῶν, ἐνίοτε δὲ καὶ 15
πρὸς ἑαυτάς· οὐ γὰρ αἰσχρὸν εἶναι αὐταῖς φαίνεσθαι γυμναῖς.
δειπνεῖν δὲ αὐτὰς οὐ παρὰ τοῖς ἀνδράσι τοῖς ἑαυτῶν, ἀλλὰ
παρ᾽ οἷς ἂν τύχωσι τῶν παρόντων, καὶ προπίνουσιν οἷς ἂν
βουληθῶσιν. εἶναι δὲ καὶ πιεῖν δεινὰς καὶ τὰς ὄψεις πάνυ
καλάς. τρέφειν δὲ τοὺς Τυρρηνοὺς πάντα τὰ γινόμενα 20
παιδία, οὐκ εἰδότας ὅτου πατρός ἐστιν ἕκαστον. ζῶσι δὲ
καὶ οὗτοι τὸν αὐτὸν τρόπον τοῖς θρεψαμένοις, πότους τὰ
πολλὰ ποιούμενοι καὶ πλησιάζοντες ταῖς γυναιξὶν ἁπάσαις.
οὐδὲν δ᾽ αἰσχρόν ἐστι Τυρρηνοῖς οὐ μόνον αὐτοὺς ἐν τῷ
μέσῳ τι ποιοῦντας, ἀλλ᾽ οὐδὲ πάσχοντας ⟨φαίνεσθαι⟩· 25
ἐπιχώριον γὰρ καὶ τοῦτο παρ᾽ αὐτοῖς ἐστι. καὶ τοσούτου
δέουσιν αἰσχρὸν ὑπολαμβάνειν ὥστε καὶ λέγουσιν, ὅταν
ὁ μὲν δεσπότης τῆς οἰκίας ἀφροδισιάζηται, ζητῇ δέ τις

---

  1 Ἰψίκουροι] ὑψίκουροι R V   ἀρβαξανοὶ R : ἀρβάξανοι V, ἀρβάζανοι
Ald.   2 Εὔβιοι Berkel et Holsten : εὔβοιοι codd.   4 Ἀρβαξανοί]
ἀρβαζανοί R   5 πρότερον add. Meineke ex (a)   Ἰψίκουροι]
ὑψίκοροι R : ἰψίκοροι V Π Ald.   6 Ἀρβαξανοί] ἀρβαζανοί R   8 ἐν τῇ
τεσσαρακοστῇ τρίτῃ Hervetus : ἔτη τεσσαράκοντα τρία cod. Laur.
18 τύχωσι, καὶ τῶν παρόντων προπίνουσιν Dobree   22 ταῖς θρεψαμέ-
ναις E   25 φαίνεσθαι add. Musurus

αὐτόν, ὅτι πάσχει τὸ καὶ τό, προσαγορεύοντες αἰσχρῶς τὸ
πρᾶγμα. ἐπειδὰν δὲ συνουσιάζωσι καθ' ἑταιρίας ἢ κατὰ
συγγενείας, ποιοῦσιν οὕτως· πρῶτον μὲν ὅταν παύσωνται
πίνοντες καὶ μέλλωσι καθεύδειν, εἰσάγουσι παρ' αὐτοὺς οἱ
5 διάκονοι τῶν λύχνων ἔτι καιομένων ὁτὲ μὲν ἑταίρας, ὁτὲ δὲ
παῖδας πάνυ καλούς, ὁτὲ δὲ καὶ γυναῖκας· ὅταν δὲ τούτων
ἀπολαύσωσιν, αὖθις {αὐτοῖς} νεανίσκους ἀκμάζοντας, οἳ
πλησιάζουσιν αὐτοὶ ἐκείνοις. ἀφροδισιάζουσιν δὲ καὶ
ποιοῦνται τὰς συνουσίας ὁτὲ μὲν ὁρῶντες ἀλλήλους, ὡς
10 δὲ τὰ πολλὰ καλύβας περιβάλλοντες περὶ τὰς κλίνας, αἳ
πεπλεγμέναι ⟨μέν⟩ εἰσιν ἐκ ῥάβδων, ἐπιβέβληται δ' ἄνωθεν
ἱμάτια. καὶ πλησιάζουσι μὲν σφόδρα καὶ ταῖς γυναιξί,
πολὺ μέντοι γε ⟨μᾶλλον⟩ χαίρουσι συνόντες τοῖς παισὶ καὶ
τοῖς μειρακίοις. καὶ γὰρ γίνονται παρ' αὐτοῖς πάνυ καλοὶ
15 τὰς ὄψεις, ἅτε τρυφερῶς διαιτώμενοι καὶ λεαινόμενοι τὰ
σώματα. πάντες δὲ οἱ πρὸς ἑσπέραν οἰκοῦντες βάρβαροι
πιττοῦνται καὶ ξυροῦνται τὰ σώματα· καὶ παρά γε τοῖς
Τυρρηνοῖς ἐργαστήρια κατεσκεύασται πολλὰ καὶ τεχνῖται
τούτου τοῦ πράγματός εἰσιν, ὥσπερ παρ' ἡμῖν οἱ κουρεῖς.
20 παρ' οὓς ὅταν εἰσέλθωσιν, παρέχουσιν ἑαυτοὺς πάντα
τρόπον, οὐθὲν αἰσχυνόμενοι τοὺς ὁρῶντας οὐδὲ τοὺς
παριόντας.

196 (M 223). Stephanus Byz.:

Δριλώνιος· πόλις μεγάλη, ἐσχάτη τῶν Κελτικῶν. τὸ
25 ἐθνικὸν Δριλώνιος, ὡς Θεόπομπος μγ'.

197 (M 224). Stephanus Byz.:

Μασσία· χώρα παρακειμένη τοῖς Ταρτησσίοις. τὸ
ἐθνικὸν Μασσιανός. Θεόπομπος τεσσαρακοστῷ τρίτῳ.

---

1 προσαγορεύοντες Kaibel : προσαγορεύσαντες Α   7 αὐτοῖς del.
Dindorf   8 αὐτοὶ Kaibel : αὐτοῖς Α   11 μέν add. Kaibel
ἐπιβέβληται Meineke : περιβέβληται Α   13 μᾶλλον hoc loco add.
Kaibel, post πολὺ Meineke   21 τοὺς παρόντας οὐδὲ τοὺς παριόντας
ci. Kaibel   24 Δριλώνιος] Δριλῶν ci. Meineke   27 παρακειμένη
Meineke : ἀποκειμένη codd.

198 (M 225). Stephanus Byz.:

Ξήρα· πόλις περὶ τὰς Ἡρακλείους στήλας. Θεόπομπος τεσσαρακοστῷ τρίτῳ.

*199 (M 227). Strabo vii. 7. 5 (C. 323):

τῶν μὲν οὖν Ἠπειρωτῶν ἔθνη φησὶν εἶναι Θεόπομπος 5 τετταρεσκαίδεκα.

200 (M 228). (*a*) Harpocration:

Ἐλάτεια· . . . ῥητέον ὅτι βέλτιον ἐν ἐνίοις γέγραπται διὰ τοῦ ρ Ἐλάτρεια· Θεόπομπος γοῦν ἐν μγ΄ τέτταρας πόλεις φησὶν εἶναι τῶν Κασσωπαίων, ἀλλ᾽ οὐ τρεῖς ὥσπερ 10 ὁ Δημοσθένης, Ἐλάτρειάν τε καὶ Πανδοσίαν καὶ Βιτίαν καὶ Βούχετα.

(*b*) Strabo vii. 7. 5 (C. 324):

ἐγγὺς δὲ τῆς Κιχύρου πολίχνιον Βουχέτιον Κασσωπαίων, μικρὸν ὑπὲρ τῆς θαλάττης ὄν, καὶ Ἐλάτρια καὶ Πανδοσία καὶ 15 Βατίαι ἐν μεσογαίᾳ.

LIBER XLIV

201 (M 234). Harpocration:

τετραρχία· . . . τεττάρων μερῶν ὄντων τῆς Θετταλίας ἕκαστον μέρος τετρὰς ἐκαλεῖτο . . . ὅτι δὲ Φίλιππος καθ᾽ ἑκά- στην τούτων τῶν μοιρῶν ἄρχοντα κατέστησε δεδηλώκασιν 20 ἄλλοι τε καὶ Θεόπομπος ἐν τῇ μδ΄.

202 (M 235). Athenaeus vi. 249 c:

Φίλιππον δέ φησι Θεόπομπος ἐν τῇ τετάρτῃ καὶ τεσσα- ρακοστῇ τῶν ἱστοριῶν Θρασυδαῖον τὸν Θεσσαλὸν καταστῆ- σαι τῶν ὁμοεθνῶν τύραννον, μικρὸν μὲν ὄντα τὴν γνώμην, 25 κόλακα δὲ μέγιστον.

LIBER XLV

203 (M 236). Athenaeus x. 436 b:

ἐν δὲ τῇ τεσσαρακοστῇ πέμπτῃ ὁ αὐτὸς [1] περὶ Τιμολάου

---

[1] sc. Theopompus

2 θεόπομπος μη΄ R   4 In sequentibus (pp 323–4) complura e Theopompo derivata esse videntur; cf. 200 (*b*)   10 Κασσωπαίων] κασσιεπέων, κασιεπέων, κασσωπέων codd.   11 Βιτίαν] l. Βατίαν? Cf. (*b*) 12 Βούχετα Maussacus: βούκεται codd.   14 Βουχέτιον] βουχαίτιον codd. ; sed v. Etym. Magn. p. 210

λέγων τοῦ Θηβαίου φησίν· 'οὐκ ὀλίγων γὰρ ἤδη γενομένων
ἀσελγῶν περὶ τὸν βίον τὸν καθ' ἡμέραν καὶ τοὺς πότους
οὐδένα νομίζω τῶν ἐν ταῖς πολιτείαις ὄντων οὔτ' ἀκρατέ-
στερον οὔτε λιχνότερον οὔτε δοῦλον γεγονέναι μᾶλλον τῶν
5 ἡδονῶν, εἰ μή, ὥσπερ εἶπον, Τιμόλαον'.

204 (M 237). Stephanus Byz. :

Χαλία· πόλις Βοιωτίας. Θεόπομπος με'· 'τὴν δὲ Χαλίαν
καὶ τὴν καλουμένην Ὑρίαν, ἥπερ ἐστὶν ἐφεξῆς ἐκείνης, τῆς
Βοιωτίας ⟨   ⟩'. τὸ ἐθνικὸν Χάλιος. ὁ αὐτός· 'ὕστερον
10 δὲ οἱ Χαλκιδεῖς πολεμήσαντες Αἰολεῦσι τοῖς τὴν ἤπειρον
ἔχουσι, Χαλίοις καὶ Βοιωτοῖς καὶ Ὀρχομενίοις καὶ Θη-
βαίοις'.

205 (M 238). Athenaeus xii. 532 b–d :

καὶ περὶ τοῦ Χάρητος ἐν τῇ πέμπτῃ καὶ τεσσαρακοστῇ
15 φησιν· 'Χάρητός τε νωθροῦ τε ὄντος καὶ βραδέος, καίτοι γε
καὶ πρὸς τρυφὴν ἤδη ζῶντος· ὅς γε περιήγετο στρατευόμενος
αὐλητρίδας καὶ ψαλτρίας καὶ πεζὰς ἑταίρας, καὶ τῶν χρημά-
των τῶν εἰσφερομένων εἰς τὸν πόλεμον τὰ μὲν εἰς ταύτην
τὴν ὕβριν ἀνήλισκε, τὰ δ' αὐτοῦ κατέλειπεν Ἀθήνησιν τοῖς
20 τε λέγουσιν καὶ τὰ ψηφίσματα γράφουσιν καὶ τῶν ἰδιωτῶν
τοῖς δικαζομένοις· ἐφ' οἷς ὁ δῆμος ὁ τῶν Ἀθηναίων οὐδε-
πώποτε ἠγανάκτησεν, ἀλλὰ διὰ ταῦτα καὶ μᾶλλον αὐτὸν
ἠγάπα τῶν πολιτῶν, καὶ δικαίως· καὶ γὰρ αὐτοὶ τοῦτον τὸν
τρόπον ἔζων, ὥστε τοὺς μὲν νέους ἐν τοῖς αὐλητριδίοις καὶ
25 παρὰ ταῖς ἑταίραις διατρίβειν, τοὺς δὲ μικρὸν ἐκείνων πρεσβυ-
τέρους ἐν πότοις ⟨καὶ⟩ κύβοις καὶ ταῖς τοιαύταις ἀσωτίαις, τὸν
δὲ δῆμον ἅπαντα πλείω καταναλίσκειν εἰς τὰς κοινὰς ἑστιάσεις
καὶ κρεανομίας ἤπερ εἰς τὴν τῆς πόλεως διοίκησιν'.

9 Post Βοιωτίας lacunam indicavit Meineke   11 χαλκείοις καὶ
Βοιωτεῖς R   15 καί τι καὶ πρὸς ci. Wilamowitz   19 κατέλειπεν
Cobet : κατέλιπεν A E   23 ἠγάπων οἱ πολῖται E : μάλιστ' pro
μᾶλλον ci. Kaibel, τῶν (μετρίων) πολιτῶν Wilamowitz   δικαίως]
εἰκότως Meineke   24 καὶ om. E   σὺν τοῖς αὐλ. παρὰ ταῖς ἑτ. ci.
Kaibel coll. 527 a (=51)   26 ἐν πότοις ⟨καὶ⟩ κύβοις Kaibel coll.
527 a : ἔν τε τοῖς κύβοις A, ἐν κύβοις E

206 (M 173). Stephanus Byz.:

Ζηράνιοι· ἔθνος Θράκης.   Θεόπομπος μέ.

207 (M 242). Stephanus Byz.:

Τλῆτες· ἔθνος Ἰβηρικὸν περιοικοῦν τοὺς Ταρτησσίους.
Θεόπομπος τεσσαρακοστῷ πέμπτῳ.   5

LIBER XLVI

208 (M 243). Athenaeus iv. 149 d :

Θεόπομπος δ' ἐν τῇ ἕκτῃ καὶ τεσσαρακοστῇ τῶν Φιλιπ-
πικῶν ' οἱ Ἀρκάδες, φησίν, ἐν ταῖς ἑστιάσεσιν ὑποδέχονται
τοὺς δεσπότας καὶ τοὺς δούλους καὶ μίαν πᾶσι τράπεζαν
παρασκευάζουσι καὶ τὰ σιτία πᾶσιν εἰς τὸ μέσον παρατιθέασι 10
καὶ κρατῆρα τὸν αὐτὸν πᾶσι κιρνᾶσι'.

209 (M 244). Athenaeus xiv. 627 d–e :

Θεόπομπος δ' ἐν τεσσαρακοστῇ ἕκτῃ τῶν ἱστοριῶν 'Γέται,
φησί, κιθάρας ἔχοντες καὶ κιθαρίζοντες τὰς ἐπικηρυκείας
ποιοῦνται'.   15

210. Didymus *De Demosth. Comment.* iv. 63–v. 21 :

αὐ[τίκα γὰρ οἱ μὲν ἐ]πὶ τῷ βελτίστῳ μνημονεύου[σι
τἀνδρός[1], ο]ἱ δὲ πάλιν ἐπὶ τῷ φαυλοτάτῳ· [ὧν εἰσιν ἄλλοι τ]ε
καὶ Θεόπομπος ἐν τῇ ἕκτῃ [καὶ τετταρ]ακοστῇ τῶν περὶ
Φίλιππον· [οὑτωσὶ γὰρ γρ]άφει· ' ὥρμησε δὲ Ἑ[ρ]μ[είας 20
ἐπὶ [ταύτην τὴν] ὁδὸν εὐνοῦχος ὢ[ν] καὶ [.] . θυ[.]ος το[. . . .
. . . .] . τα τρίτον δὲ ἐν σ[.]υ[. .]αφ[. .]όμενος [. . . . .]ωνος,
[. . .]έλαβε . [. . . . .]Ἀσ]σὸν τὸν ἐκειν[. . . . καὶ Ἀ]ταρνέα

---

[1] sc. Hermiae

---

2 μέ RVΠ : κέ Ald.   4 Τλῆτες] i. e. Γλῆτες ; cf. Steph. Byz.
Γλῆτες· ἔθνος Ἰβηρικὸν μετὰ τοὺς Κύνητας et Strab. iii. 4. 19 (C. 166)
ubi Ἰγλῆτες nominati sunt   10 τὰ] ταὐτὰ ci. Kaibel   19 ἕκτῃ :
litterae incertae   20 Ἑ[ρ]μ[είας] Crönert *Rh. Mus.* lxii. p. 382
21 [Β]ιθυ[ν]ὸς τὸ [γένος . . . ἐν σ(υν)[ο]υ[σί]ᾳ φ[ερ]όμενος [ὑπὸ Πλάτ]ωνος
ci. Schubart.   Fort. [πρ]όθυ[μ]ος το[ῦ . . .   22]ωνος· p̣ ut
videtur   23 ἔλαβεν . . . Ἀσ]σὸν Crön. : [κατ]έλαβε μ[ε]τ' [Εὐβούλου
ci. Schub.

καὶ τὸ χωρίον τὸ πλησίον, ἅπαν[. . . . . . ἀδικώτ]ατα καὶ
κακουργότατα. καὶ [τοῖς ἑταίροις καὶ τοῖ]ς ἄλλοις διετέλεσε
προσφερό[μενος . . . . ., τὸν μὲν γ]ὰρ φαρμάκοις, τὸν δὲ [. . .
. . . . καὶ τῆς] χώρας ἧς Χῖοι καὶ Μιτυληνα[ῖοι
5 . . . .] . . καθίστασαν ἐκοιν[ώ]νη[σε . . . .
. . . .] εἶναι τῶν ἀμίσθων στρατευμάτων . . [. . . . . .]
καὶ προεπηλάκισε πλείστους Ἰώνω[ν· ἀργυρώ]νητος γὰρ ὢν
καὶ καθεζόμενος ἐπὶ τρά[πεζαν] ἀργυραμοιβικὴν καὶ συγκεί-
[μενος πᾶς ἐκ σ]υμφορῶν οὐχ ἡσυχίαν ἦ[γεν . . . .]
10 . [. . . . . .] ἅμ[α τ]ὸ πρέπον [. . . . .]
. [. . .]σε, π[ο]λλῶν δὲ [. . . . . .] . [. τυγχ]άνε[ιν ἐ]πεχ[είρησ]ε,
παρ' ἐνί[οι]ς δὲ συνε[. . . . .]γας τὰς ὑσ[τ]ά[τα ο]ὔσας πολιτείας
κατα . [. . . . ο]ὐ μὴν ἀθῷός γε διέφυγεν οὐδὲ κατ[ώρθωσεν
π]ᾶσ[ι]ν ἀσεβῆ καὶ πονηρὸν αὐτὸν παρασχ[ὼν ἀ]λλ[ὰ] ἀνά-
15 σπαστος ὡς βασιλέα γενόμενο[ς πολ]λὰς τῷ σώματι λύ[μας
ὑ]πομείνας ἀνα[σταυρω]θεὶς τ[ὸν βίον ἐτελε]ύτησεν'.

LIBER XLVII

211. (a) Papyrus Bibliothecae Rylandsiae, saeculi ii (in
Catalogo papyrorum Graec. Rylands. mox edenda), frag-
mentum epitomes Philippicorum libri xlvii continens:

20 [τάδε ἔνεστι]ν ἐν τῇ ἑβδόμ[ῃ καὶ τεσσαρακο]στῇ τῶν
Θεοπόμπου Φιλιππικῶν. [τοῦ πρὸς Φίλι]ππον πολέμου
['Αθηναίοι]ς ἀρχὴ καὶ Περίν[θου καὶ Βυζα]ντίο[υ πολιο]ρ[κία
. . .¹ Θρ]ᾳκῶν τῶν Τετρ[αχωριτῶν] καλουμένων. 'Αγγισσοῦ
Θρᾳκίας [πόλεως ὑ]π' 'Αντιπάτρου κα[τὰ κράτος ἄ]λωσις.

---

¹ desunt versus complures

1 πλησίον· p. Fort. ἅπαν[τα πράξ(ας)]   4 χώρας ἧς Crön.
5 ἐκοιν[ώ]νη[σε Schub.   8 συγκεί[μενος πᾶς ἐκ Wendland
10 Fort. ἅμ[α τῷ]ι πρέπον[τι Schub.   11 ἐ]πεχ[είρησ]ε Foucart
τυγχ]άνε[ιν . . . παρ' ἐνί[ου]ς δὲ Crön.   12 ἐνί[οι]ς Schub., qui porro
φυ]γὰς . . . κατάγ[ων ci.   13 κατ[έχαιρεν π]ᾶσ[ι]ν Crön. : κατ[ώρ-
θωσεν G–H   14 ἀ]λλ[ὰ Schub.   16 τ[ὸν βίον Blass   23 ανγισ-
σου p

7*

Ἀντιπάτρῳ καὶ Παρ[μένιωνι] περὶ τοὺς Τετραχωρ[ίτας . . .
. . . .] Φιλιππ[. . .

Cf. Polyaen. *Strat.* iv. 41 Ἀντίπατρος ἐν τῇ Τετραχω-
ριτῶν στρατεύων κτλ.

(*b*) (M 245) Stephanus Byz.:   5
Ἀγγισσός· πόλις Θρᾴκης, ὡς Θεόπομπος ἐν τεσσαρα-
κοστῇ ἑβδόμῃ. τὸ ἐθνικὸν Ἀγγίσσιος, ὡς Ἀσσήσσιος
Ταρτήσσιος . . . ἢ Ἀγγισσίτης, ὡς Ὀδησσίτης διὰ τὸ
ὁμοεθνές.

212 (M 246). Harpocration: 10
Καβύλη· . . . χωρίον ἐστὶ τῆς Θρᾴκης, ὥς φησι Θεόπομπός
τε ἐν μζ' καὶ Ἀναξιμένης ἐν η' Φιλιππικῶν.

213 (M 247). Stephanus Byz.:
Ἀστακός· πόλις Βιθυνίας . . . ἔστι καὶ χώρα Βυζαντίων,
ὡς Θεόπομπος ἐν τεσσαρακοστῇ ἑβδόμῃ.   15

LIBER XLVIII

214 (M 248). Stephanus Byz.:
Δανθαλῆται· ἔθνος Θρᾳκικόν. Θεόπομπος μη'.

215. Didymus *De Demosth. Comment.* ix. 43–8:
δύο Ἀριστομήδεις εἰσίν, [ἕτερος μὲν] ὁ Φεραῖος ὁ συμπο-
λεμῶν τοῖς βασιλέως στρατηγοῖς Φιλίππῳ, περὶ οὗ ἄλλοι 20
τε καὶ αὐτὸς ὁ Φίλιππος ἐν τῇ πρὸς Ἀθηναίους ἐπιστολῇ
διείλεκται καὶ Θεό[πομπος] ἐν τῇ η' καὶ μ' τῶν περὶ
Φίλιππον.

*216. Didymus *De Demosth. Comment.* x. 38–50:
μάλιστα δ' ἡ ἐπὶ τὸ Βυζάντιον καὶ Πέρινθον αὐτοῦ[1] 25

---

[1] sc. Philippi

6 Ἀγγισσός G–H (cf. **211** (*a*)): ἀγησσός codd.   7 Ἀγγίσ-
σιος G–H: ἀγήσιος vel ἀγήσσιος codd.; cf. Liv. xliv. 7 Agassas
ἀσσήσιος codd.   8 Ἀγγισσίτης G–H: ἀγησαίτης codd.   14–15 ἔστι
. . . ἑβδόμῃ ad Astarum terram (s.v. Ἀσταί) refert Berkel, probante
Meineke qui locum ita refinxit: Ἀσταί· ἔθνος Θρᾴκης . . . τὸ κτητικὸν
Ἀστικός. καὶ Ἀστικὴ χώρα Βυζαντίων κτλ.   17 Δανθαλῆται]
δαθαλῆται R, δαιθαλῆται V Ald., δαιδαλῆται Π   24 Libro xlviii vel
xlix tribuunt Foucart et Stähelin (*Klio* v. p. 149)

στρατεία ⟨   ⟩ τὰς πόλεις ἐφιλοτιμεῖτο παραστήσασθαι
δυοῖν ἕνεκα, τοῦ τε ἀφελέσθαι τὴν σιτοπομπίαν τῶν Ἀθη-
ναίων καὶ ἵνα μὴ πόλεις ἔχωσιν ἐπιθαλαττίους ναυτικῷ
προύχοντες ὁρμητήρια καὶ καταφυγὰς τοῦ πρὸς αὐτὸν πολέμου,
5 ὅτε δὴ καὶ τὸ παρανομώτατον ἔργον διεπράξατο τὰ ἐφ' Ἱερῷ
πλοῖα τῶν ἐμπόρων καταγαγών, ὡς μὲν ὁ Φιλόχορος λ' πρὸς
τοῖς διακοσίοις, ὡς δ' ὁ Θεόπομπος ρπ', ἀφ' ὧν ἑπτακόσια
τάλαντα ἤθροισε.

Cf. Iustin. ix. 1. 5, unde cum peracta fere obsidione captas
10 esse naves appareat, fragmentum huic potius quam priori
libro tribuendum est.

LIBER XLIX

217 (M 249). (*a*) Athenaeus iv. 166 f–167 c :

περὶ δὲ τῆς ἀσωτίας καὶ τοῦ βίου Φιλίππου καὶ τῶν
ἑταίρων αὐτοῦ ἐν τῇ μθ' τῶν ἱστοριῶν ὁ Θεόπομπος τάδε
15 γράφει· 'Φίλιππος ἐπεὶ ἐγκρατὴς πολλῶν ἐγένετο χρη-
μάτων οὐκ ἀνάλωσεν αὐτὰ ταχέως, ἀλλ' ἐξέβαλε καὶ ἔρριψε,
πάντων ἀνθρώπων κάκιστος ὢν οἰκονόμος οὐ μόνον αὐτός,
ἀλλὰ καὶ οἱ περὶ αὐτόν· ἁπλῶς γὰρ οὐδεὶς αὐτῶν ἠπίστατο
ζῆν ὀρθῶς οὐδὲ σωφρόνως οἰκεῖν οἰκίαν. τοῦ δ' αὐτὸς αἴτιος
20 ἦν ἄπληστος καὶ πολυτελὴς ὤν, προχείρως ἅπαντα ποιῶν
καὶ κτώμενος καὶ διδούς. στρατιώτης γὰρ ὢν λογίζεσθαι τὰ
προσιόντα καὶ τἀναλισκόμενα δι' ἀσχολίαν οὐκ ἠδύνατο.
ἔπειτα δ' οἱ ἑταῖροι αὐτοῦ ἐκ πολλῶν τόπων ἦσαν συνερρυη-
κότες· οἱ μὲν γὰρ ἐξ αὐτῆς τῆς χώρας, οἱ δὲ ἐκ Θετταλίας,
25 οἱ δὲ ἐκ τῆς ἄλλης Ἑλλάδος, οὐκ ἀριστίνδην ἐξειλεγμένοι,
ἀλλ' εἴ τις ἦν ἐν τοῖς Ἕλλησιν ἢ τοῖς βαρβάροις λάσταυρος
ἢ βδελυρὸς ἢ θρασὺς τὸν τρόπον, οὗτοι σχεδὸν ἅπαντες εἰς
Μακεδονίαν ἀθροισθέντες ἑταῖροι Φιλίππου προσηγορεύοντο.
εἰ δὲ καὶ μὴ τοιοῦτός τις ⟨ὢν⟩ ἐληλύθει, ὑπὸ τοῦ βίου καὶ
30 τῆς διαίτης τῆς Μακεδονικῆς ταχέως ἐκείνοις ὅμοιος ἐγίνετο.

1 Lacunam explevit Blass αὐτοὺς παρώξυνε· ταύτας δὲ   19 τοῦ]
τούτου Dobree   29 καὶ μὴ C : μὴ καὶ A   ὢν add. Meineke

τὰ μὲν γὰρ οἱ πόλεμοι καὶ αἱ στρατεῖαι, ⟨τὰ δὲ⟩ καὶ αἱ
πολυτέλειαι θρασεῖς αὐτοὺς εἶναι προετρέπουτο καὶ ζῆν μὴ
κοσμίως ἀλλ' ἀσώτως καὶ τοῖς λῃσταῖς παραπλησίως '.

(b) Athenaeus vi. 260 d–261 a :

ἱστορεῖ δὲ περὶ ἑκατέρου[1] Θεόπομπος ἐν μὲν τῇ ἐνάτῃ καὶ 5
τεσσαρακοστῇ γράφων οὕτως· ' Φίλιππος τοὺς μὲν κοσμίους
τὰ ἤθη καὶ τοὺς τῶν ἰδίων ἐπιμελουμένους ἀπεδοκίμαζε, τοὺς
δὲ πολυτελεῖς καὶ ζῶντας ἐν κύβοις καὶ πότοις ἐπαινῶν ἐτίμα.
τοιγαροῦν οὐ μόνον αὐτοὺς τοιαῦτ' ἔχειν παρεσκεύαζεν, ἀλλὰ
καὶ τῆς ἄλλης ἀδικίας καὶ βδελυρίας ἀθλητὰς ἐποίησεν. τί 10
γὰρ τῶν αἰσχρῶν ἢ δεινῶν αὐτοῖς οὐ προσῆν, ἢ τί τῶν καλῶν
καὶ σπουδαίων οὐκ ἀπῆν; οὐχ οἱ μὲν ξυρούμενοι καὶ λεαινό-
μενοι διετέλουν ἄνδρες ὄντες, οἱ δ' ἀλλήλοις ἐτόλμων ἐπανί-
στασθαι πώγωνας ἔχουσι; καὶ περιῆγοντο μὲν δύο καὶ τρεῖς
ἑταιρουμένους, αὐτοὶ δὲ τὰς αὐτὰς ἐκείνοις χρήσεις ἑτέροις 15
παρεῖχον. ὅθεν δικαίως ἄν τις αὐτοὺς οὐχ ἑταίρους ἀλλ'
ἑταίρας ὑπέλαβεν οὐδὲ στρατιῶτας ἀλλὰ χαμαιτύπας προσ-
ηγόρευσεν· ἀνδροφόνοι γὰρ τὴν φύσιν ὄντες ἀνδρόπορνοι
τὸν τρόπον ἦσαν. πρὸς δὲ τούτοις ἀντὶ μὲν τοῦ νήφειν τὸ
μεθύειν ἠγάπων, ἀντὶ δὲ τοῦ κοσμίως ζῆν ἁρπάζειν καὶ 20
φονεύειν ἐζήτουν. καὶ τὸ μὲν ἀληθεύειν καὶ ταῖς ὁμολογίαις
ἐμμένειν οὐκ οἰκεῖον αὐτῶν ἐνόμιζον, τὸ δ' ἐπιορκεῖν καὶ
φενακίζειν ἐν τοῖς σεμνοτάτοις ὑπελάμβανον. καὶ τῶν μὲν
ὑπαρχόντων ἠμέλουν, τῶν δὲ ἀπόντων ἐπεθύμουν, καὶ ταῦτα
μέρος τι τῆς Εὐρώπης ἔχοντες. οἴομαι γὰρ τοὺς ἑταίρους οὐ 25
πλείονας ὄντας κατ' ἐκεῖνον τὸν χρόνον ὀκτακοσίων οὐκ
ἐλάττω καρπίζεσθαι γῆν ἢ μυρίους τῶν Ἑλλήνων τοὺς τὴν
ἀρίστην καὶ πλείστην χώραν κεκτημένους '.

(c) Polybius viii. 9. 5–13 :

εἰ δέ τις ἀναγνῶναι βουληθείη τὴν ἀρχὴν τῆς ἐνάτης καὶ 30

---

[1] sc. Philippi et Dionysii

τετταρακοστῆς αὐτῷ βυβλοῦ, παντάπασιν ἂν θαυμάσαι τὴν
ἀτοπίαν τοῦ συγγραφέως, ὅς γε χωρὶς τῶν ἄλλων τετόλμηκε
καὶ ταῦτα λέγειν· αὐταῖς γὰρ λέξεσιν αἷς ἐκεῖνος κέχρηται
κατατετάχαμεν· 'εἰ γάρ τις ἦν ἐν τοῖς Ἕλλησιν ἢ τοῖς
5 βαρβάροις, φησί, λάσταυρος ἢ θρασὺς τὸν τρόπον, οὗτοι
πάντες εἰς Μακεδονίαν ἀθροιζόμενοι πρὸς Φίλιππον ἑταῖροι
τοῦ βασιλέως προσηγορεύοντο. καθόλου γὰρ ὁ Φίλιππος
τοὺς μὲν κοσμίους τοῖς ἤθεσι καὶ τῶν ἰδίων βίων ἐπιμελου-
μένους ἀπεδοκίμαζε, τοὺς δὲ πολυτελεῖς καὶ ζῶντας ἐν μέθαις
10 καὶ κύβοις ἐτίμα καὶ προῆγε. τοιγαροῦν οὐ μόνον ταῦτ'
ἔχειν αὐτοὺς παρεσκεύαζεν, ἀλλὰ καὶ τῆς ἄλλης ἀδικίας καὶ
βδελυρίας ἀθλητὰς ἐποίησε. τί γὰρ τῶν αἰσχρῶν ἢ δεινῶν
αὐτοῖς οὐ προσῆν, ἢ τί τῶν καλῶν καὶ σπουδαίων οὐκ ἀπῆν;
ὧν οἱ μὲν ξυρόμενοι καὶ λεαινόμενοι διετέλουν ἄνδρες ὄντες,
15 οἱ δ' ἀλλήλοις ἐτόλμων ἐπανίστασθαι πώγωνας ἔχουσι. καὶ
περιήγοντο μὲν δύο καὶ τρεῖς τοὺς ἑταιρευομένους, αὐτοὶ δὲ
τὰς αὐτὰς ἐκείνοις χρήσεις ἑτέροις παρείχοντο. ὅθεν καὶ
δικαίως ἄν τις αὐτοὺς οὐχ ἑταίρους ἀλλ' ἑταίρας ὑπελάμβανεν
{εἶναι} οὐδὲ στρατιώτας ἀλλὰ χαμαιτύπους προσηγόρευσεν·
20 ἀνδροφόνοι γὰρ τὴν φύσιν ὄντες ἀνδρόπορνοι τὸν τρόπον
ἦσαν. ἁπλῶς δ' εἰπεῖν, ἵνα παύσωμαι, φησί, μακρολογῶν,
ἄλλως τε καὶ τοσούτων μοι πραγμάτων ἐπικεχυμένων, ἡγοῦμαι
τοιαῦτα θηρία γεγονέναι καὶ τοιούτους τὸν τρόπον τοὺς φίλους
καὶ τοὺς ἑταίρους Φιλίππου προσαγορευθέντας οἵους οὔτε
25 τοὺς Κενταύρους τοὺς τὸ Πήλιον κατασχόντας οὔτε τοὺς
Λαιστρυγόνας τοὺς τὸ Λεοντίνων πεδίον οἰκήσαντας οὔτ'
ἄλλους οὐδ' ὁποίους.'

(d) Demetrius Περὶ ἑρμηνείας 27 (Spengel *Rhet. Graec.*
iii. p. 267):
30   κατηγορῶν γὰρ[1] τῶν τοῦ Φιλίππου φίλων φησίν 'ἀνδρο-

---

[1] sc. Theopompus

---

19 Cf. not. ad (b) 17

φόνοι δὲ τὴν φύσιν ὄντες ἀνδρόπορνοι τὸν τρόπον ἦσαν· καὶ
ἐκαλοῦντο μὲν ἑταῖροι, ἦσαν δὲ ἑταῖραι'.

Cf. ibid. 247, ubi verba ἀνδροφόνοι . . . ἦσαν repetita
sunt, Suidam s. v. ἀθλητάς, ubi verbis τοιγαροῦν . . . ἀπῆν
ex (b) et (c) citatis ταῦτα ἔχειν et ἀθλητὰς εἶναι leguntur, et 5
s. v. λάσταυρος.

218 (M iv. p. 645, 249 a). Stephanus Byz. :

Μελινοφάγοι· ἔθνος Θρᾴκης . . . Θεόπομπος ἐν τῷ τεσ-
σαρακοστῷ ἐνάτῳ.

LIBER L

219 (M 252). Athenaeus x. 442 f–443 a :   10

ἐν δὲ τῇ πεντηκοστῇ ὁ Θεόπομπος περὶ Μηθυμναίων
τάδε λέγει· ' καὶ τὰ μὲν ἐπιτήδεια προσφερομένους πολυτε-
λῶς, μετὰ τοῦ κατακεῖσθαι καὶ πίνειν, ἔργον δ' οὐδὲν ἄξιον
τῶν ἀναλωμάτων ποιοῦντας. ἔπαυσεν οὖν αὐτοὺς τούτων
Κλεομένης ὁ τύραννος, ὁ καὶ τὰς μαστροποὺς τὰς εἰθισμένας 15
προαγωγεύειν τὰς ἐλευθέρας γυναῖκας ⟨καὶ⟩ τρεῖς ἢ τέτταρας
τὰς ἐπιφανέστατα πορνευομένας ἐνδήσας εἰς σάκκους κατα-
ποντίσαι τισὶν προστάξας '.

220 (M 253). Stephanus Byz. :

Καρὸς κῆποι· χωρίον Θρᾴκης. Θεόπομπος ν'. τὸ ἐθνικὸν 20
Καροκηπίτης, ὡς αὐτός.

221 (M 254). (a) Harpocration :

σκιράφια· . . . σκιράφια ἔλεγον τὰ κυβευτήρια, ἐπειδὴ
διέτριβον ἐν Σκίρῳ οἱ κυβεύοντες, ὡς Θεόπομπος ἐν τῇ ν'
ὑποσημαίνει.   25

(b) Eadem sine libri numero apud Suidam hac voce.

LIBER LI

222 (M 255). Stephanus Byz. :

Κράνεια· χωρίον Ἀμβρακιωτῶν. Θεόπομπος πεντηκο-
στῷ πρώτῳ.

---

16 καὶ add. Wilamowitz   17 ἐπιφανέστατα] ἐπιφανεστάτας A C :
corr. Madvig   πορνευομένας Schweighäuser: πορευομένας A (om. C)
20 ν' R V Π Ald.   21 ὡς] Fort. legendum ὁ (cf. not. ad 10) vel
ὡς ὁ (sic M)   24 ἐν Σκίρῳ Valesius : σκίρωνι codd., σκίρῳ Epit.

223 (M 256). Harpocration:

Ἱερώνυμος· . . . ἕτερος δ᾽ ἐστὶν Ἱερώνυμος Μεγαλοπο-
λίτης, οὗ μνημονεύει Δημοσθένης ἐν τῷ κατ᾽ Αἰσχίνου.
ὅτι δ᾽ οὗτος ἦν τῶν μακεδονιζόντων μάλιστα καὶ Θεόπομ-
5 πος εἴρηκεν ἐν τῇ να΄.

224 (M 257). Harpocration:

Μύρτις· Δημοσθένης ἐν τῷ ὑπὲρ Κτησιφῶντος καταλέγων
τοὺς προδεδωκότας ἑκάστην πόλιν φησὶν ''Ἀργείους Μύρτις,
Τελέδαμος, Μνασέας᾽. Θεόπομπος δ᾽ ἐν τῇ να΄ Πασέαν
10 καὶ Ἀμυρταῖον ὀνομάζει τῶν Ἀργείων τοὺς μακεδονίζοντας.
ἰδεῖν οὖν εἰ γραφικά ἐστιν ἁμαρτήματα.

LIBER LII

225 (M 259). Athenaeus xii. 536 c–d:

ἐν δὲ τῇ δευτέρᾳ ⟨καὶ⟩ πεντηκοστῇ φησὶν ὡς Ἀρχίδαμος
ὁ Λάκων ἀποστὰς τῆς πατρίου διαίτης συνηθίσθη ξενικῶς
15 καὶ μαλακῶς· διόπερ οὐκ ἠδύνατο τὸν οἴκοι βίον ὑπομένειν,
ἀλλ᾽ ἐσπούδαζεν αἰεὶ δι᾽ ἀκρασίαν ἔξω διατρίβειν. καὶ
Ταραντίνων πρεσβευσαμένων περὶ συμμαχίας ἔσπευσε συν-
εξελθεῖν αὐτοῖς βοηθός· κἀκεῖ γενόμενος καὶ ἐν τῷ πολέμῳ
ἀποθανὼν οὐδὲ ταφῆς κατηξιώθη, καίτοι Ταραντίνων πολλὰ
20 χρήματα ὑποσχομένων τοῖς πολεμίοις ὑπὲρ τοῦ ἀνελέσθαι
αὐτοῦ τὸ σῶμα.

226 (M 260). Athenaeus iv. 166 e–f:

περὶ δὲ τῶν Ταραντίνων ἱστορῶν ἐν τῇ δευτέρᾳ ⟨καὶ⟩
πεντηκοστῇ τῶν ἱστοριῶν γράφει οὕτως· 'ἡ πόλις ἡ τῶν
25 Ταραντίνων σχεδὸν καθ᾽ ἕκαστον μῆνα βουθυτεῖ καὶ
δημοσίας ἑστιάσεις ποιεῖται. τὸ δὲ τῶν ἰδιωτῶν πλῆθος
αἰεὶ περὶ συνουσίας καὶ πότους ἐστί. λέγουσι δὲ καί τινα
τοιοῦτον λόγον οἱ Ταραντῖνοι, τοὺς μὲν ἄλλους ἀνθρώπους

---

11 ἰδεῖν] εἰ δεῖν cod. Rom. : ἰδεῖν οὖν δεῖ ci. Dindorf   13 καὶ add.
G–H : νβ΄ (E ?) Kaibel   14 συνηθίσθη] συνειθίσθη E   23 καὶ add.
Kaibel, qui νβ΄ fuisse adnotat   25 ἕκαστον μῆνα] ἑκάστην ἡμέραν ci.
Meineke   26 δημοσίαι A : corr. Benseler

διὰ τὸ φιλοπονεῖσθαι καὶ περὶ τὰς ἐργασίας διατρίβειν
παρασκευάζεσθαι ζῆν, αὐτοὺς δὲ διὰ τὰς συνουσίας καὶ τὰς
ἡδονὰς οὐ μέλλειν, ἀλλ' ἤδη βιῶναι'.

227 (M 261). Stephanus Byz.:

Βαρήτιον· χωρίον πρὸς τῷ 'Αδρίᾳ.   Θεόπομπος νβ'.   5

LIBER LIII

228 (M 262). Athenaeus x. 435 b–c:

ἐν δὲ τῇ τρίτῃ καὶ πεντηκοστῇ περὶ τῶν ἐν Χαιρωνείᾳ γενο-
μένων εἰπὼν καὶ ὡς ἐπὶ δεῖπνον ἐκάλεσε τοὺς παραγενομένους
τῶν 'Αθηναίων πρέσβεις φησίν· ' ὁ δὲ Φίλιππος ἀποχωρη-
σάντων ἐκείνων εὐθέως μετεπέμπετό τινας τῶν ἑταίρων, 10
καλεῖν δ' ἐκέλευε τὰς αὐλητρίδας καὶ 'Αριστόνικον τὸν
κιθαρῳδὸν καὶ Δωρίωνα τὸν αὐλητὴν καὶ τοὺς ἄλλους τοὺς
εἰθισμένους αὐτῷ συμπίνειν· περιήγετο γὰρ πανταχοῦ τοὺς
τοιούτους ὁ Φίλιππος καὶ κατασκευασάμενος ἦν ὄργανα
πολλὰ συμποσίου καὶ συνουσίας. ὧν γὰρ φιλοπότης καὶ 15
τὸν τρόπον ἀκόλαστος καὶ βωμολόχους εἶχε περὶ αὐτὸν
συχνοὺς καὶ τῶν περὶ τὴν μουσικὴν ὄντων καὶ τῶν τὰ
γέλοια λεγόντων. πιὼν δὲ τὴν νύκτα πᾶσαν καὶ μεθυσθεὶς
πολὺ καὶ παίξας ἀφεὶς ἅπαντας τοὺς ἄλλους ἀπαλλάττεσθαι
ἤδη πρὸς ἡμέραν ἐκώμαζεν ὡς τοὺς πρέσβεις τοὺς τῶν 20
'Αθηναίων'.

Cf. Diod. xvi. 87.

*229 (M 263). Plutarchus *Demosth.* c. 21, p. 855:

ὁ δὲ δῆμος οὐ μόνον τούτων [1] ἀπέλυεν, ἀλλὰ καὶ τιμῶν
διετέλει καὶ προκαλούμενος αὖθις ὡς εὔνουν εἰς τὴν πολιτείαν, 25
ὥστε καὶ τῶν ὀστέων ἐκ Χαιρωνείας κομισθέντων καὶ

---

[1] sc. Demosthenem

---

5 νβ' V Π: πεντηκοστῷ δευτέρῳ Ald., μβ' R ut videtur   13 περιή-
γετο] περιήγητο A: συμπεριήγετο ci. Kaibel   16 βωμολόχους Casaubon:
βωμολόχος A C   19 πολὺ καὶ πατάξας A: πολλὰ καὶ παίξας C, unde
καὶ πολλὰ παίξας Meineke: ἐπὶ πολὺ καὶ παραπαίσας ci. Kaibel. Fort.
πολύ, ἀπαλλάξας ἅπαντας τοὺς ἄλλους ἤδη

θαπτομένων τὸν ἐπὶ τοῖς ἀνδράσιν ἔπαινον εἰπεῖν ἀπέδωκεν,
οὐ ταπεινῶς οὐδ' ἀγεννῶς φέρων τὸ συμβεβηκός, ὡς γράφει
καὶ τραγῳδεῖ Θεόπομπος, ἀλλὰ τῷ τιμᾶν μάλιστα καὶ
κοσμεῖν τὸν σύμβουλον ἀποδεικνύμενος τὸ μὴ μεταμέλεσθαι
5 τοῖς βεβουλευμένοις.

LIBER LIV

230. (a) (M 265) Athenaeus iii. 77 d–e :

ὁ Θεόπομπος δὲ ἐν τῇ πεντηκοστῇ τετάρτῃ τῶν ἱστοριῶν
κατὰ τὴν Φιλίππου φησὶν ἀρχὴν περὶ τὴν Βισαλτίαν καὶ
'Αμφίπολιν καὶ Γραστωνίαν τῆς Μακεδονίας ἔαρος μεσοῦντος
10 τὰς μὲν συκᾶς σῦκα, τὰς δ' ἀμπέλους βότρυς, τὰς δ' ἐλαίας
ἐν ᾧ χρόνῳ βρύειν εἰκὸς ἦν αὐτὰς ἐλαίας ἐνεγκεῖν, καὶ
εὐτυχῆσαι πάντα Φίλιππον.

(b) (M 159) Stephanus Byz. :

Γαστρωνία· χώρα Μακεδονίας.   Θεόπομπος νδ'.

LIBER LV

15 **231** (M 266). Stephanus Byz. :

Καρύα· χωρίον τῆς Λακωνικῆς.   Θεόπομπος νε'.

232 (M 267). Stephanus Byz. :

Τρικάρανον· φρούριον τῆς Φλιασίας.   Θεόπομπος πεντη-
κοστῷ πέμπτῳ.

LIBER LVI

20 **233** (M 268). Athenaeus xiii. 609 b :

Θεόπομπος δὲ ἐν τῇ ἕκτῃ καὶ πεντηκοστῇ τῶν ἱστοριῶν
Ξενοπείθειαν τὴν Λυσανδρίδου μητέρα πασῶν τῶν κατὰ
Πελοπόννησον γυναικῶν γεγονέναι καλλίονα. ἀπέκτειναν
δὲ αὐτὴν Λακεδαιμόνιοι καὶ τὴν ἀδελφὴν αὐτῆς Χρύσην,

9 Γραιστωνίαν A   μεσοῦντος Cobet : μέσου ὄντος A C E   14 Γα-
στρωνία e Γραστωνία corruptum   νδ' R : κδ' V Π Ald.   16 κάροια R V
contra litterarum ordinem   νε'] με' R   18 Τρικάρανον Meineke coll.
Suidae verbis Τρικάρανον φρούριόν ἐστι τῆς 'Αργείας οὕτω καλούμενον
et Xenoph. *Hell*. vii. 2. 1, Τρικάρανα Xylander : τρίκαρα Ald., τρίκαραν
R V

ὅτε καὶ τὸν Λυσανδρίδαν ἐχθρὸν ὄντα Ἀγησίλαος ὁ βασιλεὺς
καταστασιάσας φυγαδευθῆναι ἐποίησεν ὑπὸ Λακεδαιμονίων.

234 (Μ 269). Stephanus Byz. :

Ἀλέα· πόλις Ἀρκαδίας. Θεόπομπος πεντηκοστῇ ἕκτῃ.

235 (Μ 270). Stephanus Byz. :   5

Εὔγεια· χωρίον Ἀρκαδίας. Θεόπομπος πεντηκοστῷ ἕκτῳ.

236 (Μ 271). Stephanus Byz. :

Λύκαια· πόλις Ἀρκαδίας. Θεόπομπος πεντηκοστῷ ἕκτῳ.

237 (Μ 273). Stephanus Byz. :

Αἰγείρουσα· πόλις τῆς Μεγαρίδος, ὡς Στράβων [1]· λέγεται 10
καὶ Αἴγειρος, ὡς Θεόπομπος πεντηκοστῇ ἕκτῃ.

LIBER LVII

238 (Μ 274). Stephanus Byz. :

Μεσσαπέαι· χωρίον Λακωνικῆς. τὸ ἐθνικὸν Μεσσαπεεύς·
οὕτω γὰρ ὁ Ζεὺς ἐκεῖ τιμᾶται. Θεόπομπος πεντηκοστῷ
ἑβδόμῳ.   15

239 (Μ 275). Harpocration :

στεφανῶν τοὺς νενικηκότας· Δημοσθένης ἐν τῷ κατ'
Αἰσχίνου ἀντὶ τοῦ τιμῶν . . . καὶ παρ' ἄλλοις ἐπὶ ταύτης
τῆς ἐννοίας τὸ στεφανοῦν, ὡς παρά τε Θεομόμπῳ ἐν νζ'
καὶ Μενάνδρῳ ἐν Αὐτὸν πενθοῦντι.   20

---

[1] ix. 1. 10 (C. 394)

10 Αἰγείρουσα] αἰγείρουσσα R V ; cf. Strab. l. c.   13 Μεσσαπέαι]
μεσάπαι R, μεσάπη V   Μεσσαπεεύς] μεσαπαιεύς R, μεσαπε . . V :
Μεσσαπεύς ci. Meineke, quod habent codd. apud Pausan. iii. 20. 3
20 Αὐτὸν Maussacus : αὐτῷ vel τῷ codd.

ΠΕΡΙ ΤΩΝ ΣΥΛΗΘΕΝΤΩΝ ΕΚ ΔΕΛΦΩΝ
ΧΡΗΜΑΤΩΝ

240 (M 182). Athenaeus xiii. 604 f–605 d :

Θεόπομπος δὲ ἐν τῷ περὶ τῶν συληθέντων ἐκ Δελφῶν
5 χρημάτων Ἀσώπιχόν φησι τὸν Ἐπαμινώνδου ἐρώμενον τὸ
Λευκτρικὸν τρόπαιον ἐντετυπωμένον ἔχειν ἐπὶ τῆς ἀσπίδος
καὶ θαυμαστῶς αὐτὸν κινδυνεύειν, ἀνακεῖσθαί τε τὴν ἀσπίδα
ταύτην ἐν Δελφοῖς ἐν τῇ στοᾷ. ἐν δὲ τῷ αὐτῷ συγγράμ-
ματι Θεόπομπος φιλογύναιον μέν φησι γεγονέναι Φάυλλον
10 τὸν Φωκέων τύραννον, φιλόπαιδα δὲ Ὀνόμαρχον· καὶ ἐκ
τῶν τοῦ θεοῦ χαρίσασθαι τοῦτον εἰς Δελφοὺς παραγενο-
μένῳ ⟨ ⟩ τῷ Πυθοδώρου τοῦ Σικυωνίου υἱῷ ἀποκερουμένῳ
τὴν κόμην, ὄντι καλῷ συγγενόμενον τὰ Συβαριτῶν ἀναθή-
ματα, στλεγγίδια χρυσᾶ τέσσαρα. τῇ Δεινιάδου δὲ αὐλη-
15 τρίδι Βρομιάδι Φάυλλος καρχήσιον ἀργυροῦν Φωκαέων καὶ
στέφανον χρυσοῦν κιττοῦ Πεπαρηθίων. ʻαὕτη δέ, φησί,
καὶ ἔμελλε τὰ Πύθια αὐλεῖν, εἰ μὴ ὑπὸ τοῦ πλήθους ἐκωλύθη.
τῷ δὲ Λυκόλα {τῷ} τοῦ Τριχονείου υἱῷ Φυσκίδα ὄντι καλῷ
Ὀνόμαρχος ἔδωκεν, φησί, στέφανον ⟨χρυσοῦν⟩ δάφνης,
20 Ἐφεσίων ἀνάθημα. οὗτος ὁ παῖς πρὸς Φίλιππον ἀχθεὶς
ὑπὸ τοῦ πατρὸς κἀκεῖ προαγωγευόμενος οὐδὲν λαβὼν ἀπ-
εστάλη. τῷ Ἐπιλύκου τοῦ Ἀμφιπολίτου υἱῷ ὄντι καλῷ
Δαμίππῳ ⟨ ⟩ Πλεισθένους ἀνάθημα Ὀνόμαρχος ἔδωκε.
Φαρσαλίᾳ τῇ Θεσσαλίδι ὀρχηστρίδι δάφνης στέφανον χρυ-

---

1 Scriptum Περὶ τῶν συληθέντων ἐκ Δελφῶν χρημάτων Phil. libri xxvi
partem fuisse existimabant Wichers et M, quae sententia sane vera
esse potest, etsi **241** separatum opus indicare videtur   9 Φάυλλον]
φύλλον τὸν A : corr. Musurus   12 Pueri nomen intercidit
ἀποκερουμένῳ Kaibel : ἀποκειρομέναι A   15 Βρομιάδι Dindorf :
βρομιαδια A, Βρομίᾳ Musurus   καισ....νον A : suppl. Casaubon
16 αὕτη] αὐτὴ A : corr. Kaibel   17 ἔμελλε καὶ Meineke   ὑπὸ
Musurus : ἐπὶ A   18 τῷ del. Kaibel   Τριχονείου Kaibel : τριχο-
λέου A   19 χρυσοῦν add. Meineke   23 Lacunam not. Schweig-
häuser   Κλεισθένους pro Πλεισθένους Meineke

σοῦν Φιλόμηλος ἔδωκε, Λαμψακηνῶν ἀνάθημα. αὕτη ἡ
Φαρσαλία ἐν Μεταποντίῳ ὑπὸ τῶν ἐν τῇ ἀγορᾷ μάντεων,
γενομένης φωνῆς ἐκ τῆς δάφνης τῆς χαλκῆς, ἣν ἔστησαν
Μεταποντῖνοι κατὰ τὴν Ἀριστέα τοῦ Προκονησίου ἐπιδη-
μίαν, ὅτ᾽ ἔφησεν ἐξ Ὑπερβορέων παραγεγονέναι, ὡς τάχιστα 5
ὤφθη εἰς τὴν ἀγορὰν ἐμβαλοῦσα, ἐμμανῶν γενομένων τῶν
μάντεων διεσπάσθη {ὑπ᾽ αὐτῶν}. καὶ τῶν ἀνθρώπων ὕστερον
ἀναζητούντων τὴν αἰτίαν εὑρέθη διὰ τὸν τοῦ θεοῦ στέφανον
ἀνῃρημένη᾽.

241 (M 183). Athenaeus xii. 532 d–e :　　　　　　　10

ἐν δὲ τῷ ἐπιγραφομένῳ τοῦ Θεοπόμπου συγγράμματι περὶ
τῶν ἐκ Δελφῶν συληθέντων χρημάτων ᾽ Χάρητι, φησί, τῷ
Ἀθηναίῳ διὰ Λυσάνδρου τάλαντα ἑξήκοντα, ἀφ᾽ ὧν ἐδεί-
πνισεν Ἀθηναίους ἐν τῇ ἀγορᾷ θύσας τὰ ἐπινίκια τῆς γενο-
μένης μάχης πρὸς τοὺς Φιλίππου ξένους᾽.　ὧν ἡγεῖτο μὲν 15
Ἀδαῖος ὁ Ἀλεκτρυὼν ἐπικαλούμενος.

ΕΠΙΣΤΟΛΑΙ

242. Didymus De Demosth. Comment. v. 21–63 :

ὁ δ᾽ α[ὐτὸς ἐν τῇ πρ]ὸς Φ[ίλιππον ἐπισ]τολῇ καὶ ἦν
π[αρεσκεύαστο ¹ π]α[ρὰ τοῖς] Ἕλλησι δόξαν ἱστορ[εῖ ᾽ . . . 20
. . . .] . [.] . [. . . .]τως δὲ χαρίεις καὶ φιλ[όμουσ]ος
γεγονώς· καὶ [βάρβ]αρος μὲν ὢν μετὰ τῶν Π[λατω]νείων
φιλοσοφεῖ, δοῦλος δὲ γενόμενος ἀδηφάγοις ζεύγεσιν ἐν ταῖς
πανηγύρεσιν ἀγωνίζεται.　σκοπέλους δὲ καὶ μικρ[ὰ χωρία]
κεκτημένος ἔτυχε μὲν τῆς [. .]γνει[. . . ., τὴν] δὲ πόλιν τὴν 25

---

¹ sc. Hermias

1 Λαμψακηνῶν] Κνιδίων donarium fuisse ait Plut. Cur Pythia p. 397 f
2 μάντεων] νεανιῶν ci. Schweighäuser, quia νεανίσκους hoc fecisse ait
Plut.　7 ὑπ᾽ αὐτῶν del. Kaibel, qui et τῶν ἀνθρώπων suspectum habet
13 διὰ Λυσάνδρου] διαναλωθῆναι ci. Schweighäuser　　15 Theo-
pompi verba fort. etiam longius pertinere not. Kaibel　　20 φύσει
μὲν ἄγριος, πλασ]τῶς ci. Foucart　　25 τῆς [τ(ῶν)] εὐεκ[τ(ῶν) δόξ(ης)
ci. Crönert, sed prius ε suspectum est

Ἠλείων ἐ[παγγέλλ]ειν [πρὸς αὐτὸν τὴν] ἐκεχειρία[ν] ἔ[π]ει-
σ[εν ..].[.........ἐκ]είνου τε ὀργιζ.. [(versus xviii paene
oblitterati sunt aut integri perierunt)].. ὥρμησεν [.......
...........] κεκοινωνηκότα τῆς Πλάτων[ος ....
5 ......]. σ[.] πέριξ ἐπεκράτησ[ε...........Κορίσ]κ[ον]
καὶ Ἔραστον καὶ Ἀριστοτ[έλην ....] διὸ καὶ
πάντ[ες οὗ]τοι παρα[................]ν ὕστερον [......]
ηκο[...............] ἔδωκεν αὐτ[οῖς δ]ωρεὰ[ν] το.[....
.... ἐπιτηδ]ὲς δὲ τὴν τυραννίδα μεθέστη[κεν εἰς πραο]τέραν
10 δυναστείαν· διὸ καὶ πάσ[ης τῆς σύν]ε[γγ]υς ἐπῆρξεν ἕως
Ἀσσοῦ, ὅτε [δὴ καὶ ὑπερησ]θεὶς τοῖς εἰρημένοις φιλοσόφοις
ἀ[πένειμεν] τὴν Ἀσσίων πόλιν, μάλιστα δ' αὐτ[ῶν ἀποδεξ]ά-
μενος Ἀριστοτέλην οἰκειότατα [διέκειτο πρ]ὸς τοῦτον'.

243 (M 276). Athenaeus vi. 230 e–f:

15 Θεόπομπος δ' ὁ Χῖος ἐν ταῖς πρὸς Ἀλέξανδρον συμβου-
λαῖς περὶ Θεοκρίτου τοῦ πολίτου τὸν λόγον ποιούμενός φησιν·
'ἐξ ἀργυρωμάτων δὲ καὶ χρυσῶν πίνει καὶ τοῖς σκεύεσιν
χρῆται τοῖς ἐπὶ τῆς τραπέζης ἑτέροις τοιούτοις, ὁ πρότερον
οὐχ ὅπως ἐξ ἀργυρωμάτων {οὐκ} ἔχων πίνειν ἀλλ' οὐδὲ
20 χαλκῶν, ἀλλ' ἐκ κεραμέων καὶ τούτων ἐνίοτε κολοβῶν.'

244 (M 277). Athenaeus xiii. 595 a–c:

Θεόπομπος δ' ἐν τῇ πρὸς Ἀλέξανδρον ἐπιστολῇ τὴν
Ἁρπάλου διαβάλλων ἀκολασίαν φησίν· 'ἐπίσκεψαι δὲ καὶ
διάκουσον σαφῶς παρὰ τῶν ἐκ Βαβυλῶνος ὃν τρόπον Πυθιο-
25 νίκην περιέστειλεν τελευτήσασαν. ἢ Βακχίδος μὲν ἦν δούλη
τῆς αὐλητρίδος, ἐκείνη δὲ Σινώπης τῆς Θρᾴττης τῆς ἐξ
Αἰγίνης Ἀθήναζε μετενεγκαμένης τὴν πορνείαν· ὥστε γί-
νεσθαι μὴ μόνον τρίδουλον ἀλλὰ καὶ τρίπορνον αὐτήν.
ἀπὸ πλειόνων δὲ ταλάντων ἢ διακοσίων δύο μνήματα
30 κατεσκεύασεν αὐτῆς· ὃ καὶ πάντες ἐθαύμαζον, ὅτι τῶν μὲν

---

2 ὀργιζομέ[νου (Crön.) non probat Schubart: fort. ὀργίζεσθαι
3–4 ὥρμησεν Crön., κεκοινωνηκότα τῆς Schub., Πλάτων[ος Crön.
5 ἐπεκράτησ[ε... Κορίσ]κ[ον] Crön.   7–8 [δὲ ἐπεὶ] ἦκο[ν ci. Crön.
19 οὐκ del. Cobet   20 τούτων] τοῦτο A: corr. C

ἐν Κιλικίᾳ τελευτησάντων ὑπὲρ τῆς σῆς βασιλείας καὶ τῆς
τῶν Ἑλλήνων ἐλευθερίας οὐδέπω νῦν οὔτε ἐκεῖνος οὔτ' ἄλλος
οὐδεὶς τῶν ἐπιστατῶν κεκόσμηκε τὸν τάφον, Πυθιονίκης δὲ
τῆς ἑταίρας φανήσεται τὸ μὲν Ἀθήνησι, τὸ δ' ἐν Βαβυλῶνι
μνῆμα πολὺν ἤδη χρόνον ἐπιτετελεσμένον. ἦν γὰρ πάντες 5
ᾔδεσαν ὀλίγης δαπάνης κοινὴν τοῖς βουλομένοις γιγνο-
μένην, ταύτης ἐτόλμησεν ὁ φίλος εἶναι σοῦ φάσκων ἱερὸν
καὶ τέμενος ἱδρύσασθαι καὶ προσαγορεῦσαι τὸν ναὸν καὶ
τὸν βωμὸν Πυθιονίκης Ἀφροδίτης, ἅμα τῆς τε παρὰ θεῶν
τιμωρίας καταφρονῶν καὶ τὰς σὰς τιμὰς προπηλακίζειν 10
ἐπιχειρῶν'.
   Cf. Diod. xvii. 108. 4–6, Plutarch. *Phoc.* c. 22,
p. 751.

   245 (M 278). (*a*) Athenaeus xiii. 586 c :

   φησὶν Θεόπομπος ἐν τοῖς περὶ τῆς Χίας ἐπιστολῆς, ὅτι 15
μετὰ τὸν τῆς Πυθιονίκης θάνατον ὁ Ἅρπαλος μετεπέμψατο
τὴν Γλυκέραν Ἀθήνηθεν· ἣν καὶ ἐλθοῦσαν οἰκεῖν ἐν τοῖς
βασιλείοις τοῖς ἐν Ταρσῷ καὶ προσκυνεῖσθαι ὑπὸ τοῦ πλή-
θους βασίλισσαν προσαγορευομένην· ἀπειρῆσθαί τε πᾶσι μὴ
στεφανοῦν Ἅρπαλον, ἐὰν μὴ καὶ Γλυκέραν στεφανῶσιν. ἐν 20
Ῥωσσῷ δὲ καὶ εἰκόνα χαλκῆν αὐτῆς ἱστάναι τολμῆσαι παρὰ
τὴν ἑαυτοῦ.

   (*b*) Athenaeus xiii. 595 d–e :

   μετὰ δὲ τὴν Πυθιονίκης τελευτὴν ὁ Ἅρπαλος Γλυκέραν
μετεπέμψατο καὶ ταύτην ἑταίραν, ὡς ὁ Θεόπομπος ἱστορεῖ, 25
φάσκων ἀπειρηκέναι τὸν Ἅρπαλον μὴ στεφανοῦν ἑαυτόν, εἰ
μή τις στεφανώσειε καὶ τὴν πόρνην. 'ἔστησέν τε εἰκόνα
χαλκῆν τῆς Γλυκέρας ἐν Ῥωσσῷ τῆς Συρίας, οὗπερ καὶ σὲ
καὶ αὐτὸν ἀνατιθέναι μέλλει. παρέδωκέν τε αὐτῇ κατοικεῖν

   6 ὀλίγης Wilamowitz : κοινῆς A   15 ταῖς περὶ τῆς Χίας ἐπιστο-
λαῖς ci. Schweighäuser   19 πᾶσι E : ἐπὶ πᾶσι A : τῇ πόλει ci.
Kaibel collato (*b*)   21 ἱστάναι] ἑστάναι A (στῆσαι ἐτόλμησεν E) : corr.
Casaubon   28 Ῥωσσῷ] ερασσωι A : cf (*a*)   29 αὐτὸν] αὐτὸν A :
corr. Meineke   μέλλει] μέλλειν A : corr. Casaubon

ἐν τοῖς βασιλείοις τοῖς ἐν Ταρσῷ καὶ ὁρᾷ ὑπὸ τοῦ λαοῦ
προσκυνουμένην καὶ βασίλισσαν προσαγορευομένην καὶ ταῖς
ἄλλαις δωρεαῖς τιμωμένην, αἷς πρέπον ἦν τὴν σὴν μητέρα
καὶ τὴν σοὶ συνοικοῦσαν'.

5   ΦΙΛΙΠΠΟΥ ΕΓΚΩΜΙΟΝ

246 (M 285). Theon *Progymn.* c. 8 (Spengel *Rhet. Graec.*
ii. p. 110) :

χρήσιμον δὲ καὶ τὸ εἰκάζειν ἐκ τῶν παρεληλυθότων τὰ
μέλλοντα, ὡς εἴ τις λέγοι περὶ Ἀλεξάνδρου . . . καὶ ὡς
10 Θεόπομπος ἐν τῷ Φιλίππου ἐγκωμίῳ, ὅτι εἰ βουληθείη
Φίλιππος τοῖς αὐτοῖς ἐπιτηδεύμασιν ἐμμεῖναι, καὶ τῆς
Εὐρώπης πάσης βασιλεύσει.

ΚΑΤΑ ΤΗΣ ΠΛΑΤΩΝΟΣ ΔΙΑΤΡΙΒΗΣ

247 (M 279). Athenaeus xi. 508 c-d :
15   καὶ γὰρ Θεόπομπος ὁ Χῖος ἐν τῷ κατὰ τῆς Πλάτωνος
διατριβῆς 'τοὺς πολλούς, φησί, τῶν διαλόγων αὐτοῦ
ἀχρείους καὶ ψευδεῖς ἄν τις εὕροι· ἀλλοτρίους δὲ τοὺς
πλείους, ὄντας ἐκ τῶν Ἀριστίππου διατριβῶν, ἐνίους δὲ
κἀκ τῶν Ἀντισθένους, πολλοὺς δὲ κἀκ τῶν Βρύσωνος τοῦ
20 Ἡρακλεώτου'.

*248 (M 280). Diogenes Laert. vi. 1. 14 :
τοῦτον [1] μόνον ἐκ πάντων Σωκρατικῶν Θεόπομπος ἐπαινεῖ
καί φησι δεινόν τε εἶναι καὶ δι' ὁμιλίας ἐμμελοῦς ὑπαγαγέσθαι
πάνθ' ὁντινοῦν.

---

[1] sc. Antisthenem

1 καὶ ὁρᾷ] ὡς (vel καθάπερ) θεὰν ci. Kaibel : καὶ ὅρα ⟨πόρνην⟩
Wilamowitz   6 Phil. tribuit Hachtmann   9 ὡς Spengel : ὥστε
codd., ὥσπερ Finckh   13 sqq. Laudatum ab Athenaeo scriptum pro
Philippicorum digressione habet M, cui dissentit Hirzel *Rhein. Mus.*
xlvii. pp. 363-4   16 αὐτοῦ non addidisse Theopompum not. Kaibel

THEOPOMPI

*249 (M 281). Diogenes Laert. iii. 40 :

καὶ ἐτελεύτα μὲν [1] ὃν εἴπομεν τρόπον, Φιλίππου βασι-
λεύοντος ἔτος τρισκαιδέκατον, καθὰ καὶ Φαβωρῖνός φησιν
ἀπομνημονευμάτων τρίτῳ· ὑφ' οὗ καὶ ἐπιτιμηθῆναί φησιν
αὐτὸν Θεόπομπος.   5

250. Arrianus *Epicteti Dissert.* ii. 17. 5 :

τὸ δ' ἐξαπατῶν τοὺς πολλοὺς τοῦτ' ἔστιν, ὅπερ καὶ
Θεόπομπον τὸν ῥήτορα, ὅπου καὶ Πλάτωνι ἐγκαλεῖ ἐπὶ τῷ
βούλεσθαι ἕκαστα ὁρίζεσθαι. τί γὰρ λέγει· ' οὐδεὶς ἡμῶν
πρὸ σοῦ ἔλεγεν ἀγαθὸν ἢ δίκαιον; ἢ μὴ παρακολουθοῦντες 10
τί ἐστι τούτων ἕκαστον ἀσήμως καὶ κενῶς ἐφθεγγόμεθα τὰς
φωνάς ; '

*251 (M 335). Simplicius *In Aristot. Categ. Commentarium*
56 a (p. 216 Kalbfleisch) :

καὶ Θεόπομπος δὲ τὸ μὲν γλυκὺ σῶμα διὰ ταῦτα ἀπε- 15
φήνατο συνεστηκέναι, τὴν δὲ γλυκύτητα οὐκέτι.

FRAGMENTA INCERTAE SEDIS

252 (M 217). (*a*) Aelianus *Var. Hist.* vi. 12 :

λέγει δὲ Θεόπομπος ὑπὸ τῆς ἀκρατοποσίας τῆς ἄγαν
αὐτὸν [2] διαφθαρῆναι τὰς ὄψεις, ὡς ἀμυδρὸν βλέπειν· 20
ἀποκαθῆσθαι δὲ ἐν τοῖς κουρείοις καὶ γελωτοποιεῖν.

(*b*) Athenaeus x. 435 d :

φιλοπότας δὲ καὶ μεθύσους καταλέγει Θεόπομπος Διο-
νύσιον τὸν νεώτερον, Σικελίας τύραννον, ὃν καὶ τὰς ὄψεις
ὑπὸ τοῦ οἴνου διαφθαρῆναι.   25

Cf. Iustinum xxi. 2 et 5.

---

[1] sc. Plato   [2] sc. Dionysium iuniorem

5 Θεόπομπος] v. l. θεόπεμπτος   8 ὅπου] ὅς που ci. Coraes
11 ἐφθεγγόμεθα Salmasius : φθεγγόμεθα cod. Bodl.   13 Cf. Hirzel
l. c. pp. 362 sqq.   15 θεόπεμπτος cod. Paris.   18 Phil. xl tribuit
M, qui et verba sequentia καὶ ἐν τῷ μεσαιτάτῳ τῆς Ἑλλάδος ἀσχημονῶν
διετελεῖ . . . μεταβολή ut Theopompi laudat

253 (M 326). Antiatticista ap. Bekker *Anecd*. p. 86. 16 :

γειτονιᾶν· ἀντὶ τοῦ γειτνιᾶν· Θεόπομπος Φιλιππικοῖς.
καὶ γειτονεῖν.

254 (M 327). Antiatticista ap. Bekk. *Anecd*. p. 104. 15 :

5   κατᾶραι· ἀντὶ τοῦ ἐλθεῖν.   Θεόπομπος.

255 (M 286). (*a*) Antigonus Caryst. *Hist. Mirab*. 14 :

Θεόπομπος δέ φησιν κατὰ τοὺς ἐν Θρᾴκῃ Χαλκιδεῖς εἶναί
τινα τόπον τοιοῦτον, εἰς ὃν ὅ τι μὲν ἂν τῶν ἄλλων ζῴων
εἰσέλθῃ, πάλιν ἀπαθὲς ἀπέρχεται, τῶν δὲ κανθάρων οὐδεὶς
10 διαφεύγει, κύκλῳ δὲ στρεφόμενοι τελευτῶσιν αὐτοῦ· διὸ δὴ
καὶ τὸ χωρίον ὀνομάζεσθαι Κανθαρόλεθρον.

(*b*) Pseudo-Arist. *Mirab. Auscult*. 120 (130):

ἐν δὲ τῇ Χαλκιδικῇ τῇ ἐπὶ Θρᾴκης πλησίον Ὀλύνθου
φασὶν εἶναι Κανθαρώλεθρον ὀνομαζόμενον τόπον, μικρῷ
15 μείζονα τὸ μέγεθος ἅλω, εἰς ὃν τῶν μὲν ἄλλων ζῴων ὅταν τι
ἀφίκηται, πάλιν ἀπέρχεται, τῶν δὲ κανθάρων τῶν ἐλθόντων
οὐδείς, ἀλλὰ κύκλῳ περιιόντες τὸ χωρίον λιμῷ τελευτῶσιν.

(*c*) Strabo vii. Fr. 30 (C. 330):

ὅτι πλησίον Ὀλύνθου χωρίον ἐστὶ κοῖλον, καλούμενον
20 Κανθαρώλεθρον, ἐκ τοῦ συμβεβηκότος· τὸ γὰρ ζῷον ὁ
κάνθαρος τῆς πέριξ χώρας γινόμενος, ἡνίκα ψαύσῃ τοῦ
χωρίου ἐκείνου, διαφθείρεται.

Cf. Plinium *Nat. Hist*. xi. 28 (34).

256 (M 85). (*a*) Antigonus Caryst. *Hist. Mirab*. 15 :

25   ἐν δὲ Κράννωνι τῆς Θετταλίας δύο φασὶν μόνον εἶναι
κόρακας· διὸ καὶ ἐπὶ τῶν προξενιῶν τῶν ἀναγραφομένων
τὸ παράσημον τῆς πόλεως (καθάπερ ἐστὶν ἔθιμον πᾶσι
προσπαρατιθέναι) ὑπογράφονται δύο κόρακες ἐφ' ἁμαξίου
χαλκοῦ, διὰ τὸ μηδέ ποτε πλείους τούτων ὦφθαι. ἡ δὲ
30 ἅμαξα προσπαράκειται διὰ τοιαύτην αἰτίαν· ξένον γὰρ ἴσως

---

2 Φιλιππικοῖς καὶ G–H, cf. e. g. ibid. p. 107. 30–1 : φιλίππῳ καὶ cod.,
Φιλιππικοῖς M cum Heringa   5 Cf. Hell. Oxyrh. VIII. 2, XVI. 1.
Theopompo comico tribuit Kock *Com. Att. Fr*. 1. p. 754 Fr. 88
21 τῆς πέριξ Meineke : πέριξ τῆς cod.   24 Phil. ix tribuit M
26 προξενιῶν Locella : προξένων cod.

8*

ἂν καὶ τοῦτο φανείη. ἔστιν αὐτοῖς ἀνακειμένη χαλκῆ, ἣν
ὅταν αὐχμὸς ᾖ σείοντες ὕδωρ αἰτοῦνται τὸν θεόν, καί φασι
γίνεσθαι. τούτου δέ τι ἰδιαίτερον ὁ Θεόπομπος λέγει·
φησὶν γὰρ ἕως τούτου διατρίβειν αὐτοὺς ἐν τῷ Κράννωνι
ἕως ἂν τοὺς νεοττοὺς ἐκνεοττεύσωσιν, τοῦτο δὲ ποιήσαντας 5
τοὺς μὲν νεοττοὺς καταλείπειν, αὐτοὺς δὲ ἀπιέναι.

(b) Pseudo-Arist. *Mirab. Auscult.* 126 (138):

ἐν δὲ Κράννωνι τῆς Θετταλίας φασὶ δύο κόρακας εἶναι
μόνους ἐν τῇ πόλει. οὗτοι ὅταν ἐκνεοττεύσωσιν, ἑαυτοὺς
μέν, ὡς ἔοικεν, ἐκτοπίζουσιν, ἑτέρους δὲ τοσούτους τῶν ἐξ 10
αὐτῶν γενομένων ἀπολείπουσιν.

(c) Stephanus Byz.:

Κράννων· . . . ἔστι καὶ ἄλλη πόλις Ἀθαμανίας, ἀπὸ
Κράννωνος τοῦ Πελασγοῦ. ἐν ταύτῃ δύο κόρακας εἶναί φασι
μόνους, ὡς Καλλίμαχος ἐν τοῖς θαυμασίοις καὶ Θεόπομπος. 15
ὅταν δ᾿ ἄλλους ἐκνεοσσεύσωσιν, ἴσους αὐτοὺς καταλιπόντες
ἀπέρχονται.

257. (a) Antigonus Caryst. *Hist. Mirab.* 136 (151):

περὶ δὲ τὴν τῶν Ἀγριῶν Θρᾳκῶν χώραν φησὶν[1] ποταμὸν
προσαγορευόμενον Πόντον καταφέρειν λίθους ἀνθρακώδεις, 20
τούτους δὲ κάεσθαι μέν, πᾶν δὲ τοὐναντίον πάσχειν τοῖς ἐκ
τῶν ξύλων ἀνθρακευομένοις· ὑπὸ μὲν γὰρ τῶν ῥιπίδων
πνευματιζομένους σβέννυσθαι, τῷ δὲ ὕδατι ῥαινομένους
βέλτιον κάεσθαι, τὴν δ᾿ ὀσμὴν αὐτῶν οὐδὲν ὑπομένειν
ἑρπετόν. 25

(b) Pseudo-Arist. *Mirab. Auscult.* 115 (125):

λέγεται δὲ καὶ περὶ τὴν τῶν Σιντῶν καὶ Μαιδῶν χώραν
καλουμένην τῆς Θρᾴκης ποταμόν τινα εἶναι Πόντον προσα-
γορευόμενον, ἐν ᾧ καταφέρεσθαί τινας λίθους οἳ καίονται

---

[1] sc. Καλλίμαχος ἱστορεῖν Θεόπομπον, cf. c. 137

3 ἰδιαίτερον Bast: ἰδιώτερον cod.   6 ἀπιέναι M: ἀνιέναι cod.
13 Ἀθαμανίας Xylander: ἀθαμνίας codd.   19 Ἀγριῶν O. Schneider:
ἀγρίων cod., Ἀγρίεων vel Ἀγραίων Salmasius   21 ἐκ] del. voluit
Salmasius   28 προσαγορευόμενον] v. l. προσονομαζόμενον, vulg.
29 καίονται καὶ] καιόμενοι Steph. Byz. s.v. Σιντία

καὶ τοὐναντίον πάσχουσι τοῖς ἐκ τῶν ξύλων ἄνθραξι.
ῥιπιζόμενοι γὰρ σβέννυνται ταχέως, ὕδατι δὲ ῥαινόμενοι
ἀναλάμπουσι καὶ ἀνάπτουσι κάλλιον.   παραπλησίαν δὲ
ἀσφάλτῳ, ὅταν καίωνται, καὶ πονηρὰν οὕτως ὀσμὴν καὶ
5 δριμεῖαν ἔχουσιν, ὥστε μηδὲν τῶν ἑρπετῶν ὑπομένειν ἐν
τῷ τόπῳ καιομένων αὐτῶν.

(*c*) (M 44). Stephanus Byz.:

'Αγρίαι· ἀρσενικῶς, ἔθνος Παιονίας μεταξὺ Αἵμου καὶ
'Ροδόπης. . . . λέγονται καὶ 'Αγράιοι τετρασυλλάβως, καὶ
10 'Αγριεῖς, ὡς Θεόπομπος.

Cf. Stephanum Byz. s.v. Σιντία, ubi (*b*) exscriptum est: v.
not. crit.

258 (M 287). (*a*) Antigonus Caryst. *Hist. Mirab.* 137 (152):

τὴν δ' ἐν Λούσοις κρήνην, καθάπερ παρὰ τοῖς Λαμψακη-
15 νοῖς, ἔχειν ἐν ἑαυτῇ μῦς ὁμοίους τοῖς κατοικιδίοις, ἱστορεῖν
δὲ ταῦτα Θεόπομπον [1].

(*b*) Pseudo-Arist. *Mirab. Auscult.* 125 (137):

ἐν Λούσοις δὲ τῆς 'Αρκαδίας κρήνην εἶναί τινά φασιν,
ἐν ᾗ χερσαῖοι μῦες γίνονται καὶ κολυμβῶσι, τὴν δίαιταν ἐν
20 ἐκείνῃ ποιούμενοι.   λέγεται δ' αὐτὸ τοῦτο καὶ ἐν Λαμψάκῳ
εἶναι.

259 (M 288). (*a*) Antigonus Caryst. *Hist. Mirab.* 141 (156):

Θεόπομπον δέ φησιν [2] γράφειν τῆς μὲν ἐν Κίγχρωψιν [3]
τοῖς Θραξὶν τὸν ἀπογευσάμενον τελευτᾶν εὐθύς.

25   (*b*) Paradoxogr. Vatic. Rohdii 39:

Θεόπομπος κρήνην ἐν Θρᾴκῃ λέγει εἶναι, ἐξ ἧς οἱ λουσά-
μενοι μεταλλάττουσι τὸν βίον.

---

[1] sc. φησὶ Καλλίμαχος   [2] sc. Callimachus   [3] sc. κρήνης

2–5 μὲν γὰρ ἀποσβέννυνται . . . ῥαινόμενοι ἀνάπτονται· ὅταν δὲ δὴ
καίωνται πονηρὸν ὄζουσι καὶ παραπλήσιον ἀσφάλτῳ καὶ τὴν ὀσμὴν οὕτω
δριμεῖαν Steph.   5 ὥστε] ὡς Steph.   ἐν τῷ τόπῳ] om. Steph.
7 Phil. ii tribuit M   18 Λούσοις Sylburg (Λουσοῖς): κολούσσοις,
κολούσοις codd.   23 τῆς Westermann: τὴν cod.   Κίγχρωψιν
Keller: κιγχρωψωσιν cod.

THEOPOMPI

(c) Sotion Fr. 15 (Westermann *Script. Rerum Mirab.*
p. 185):

Θεόπομπος ἱστορεῖ κρήνην ἐν Κίγχρωψι τῆς Θρᾴκης, ἐξ
ἧς τοὺς λουσαμένους παραχρῆμα μεταλλάσσειν.

(d) Pseudo-Arist. *Mirab. Auscult.* 121 (131):　　　　5
ἐν δὲ Κίγχρωψι τοῖς Θρᾳξὶ κρηνίδιόν ἐστιν ὕδωρ ἔχον,
ὃ τῇ μὲν ὄψει καθαρὸν καὶ διαφανὲς καὶ τοῖς ἄλλοις ὅμοιον,
ὅταν δὲ πίῃ τι ζῷον ἐξ αὐτοῦ παραχρῆμα διαφθείρεται.

(e) Plinius *Nat. Hist.* xxxi. 2 (19):
necare aquas Theopompus et in Thracia apud Cichros dicit. 10
Cf. Vitruv. viii. 3. 34.

260 (M 84). (a) Antig. Caryst. *Hist. Mirab.* 142 (157):
ἐν Σκοτούσσῃ δ᾽ εἶναι¹ κρηνίδιον οὐ μόνον ἀνθρώπων
ἕλκη, ἀλλὰ καὶ βοσκημάτων ὑγιάζειν δυνάμενον· κἂν ξύλον
δὲ σχίσας ἢ θραύσας ἐμβάλῃς συμφύειν.　　　　　　15

(b) Sotion Fr. 9 (Westermann *Script. Rerum Mirab.*
p. 184):

περὶ Σκότουσαν τῆς Θεσσαλίας κρηνίδιόν ἐστι μικρόν,
ὃ τὰ ἕλκη πάντα θεραπεύει καὶ τῶν ἀλόγων ζῴων· εἰς ὃ
ἐάν τις ξύλον μὴ λίαν συντρίψας ἀλλὰ σχίσας ἐμβάλῃ, 20
ἀποκαθίσταται· οὕτως κολλῶδες ἔχει τὸ ὕδωρ, ὥς φησιν
Ἰσίγονος.

(c) Pseudo-Arist. *Mirab. Auscult.* 117 (127):
ἐν δὲ Σκοτούσαις τῆς Θετταλίας φασὶν εἶναι κρηνίδιόν
τι μικρόν, ἐξ οὗ ῥεῖ τοιοῦτον ὕδωρ, ὃ τὰ μὲν ἕλκη καὶ 25
θλάσματα ταχέως ὑγιεινὰ ποιεῖ καὶ τῶν ἀνθρώπων καὶ
τῶν ὑποζυγίων, ἐὰν δέ τις ξύλον μὴ παντάπασι συντρίψας
ἀλλὰ σχίσας ἐμβάλῃ, συμφύεται καὶ πάλιν εἰς τὸ αὐτὸ
καθίσταται.

---

¹ sc. Καλλίμαχός φησι γράφειν Θεόπομπον

3 Κίγχρωψι] χρωψὶ cod., Westermann　　6 Κίγχρωψι] κύκλωψι
codd., Westermann : Κύγχρωψι Harduin　　10 necare aquas : v. l.
necari aquis　　　Cichros Mayhoff : cicros, chicros, cychros codd.,
Cychropas ci. Harduin　　12 Phil. ix tribuit M　　13-14 κρηνίδιον
. . . δυνάμενον Bentley ex (c): κρήνην ἰδίαν . . . δυναμένην cod.
25 ῥεῖ] v. l. καὶ ῥεῖ　　29 καθίσταται] v. l. καθίστησιν

FRAGMENTA INCERTAE SEDIS

(*d*) Plinius *Nat. Hist.* xxxi. 2 (14):

Theopompus in Scotusaeis lacum esse dicit qui volneribus medeatur.

261. Antigonus Caryst. *Hist. Mirab.* 143 (158):

5 ἐκ δὲ τῆς περὶ Χαονίαν[1], ὅταν ἀφεψηθῇ τὸ ὕδωρ, ἅλας γίνεσθαι[2].

Cf. Aristot. *Meteor.* ii. 3 p. 359, Plinium *Nat. Hist.* xxxi. 7 (39). Ex Aristotele non e Theopompo hausta esse Antigoni verba censet O. Schneider.

10 **262** (M 229). (*a*) Antigonus Caryst. *Hist. Mirab.* 164 (180):

ἐν δὲ Λυγκησταῖς Θεόπομπον φάσκειν τι εἶναι ὕδωρ ὀξύ, τοὺς δὲ ἐκ τούτου πίνοντας ὥσπερ ἐπὶ τῶν οἴνων ἀλλοιοῦσθαι, καὶ τοῦθ' ὑπὸ πλειόνων μαρτυρεῖται.

(*b*) Athenaeus ii. 43 d:

15 Θεόπομπος δέ φησι περὶ τὸν Ἐριγῶνα ποταμὸν ὀξὺ εἶναι ὕδωρ καὶ τοὺς πίνοντας αὐτὸ μεθύσκεσθαι καθὰ καὶ τοὺς τὸν οἶνον.

(*c*) Paradoxogr. Vatic. Rohdii 13:

Θεόπομπος ἐν Λυγκησταῖς φησιν εἶναι ὕδωρ ὀξύ, ὃ τοὺς 20 πίνοντας μεθύσκει. Cf. ibid. 23.

(*d*) Sotion Fr. 20 (Westermann *Script. Rerum Mirab.* p. 185):

Θεόπομπος ἐν Λυγκησταῖς φησι πηγὴν εἶναι τῇ μὲν γεύσει ὀξίζουσαν, τοὺς δὲ πίνοντας μεθύσκεσθαι ὡς ἀπὸ οἴνου.

25 (*e*) Plinius *Nat. Hist.* ii. 103 (106):

Lyncestis aqua quae vocatur acidula vini modo temulentos facit. Cf. xxxi. 2 (13): Theopompus[3] inebriari fontibus iis quos diximus.

---

[1] sc. κρήνης [2] sc. φησὶ Καλλίμαχος γράφειν Θεόπομπον [3] sc. ait

2 vv. ll. scotusaei, scothissei, scotussis, &c. 3 medeatur
C. F. W. Müller: medetur codd. 10 Phil. xliii tribuit M
11 Λυγκησταῖς Meursius: λυκήταις cod. 12 ἐπὶ] ἀπὸ ci.
Schneidewin 15 Ἐριγῶνα Brunck: ἐριμῶνα C, ἐριγαν supra
scr. ὦ E 19 Λυγκησταῖς Rohde: λυγγισταῖς cod. 23 Λυγκησταῖς
Sylburg: Λυγγίστῳ vulg. 26 Lyncestis vulg.: lincestis, lingestis, lingentis codd.

THEOPOMPI

263 (M 231). Antigonus Caryst. *Hist. Mirab.* 170 (186) :
περὶ δὲ Θεσπρωτοὺς ἐκ τῆς γῆς ἄνθρακας ὀρύττεσθαι
δυναμένους κάεσθαι Θεόπομπόν φησιν [1] καταγράφειν.

Cf. Plinium *Nat. Hist.* xxxvii. 7 (27).

264 (M 295). Athenaeus i. 26 b–c :　　　　　　　　　　5
Θεόπομπος δέ φησι παρὰ Χίοις πρώτοις γενέσθαι τὸν
μέλανα οἶνον, καὶ τὸ φυτεύειν δὲ καὶ θεραπεύειν ἀμπέλους
Χίους πρώτους μαθόντας παρ' Οἰνοπίωνος τοῦ Διονύσου, ὃς
καὶ συνῴκισε τὴν νῆσον, τοῖς ἄλλοις ἀνθρώποις μεταδοῦναι.

265 (M 296). Athenaeus i. 34 a :　　　　　　　　　　10
ὅτι {ὁ} Θεόπομπος ὁ Χῖος τὴν ἄμπελον ἱστορεῖ εὑρεθῆναι
ἐν Ὀλυμπίᾳ παρὰ τὸν Ἀλφειόν· καὶ ὅτι τῆς Ἠλείας τόπος
ἐστὶν ἀπέχων ὀκτὼ στάδια, ἐν ᾧ οἱ ἐγχώριοι κατακλείοντες
τοῖς Διονυσίοις χαλκοῦς λέβητας τρεῖς κενοὺς παρόντων
τῶν ἐπιδημούντων ἀποσφραγίζονται καὶ ὕστερον ἀνοίγοντες 15
εὑρίσκουσιν οἴνου πεπληρωμένους.

Cf. Pausan. vi. 26. 1.

266 (M 235). Athenaeus vi. 249 c–d :
ἀλλ' οὐκ Ἀρκαδίων ὁ Ἀχαιὸς κόλαξ ἦν· περὶ οὗ ὁ αὐτὸς
ἱστορεῖ Θεόπομπος καὶ Δοῦρις ἐν πέμπτῃ Μακεδονικῶν· 20
οὗτος δὲ ὁ Ἀρκαδίων μισῶν τὸν Φίλιππον ἑκούσιον ἐκ τῆς
πατρίδος φυγὴν ἔφυγεν. ἦν δ' εὐφυέστατος καὶ πλείους
ἀποφάσεις αὐτοῦ μνημονεύονται. ἔτυχεν δ' οὖν ποτε ἐν
Δελφοῖς ἐπιδημοῦντος Φιλίππου παρεῖναι καὶ τὸν Ἀρκα-
δίωνα· ὃν θεασάμενος ὁ Μακεδὼν καὶ προσκαλεσάμενος 25
'μέχρι τίνος φεύξῃ, φησίν, Ἀρκαδίων'; καὶ ὅς·
'ἔς τ' ἂν τοὺς ἀφίκωμαι οἳ οὐκ ἴσασι Φίλιππον.'

267 (M 297). Athenaeus vi. 254 b :
ἦν [2] ὁ μὲν Πύθιος ἑστίαν τῆς Ἑλλάδος ἀνεκήρυξε, πρυτα-

---

[1] sc. Callimachus　　[2] sc. τὴν πόλιν τῶν Ἀθηναίων

1 Phil. xliii tribuit M　　7 δὲ C : τε E　　9 συνῴκισε Musurus :
συνώκησε C E　　13 ἀπέχων] τῆς πόλεως add. Pausan. vi. 26. 1
14 κενοὺς Pausan. : καινοὺς C E　　18 Hoc cum Fr. 202 iunctum
Phil. xliv tribuit M　　28 Phil. xxv dubitanter tribuit M

νεῖον δὲ Ἑλλάδος ὁ δυσμενέστατος Θεόπομπος, ὁ φήσας ἐν
ἄλλοις πλήρεις εἶναι τὰς Ἀθήνας Διονυσοκολάκων καὶ ναυτῶν
καὶ λωποδυτῶν, ἔτι δὲ ψευδομαρτύρων καὶ συκοφαντῶν καὶ
ψευδοκλητήρων.

5 **268** (M 298). Athenaeus x. 435 b :

κἂν ἄλλῳ δὲ μέρει τῆς ἱστορίας γράφει· 'Φίλιππος ἦν τὰ
μὲν φύσει μανικὸς καὶ προπετὴς ἐπὶ τῶν κινδύνων, τὰ δὲ διὰ
μέθην· ἦν γὰρ πολυπότης καὶ πολλάκις μεθύων ἐξεβοήθει'.

269 (M 170). (a) Athenaeus xiii. 573 c–e :

10 καὶ ὅτε δὴ ἐπὶ τὴν Ἑλλάδα τὴν στράτειαν ἦγεν ὁ Πέρσης,
ὡς καὶ Θεόπομπος ἱστορεῖ καὶ Τίμαιος ἐν τῇ ἑβδόμῃ, αἱ
Κορίνθιαι ἑταῖραι εὔξαντο ὑπὲρ τῆς τῶν Ἑλλήνων σωτηρίας
εἰς τὸν τῆς Ἀφροδίτης ἐλθοῦσαι νεών. διὸ καὶ Σιμωνίδης
ἀναθέντων τῶν Κορινθίων πίνακα τῇ θεῷ τὸν ἔτι καὶ νῦν
15 διαμένοντα καὶ τὰς ἑταίρας ἰδίᾳ γραψάντων τὰς τότε
ποιησαμένας τὴν ἱκετείαν καὶ ὕστερον παρούσας συνέθηκε
τόδε τὸ ἐπίγραμμα·

αἵδ' ὑπὲρ Ἑλλάνων τε καὶ εὐθυμάχων πολιητᾶν
ἔσταθεν εὔχεσθαι Κύπριδι δαιμονίᾳ.
20 οὐ γὰρ τοξοφόροισιν ἐμήσατο δῖ' Ἀφροδίτα
Πέρσαις Ἑλλάνων ἀκρόπολιν προδόμεν.

(b) Schol. in Pind. *Olymp.* xiii. 32 :

Θεόπομπος δέ φησι καὶ τὰς γυναῖκας αὐτῶν [1] εὔξασθαι τῇ
Ἀφροδίτῃ ἔρωτα ἐμπεσεῖν τοῖς ἀνδράσιν αὐτῶν μάχεσθαι
25 ὑπὲρ τῆς Ἑλλάδος τοῖς Μήδοις, εἰσελθούσας εἰς τὸ ἱερὸν
τῆς Ἀφροδίτης, ὅπερ ἱδρύσασθαι τὴν Μήδειαν λέγουσιν
Ἥρας προσταξάσης. εἶναι δὲ καὶ νῦν ἀναγεγραμμένον
ἐλεγεῖον εἰσιόντι εἰς τὸν ναὸν ἀριστερᾶς χειρός·

αἵδ' ὑπὲρ Ἑλλάνων τε καὶ ἀγχεμάχων πολιητᾶν
30 ἔστασαν εὐχόμεναι Κύπριδι δαιμονίᾳ.

---

[1] sc. τῶν Κορινθίων

9 Phil. xxv tribuit M   16 Post παρούσας fort. ἐπὶ τοῖς ἱεροῖς
vel ἐπὶ ταῖς θυσίαις addendum censet Kaibel   19 δαιμονίᾳ] δαμοσίᾳ
ci. Lobeck

οὐ γὰρ τοξοφόροισιν ἐβούλετο δῖ᾽ Ἀφροδίτα
Μήδοις Ἑλλάνων ἀκρόπολιν δόμεναι.

270 (M 104). Aulus Gellius *Noct. Att.* xv. 20. 1 :

Euripidi poetae matrem Theopompus agrestia olera venden-
tem victum quaesisse dicit.   5

271 (M 35). Cicero *De Off.* ii. 11 :

itaque propter aequabilem praedae partitionem et Bardulis
Illyrius latro, de quo est apud Theopompum, magnas opes
habuit.

272 (M 77). Clemens Alex. *Strom.* vi. 2. 21 (p. 749):   10

Θεόπομπος γράφει· ‘εἰ μὲν γὰρ ἦν τὸν κίνδυνον τὸν
παρόντα διαφυγόντας ἀδεῶς διάγειν τὸν ἐπίλοιπον χρόνον,
οὐκ ἂν ἦν θαυμαστὸν φιλοψυχεῖν, νῦν δὲ τοσαῦται κῆρες τῷ
βίῳ παραπεφύκασιν ὥστε τὸν ἐν ταῖς μάχαις θάνατον
αἱρετώτερον εἶναι δοκεῖν’.   15

273 (M iv. p. 644, post 120). Diodorus i. 37. 4 :

οἱ δὲ περὶ τὸν Ἔφορον καὶ Θεόπομπον μάλιστα πάντων
εἰς ταῦτ᾽[1] ἐπιταθέντες ἥκιστα τῆς ἀληθείας ἐπέτυχον.

Cf. Pseudo-Plutarch. *De Placitis Phil.* iv. 1, p. 898 b, qui
Ephorum laudat sine Theopompi mentione.   20

274 (M 321). (*a*) Grammaticus ap. Bekk. *Anecd.* p. 465. 3 :

αὐτοβοεί· τὸ παραχρῆμα συντελεσθῆναι ἐν πολεμικοῖς
ἔργοις, οἷον ταχέως καὶ ἅμα τῷ πολεμικῷ ἀλαλαγμῷ. οὕτω
Θουκυδίδης . . . παρὰ Θεοπόμπῳ δὲ ἀντὶ τοῦ κατὰ κράτος.

(*b*) Eadem apud Etymol. Magnum.   25

275 (M 116). Harpocration :

Ἀρτεμισία· . . . θυγάτηρ μὲν ἦν Ἑκατόμνω, γυνὴ δὲ
καὶ ἀδελφὴ Μαυσώλου, ἥν φησι Θεόπομπος φθινάδι νόσῳ

---

[1] sc. Nili incrementa eorumque causas

3 Phil. x tribuit M.   Potest sane hic comicus esse, qui quidem
Euripidem in Fr. Kock 34 nominat   6 Phil. i vel ii tribuit M
7 Bardulis] vv. ll. bargulis, bargilius   8 latro secl. Halm   10 Phil.
viii tribuit M, cf. 73-4 et Cic. *Tusc. Disp.* i. 48   16 Phil. xiii (?)
tribuit M, coll. 105   26 Phil. xii tribuit M   27 v. l. ἑκατόμνου,
et sic Suidas

FRAGMENTA INCERTAE SEDIS

ληφθεῖσαν διὰ τὴν λύπην τὴν ἐπὶ τοῦ ἀνδρὸς καὶ ἀδελφοῦ
Μαυσώλου ἀποθανεῖν.

Cf. Suidam hac voce, qui verba θυγάτηρ . . . Μαυσώλου
habet, et Strab. xiv. 2. 17 (C. 656).

276 (M 317). Harpocration:

Θρόνιον· . . . πόλις ἐστὶ τῆς Λοκρίδος Θρόνιον, ὡς
Θεόπομπος ἐν τῇ ⟨   ⟩.

277 (M 116). (*a*) Harpocration:

Μαύσωλος· . . . ἄρχων Καρῶν.   φησὶ δὲ αὐτὸν Θεόπομπος
μηδενὸς ἀπέχεσθαι πράγματος χρημάτων ἕνεκα.

(*b*) Eadem apud Suidam.

278 (M 318). (*a*) Harpocration:

ὁμηρεύοντας· . . . Θεόπομπος δὲ ὁμηρεῖν φησι παρὰ τοῖς
ἀρχαίοις λέγεσθαι τὸ ἀκολουθεῖν· τοὺς οὖν ἐπ᾽ ἀκολουθίᾳ
τῶν ὁμολογουμένων διδομένους ἐντεῦθεν ὁμήρους φησὶ
λέγεσθαι.

Eadem apud (*b*) Suidam s. v. ὅμηρον, ubi ὡμολογημένων
scriptum est.

279 (M 240). Harpocration:

Τιλφώσσαιον· . . . ὄρος ἐστὶ μικρὸν ἀπέχον τῆς λίμνης
τῆς Κωπαῖδος, ὡς Θεόπομπος ἐν ταῖς Φιλιππικαῖς.

280 (M 319). Hesychius:

Βισύρας· ἥρως Θρᾷξ.   Θεόπομπος δὲ Χερσοννησίτην
λέγει {Βισσύρας}.

281 (M 320). Hesychius:

Δονάκταν· τὸν Ἀπόλλωνα.   Θεόπομπος.

282 (M 301). Longinus *De Sublim.* 31. 1:

ταύτῃ καὶ τὸ τοῦ Θεοπόμπου ἐκεῖνο ἐπαινετόν· . . . ΄δεινὸς
ὤν, φησίν, ὁ Φίλιππος ἀνακοφαγῆσαι πράγματα.᾽

7 ἐν τῇ] v. l. φησίν.   Post τῇ excidit libri numerus   8 Phil. xii
tribuit M   14 ἀχαιοῖς codd. : ex Suida corr. edd.   19 Phil.
xlv tribuit M   23 Χερσοννησίτην Musurus : χέρσαννισυτην cod.
24 Βισσύρας del. M. Schmidt   26 Δονάκταν Salmasius: δοναστάν cod.
28 ἐκεῖνο ἐπαινετόν Hammer : καὶ τὸν ἐπήνετον cod. Paris. 2036
29 τὰ ante πράγματα add. Morus

283 (M 125). (*a*) Longinus *De Sublim.* 43. 2 :

ὁμοίως καὶ ὁ Θεόπομπος ὑπερφυῶς σκευάσας τὴν τοῦ
Πέρσου κατάβασιν ἐπ' Αἴγυπτον ὀνοματίοις τισὶ τὰ ὅλα
διέβαλε. 'ποία γὰρ πόλις ἢ ποῖον ἔθνος τῶν κατὰ τὴν
Ἀσίαν οὐκ ἐπρεσβεύετο πρὸς βασιλέα; τί δὲ τῶν ἐκ τῆς 5
γῆς γεννωμένων ἢ τῶν κατὰ τέχνην ἐπιτελουμένων καλῶν ἢ
τιμίων οὐκ ἐκομίσθη δῶρον ὡς αὐτόν; οὐ πολλαὶ μὲν καὶ
πολυτελεῖς στρωμναὶ καὶ χλανίδες (τὰ μὲν ἁλουργῆ, τὰ δὲ
ποικιλτά, τὰ δὲ λευκά), πολλαὶ δὲ σκηναὶ χρυσαῖ κατεσκευα-
σμέναι πᾶσι τοῖς χρησίμοις, πολλαὶ δὲ καὶ ξυστίδες καὶ 10
κλῖναι πολυτελεῖς; ἔτι δὲ καὶ κοῖλος ἄργυρος καὶ χρυσὸς
ἀπειργασμένος καὶ ἐκπώματα καὶ κρατῆρες, ὧν τοὺς μὲν
λιθοκολλήτους, τοὺς δ' ἄλλους ἀκριβῶς καὶ πολυτελῶς εἶδες
ἂν ἐκπεπονημένους. πρὸς δὲ τούτοις ἀναρίθμητοι μὲν ὅπλων
μυριάδες τῶν μὲν Ἑλληνικῶν, τῶν δὲ βαρβαρικῶν, ὑπερ- 15
βάλλοντα δὲ τὸ πλῆθος ὑποζύγια καὶ πρὸς κατακοπὴν ἱερεῖα
σιτευτά, καὶ πολλοὶ μὲν ἀρτυμάτων μέδιμνοι, πολλοὶ δὲ οἱ
θύλακοι καὶ σάκκοι καὶ χάρται βιβλίων καὶ τῶν ἄλλων
ἁπάντων χρησίμων· τοσαῦτα δὲ κρέα τεταριχευμένα παντο-
δαπῶν ἱερείων ὡς σαυροὺς αὐτῶν γενέσθαι τηλικούτους ὥστε 20
τοὺς προσιόντας πόρρωθεν ὑπολαμβάνειν ὄχθους εἶναι καὶ
λόφους ἀντωθουμένους'.

(*b*) Athenaeus ii. 67 f:

καὶ Θεόπομπος δέ φησι· πολλοὶ μὲν ἀρτυμάτων μέδιμνοι,
πολλοὶ δὲ σάκκοι καὶ θύλακοι βιβλίων καὶ τῶν ἄλλων 25
ἁπάντων τῶν χρησίμων πρὸς τὸν βίον'.

284 (M 300). Lucianus *Macrob.* 10:

Τήρης δὲ Ὀδρυσῶν βασιλεύς, καθά φησι Θεόπομπος, δύο
καὶ ἐνενήκοντα ἐτῶν ἐτελεύτησεν.

285 (M 118). Nepos *Iphicrat.* 3 : 30

fuit autem et animo magno et corpore imperatoriaque forma

---

1 Phil. xiv tribuit M, Theopompi orationi cuidam Riese   7 τιμίων
Manutius : τιμῶν cod. Par.   17 σιτευτά Canter : εἰς ταῦτα cod. Par.
19 τοσαῦτα Robortelli : τοιαῦτα cod. Par.   24 ἀρτυμάτων]
ἀρτύματα vel -ος codd.   30 Phil. xiii tribuit M

ut ipso aspectu cuivis iniceret admirationem sui, sed in labore
nimis remissus parumque patiens, ut Theopompus memoriae
prodidit, bonus vero civis fideque magna.

286. Nepos *Alcib.* 11 :

5 Hunc[1] infamatum a plerisque tres gravissimi historici
summis laudibus extulerunt : Thucydides qui eiusdem aetatis
fuit, Theopompus post aliquanto natus, et Timaeus : qui
quidem duo maledicentissimi nescio quo modo in illo uno
laudando consentiunt. namque ea quae supra scripsimus de
10 eo praedicarunt atque hoc amplius: cum Athenis, splendidis-
sima civitate, natus esset, omnes splendore ac dignitate
superasse vitae ; postquam inde expulsus Thebas venerit, adeo
studiis eorum inservisse ut nemo eum labore corporisque
viribus posset aequiperare (omnes enim Boeotii magis firmitati
15 corporis quam ingenii acumini serviunt); eundem apud Lace-
daemonios, quorum moribus summa virtus in patientia pone-
batur, sic duritiae se dedisse ut parsimonia victus atque cultus
omnes Lacedaemonios vinceret ; fuisse apud Thracas, homines
vinolentos rebusque veneriis deditos : hos quoque in his rebus
20 antecessisse ; venisse ad Persas, apud quos summa laus esset
fortiter venari, luxuriose vivere: horum sic imitatum consue-
tudinem ut illi ipsi eum in his maxime admirarentur. quibus
rebus effecisse ut apud quoscumque esset princeps poneretur
hahereturque carissimus.

25 **287.** Moeris ed. Bekker p. 201. 6 :

κατωνάκη· τοῖς εἰς χρόνον φεύγουσιν ὅτε κατίοιεν νάκους
τι τοῖς ἱματίοις προσερράπτετο, ὡς καὶ Θεόπομπος· ' ἠναγ-
κάσθησαν δὲ ὑπὸ τῶν τυράννων, ἵνα μὴ κατίωσιν εἰς ἄστυ,
κατωνάκην φορεῖν '.

---

[1] sc. Alcibiadem

---

9 consentiunt Halm: consuerunt, consueverunt, consenserunt, con-
scierunt codd.   15 serviunt Fleckeisen : inserviunt codd.
25 Theopompo historico potius quam comico tribuit Kock *Com. Att.
Fr.* i. p. 756, Fr. 99

288 (M 258). Pausanias iii. 10. 3 :

Θεόπομπος δὲ ὁ Δαμασιστράτου τόν τε ᾿Αρχίδαμον μετασχεῖν τῶν χρημάτων αὐτόν, καὶ ἔτι Δεινίχαν τὴν ᾿Αρχιδάμου γυναῖκα παρὰ τῶν δυναστευόντων ἐν Φωκεῦσιν ἔφη λαμβάνουσαν δωρεὰν ἑτοιμότερον ποιεῖν σφίσιν·ἐς τὴν 5 συμμαχίαν ᾿Αρχίδαμον.

289 (M 322). (a) Photius *Lex.* :

κιλικισμόν· Θεόπομπος ὁ ἱστορικὸς τὸν ἐκ παρανομίας φόνον λέγει.

(b) Idem apud Suidam, qui παροινίας pro παρανομίας 10 rectius ut videtur scribit.

290 (M 316). Plinius *Nat. Hist.* ii. 106 (110) :

nam si intermisit ille iucundus frondemque densi supra se nemoris non adurens et iuxta gelidum fontem semper ardens Nymphaei crater, dira Apolloniatis suis portendit, ut Theo- 15 pompus tradidit ; augetur imbribus egeritque bitumen temperandum fonte illo ingustabili ⟨et⟩ alias omni bitumine dilutius.

291 (M 144). Plinius *Nat. Hist.* iii. 5 (9) :

Theopompus, ante quem nemo mentionem habuit, urbem[1] dumtaxat a Gallis captam dixit. 20

Cf. Iustin. xx. 5. 4.

292 (M 233). Plinius *Nat. Hist.* iii. 11 (15) :

Pandosiam Lucanorum urbem fuisse Theopompus[2], in qua Alexander Epirotes occubuerit.

Hinc colligit M ea quae de Alexandro narrat Iustinus xii. 2. 25 1–15 et viii. 6. 4–8 e Theopompo fluxisse. Cf. **46, 200**.

293 (M 230). (a) Plinius *Nat. Hist.* iv. 1 (1) :

Talarus mons, centum fontibus circa radices Theopompo celebratus.

---

[1] sc. Romam   [2] sc. auctor est

---

1 Phil. lii tribuit M   3 χρημάτων] v. l. πραγμάτων   13 ⟨visu⟩ ille ci. Mayhoff   17 et alias Mayhoff : a alias vel alias codd. 18 Phil. xxi tribuit M   22 Phil. xliii tribuit M   Pandosiam Herm. Barbarus e Strab. vi. 1. 5 (C. 256) : mardoniam codd. 27 Phil. xliii tribuit M   Talarus] Tomarus ci. Herm. Barbarus e Steph. Byz.

FRAGMENTA INCERTAE SEDIS

(*b*) Solinus *Coll. Rerum Memorab.* 7. 1 :

in eo[1] apud Molossos . . . Talarus mons est, circa radices
nobilis centum fontibus, ut Theopompo placet.

294 (M 24). Plutarchus *Agesil.* c. 10, p. 601 :

5   καὶ μέγιστος μὲν ἦν ὁμολογουμένως καὶ τῶν τότε ζώντων
ἐπιφανέστατος, ὡς εἴρηκέ που καὶ Θεόπομπος, ἑαυτῷ γε μὴν
ἐδίδου δι' ἀρετῆς φρονεῖν μεῖζον ἢ διὰ τὴν ἡγεμονίαν.

295 (M 291). Plutarchus *Agesil.* c. 31, p. 613 :

  ὁ γὰρ Ἀγησίλαος οὐκ εἴα πρὸς τοσοῦτον, ὥς φησι
10 Θεόπομπος, ῥεῦμα καὶ κλύδωνα πολέμου μάχεσθαι τοὺς
Λακεδαιμονίους, ἀλλὰ τῆς πόλεως τὰ μέσα καὶ κυριώτατα
τοῖς ὁπλίταις περιεσπειραμένος ἐκαρτέρει τὰς ἀπειλὰς καὶ
τὰς μεγαλαυχίας τῶν Θηβαίων, προκαλουμένων ἐκεῖνον
ὀνομαστὶ καὶ διαμάχεσθαι περὶ τῆς χώρας κελευόντων, ὃς
15 τῶν κακῶν αἴτιός ἐστιν ἐκκαύσας τὸν πόλεμον. οὐχ ἧττον
δὲ τούτων ἐλύπουν τὸν Ἀγησίλαον οἱ κατὰ τὴν πόλιν
θόρυβοι καὶ κραυγαὶ καὶ διαδρομαὶ τῶν τε πρεσβυτέρων
δυσανασχετούντων τὰ γινόμενα καὶ τῶν γυναικῶν οὐ δυνα-
μένων ἡσυχάζειν, ἀλλὰ παντάπασιν ἐκφρόνων οὐσῶν πρός
20 τε τὴν κραυγὴν καὶ τὸ πῦρ τῶν πολεμίων. ἠνία δὲ καὶ τὸ
τῆς δόξης αὐτὸν ὅτι τὴν πόλιν μεγίστην παραλαβὼν καὶ
δυνατωτάτην ἑώρα συνεσταλμένον αὐτῆς τὸ ἀξίωμα καὶ τὸ
αὔχημα κεκολουμένον, ᾧ καὶ αὐτὸς ἐχρήσατο πολλάκις εἰπὼν
ὅτι γυνὴ Λάκαινα καπνὸν οὐχ ἑώρακε πολέμιον.

25 **296** (M 292). Plutarchus *Agesil.* c. 32, p. 614 :

  Θεόπομπος δέ φησιν ἤδη τῶν βοιωταρχῶν ἐγνωκότων
ἀπαίρειν ἀφικέσθαι πρὸς αὐτοὺς Φρίξον, ἄνδρα Σπαρτιάτην,
παρὰ Ἀγησιλάου δέκα τάλαντα κομίζοντα τῆς ἀναχωρήσεως
μισθόν, ὥστε τὰ πάλαι δεδογμένα πράττουσιν αὐτοῖς ἐφόδιον
30 παρὰ τῶν πολεμίων προσπεριγενέσθαι.

---

[3] sc. sinu

---

2 Talarus : vv. ll. tabarus et tiliarus   4 Hell. xi tribuit M

297 (M 105). Plutarchus *Demosth.* c. 4, p. 847 :

Δημοσθένης ὁ πατὴρ Δημοσθένους ἦν μὲν τῶν καλῶν
καὶ ἀγαθῶν ἀνδρῶν, ὡς ἱστορεῖ Θεόπομπος, ἐπεκαλεῖτο δὲ
μαχαιροποιὸς ἐργαστήριον ἔχων μέγα καὶ δούλους τεχνίτας
τοὺς τοῦτο πράττοντας.   5

298 (M 106). Plutarchus *Demosth.* c. 13, p. 851 :

ὅθεν οὐκ οἶδ᾽ ὅπως παρέστη Θεοπόμπῳ λέγειν αὐτὸν [1]
ἀβέβαιον τῷ τρόπῳ γεγονέναι καὶ μήτε πράγμασι μήτ᾽
ἀνθρώποις πολὺν χρόνον τοῖς αὐτοῖς ἐπιμένειν δυνάμενον.

299 (M 107). Plutarchus *Demosth.* c. 14, p. 852 :   10

ἱστορεῖ δὲ καὶ Θεόπομπος ὅτι τῶν Ἀθηναίων ἐπί τινα
προβαλλομένων αὐτὸν κατηγορίαν, ὡς (δ᾽) οὐχ ὑπήκουε,
θορυβούντων ἀναστὰς εἶπεν· ‘ ὑμεῖς ἐμοί, ὦ ἄνδρες Ἀθηναῖοι,
συμβούλῳ μέν, κἂν μὴ θέλητε, χρήσεσθε, συκοφάντῃ δὲ
οὐδὲ ἂν θέλητε ᾽.   15

300 (M 239). Plutarchus *Demosth.* c. 18, p. 854 :

τὸ μὲν οὖν συμφέρον οὐ διέφευγε τοὺς τῶν Θηβαίων
λογισμούς, ... ἡ δὲ τοῦ ῥήτορος δύναμις, ὥς φησι Θεόπομπος,
ἐκριπίζουσα τὸν θυμὸν αὐτῶν καὶ διακαίουσα τὴν φιλοτιμίαν
ἐπεσκότησε τοῖς ἄλλοις ἅπασιν, ὥστε καὶ φόβον καὶ λογισμὸν 20
καὶ χάριν ἐκβαλεῖν αὐτοὺς ἐνθουσιῶντας ὑπὸ τοῦ λόγου πρὸς
τὸ καλόν. οὕτω δὲ μέγα καὶ λαμπρὸν ἐφάνη τὸ τοῦ ῥήτορος
ἔργον, ὥστε τὸν μὲν Φίλιππον εὐθὺς ἐπικηρυκεύεσθαι δεό-
μενον εἰρήνης, ὀρθὴν δὲ τὴν Ἑλλάδα γενέσθαι καὶ συνεξ-
αναστῆναι πρὸς τὸ μέλλον, ὑπηρετεῖν δὲ μὴ μόνον τοὺς 25
στρατηγοὺς τῷ Δημοσθένει ποιοῦντας τὸ προσταττόμενον,
ἀλλὰ καὶ τοὺς βοιωτάρχας, διοικεῖσθαι (δὲ) τὰς ἐκκλησίας
ἁπάσας οὐδὲν ἧττον ὑπ᾽ ἐκείνου τότε τὰς Θηβαίων ἢ τὰς
Ἀθηναίων, ἀγαπωμένου παρ᾽ ἀμφοτέροις καὶ δυναστεύοντος

---

[1] sc. Demosthenem

---

1 Phil. x tribuit M   6 Phil. x tribuit M   10 Phil. x tribuit M
12 δ᾽ add. Coraes   16 Phil. xlv tribuit Wichers, Phil. liii M
27 δὲ add. Lambinus

FRAGMENTA INCERTAE SEDIS

οὐκ ἀδίκως οὐδὲ παρ' ἀξίαν, ὥσπερ ἀποφαίνεται Θεόπομπος,
ἀλλὰ καὶ πάνυ προσηκόντως.

301 (M 108). Plutarchus *Demosth.* c. 25, p. 857 :

δεδιότες δὲ μὴ λόγον ἀπαιτῶνται χρημάτων ὧν διηρπά-
5 κεσαν οἱ ῥήτορες, ζήτησιν ἐποιοῦντο νεανικὴν καὶ τὰς οἰκίας
ἐπιόντες ἠρεύνων πλὴν τῆς Καλλικλέους τοῦ Ἀρρενίδου.
μόνην γὰρ τὴν τούτου νεωστὶ γεγαμηκότος οὐκ εἴασαν ἐλεγ-
χθῆναι, νύμφης ἔνδον οὔσης, ὡς ἱστορεῖ Θεόπομπος.

302 (M 211). Plutarchus *Dion* c. 24, p. 968 :

10 λέγεται δὲ καὶ τῷ Διονυσίῳ πολλὰ τερατώδη παρὰ τοῦ
δαιμονίου γενέσθαι σημεῖα. ἀετὸς μὲν γὰρ ἁρπάσας δοράτιόν
τινος τῶν δορυφόρων ἀράμενος ὑψοῦ καὶ φέρων ἀφῆκεν εἰς
τὸν βυθόν· ἡ δὲ προσκλύζουσα πρὸς τὴν ἀκρόπολιν θάλασσα
μίαν ἡμέραν τὸ ὕδωρ γλυκὺ καὶ πότιμον παρέσχεν, ὥστε
15 γευσαμένοις πᾶσι κατάδηλον εἶναι. χοῖροι δ' ἐτέχθησαν
αὐτῷ τῶν μὲν ἄλλων οὐδενὸς ἐνδεεῖς μορίων, ὦτα δ' οὐκ
ἔχοντες. ἀπεφαίνοντο δ' οἱ μάντεις τοῦτο μὲν ἀποστάσεως
καὶ ἀπειθείας εἶναι σημεῖον, ὡς οὐκέτι τῶν πολιτῶν ἀκουσο-
μένων τῆς τυραννίδος, τὴν δὲ γλυκύτητα τῆς θαλάσσης
20 μεταβολὴν καιρῶν ἀνιαρῶν καὶ πονηρῶν εἰς πράγματα χρηστὰ
φέρειν Συρακουσίοις. ἀετὸς δὲ θεράπων Διός, λόγχη δὲ
παράσημον ἀρχῆς καὶ δυναστείας· ἀφανισμὸν οὖν καὶ κατά-
λυσιν τῇ τυραννίδι βουλεύειν τὸν τῶν θεῶν μέγιστον. ταῦτα
μὲν οὖν Θεόπομπος ἱστόρηκε.

25 **303** (M 10). Plutarchus *Lysand.* c. 17, p. 442 :

καὶ Θεόπομπος μέν φησι Σκιραφίδαν, Ἔφορος δὲ Φλογίδαν
εἶναι τὸν ἀποφηνάμενον ὡς οὐ χρὴ προσδέχεσθαι νόμισμα
χρυσοῦν καὶ ἀργυροῦν εἰς τὴν πόλιν, ἀλλὰ χρῆσθαι τῷ πατρίῳ.

304 (M 215). (*a*) Plutarchus *Timoleon* c. 4, p. 237 :

30 ἀπωσαμένου δ' ἐκείνου [1] καὶ καταφρονοῦντος, οὕτω παρα-

---

[1] sc. Timophanis

---

3 Phil. xii tribuit M   9 Phil. xl tribuit M   25 Hell. ii
tribuit M   29 Phil. xl tribuit M

λαβὼν [1] τῶν μὲν οἰκείων Αἰσχύλον, ἀδελφὸν ὄντα τῆς
Τιμοφάνους γυναικός, τῶν δὲ φίλων τὸν μάντιν, ὃν Σάτυρον
μὲν Θεόπομπος, Ἔφορος δὲ καὶ Τίμαιος Ὀρθαγόραν ὀνο-
μάζουσι, καὶ διαλιπὼν ἡμέρας ὀλίγας αὖθις ἀνέβη πρὸς τὸν
ἀδελφόν.   5

(b) Clemens Alex. *Strom.* i. 21. 135 (p. 400):

Θεόπομπος δὲ καὶ Ἔφορος καὶ Τίμαιος Ὀρθαγόραν τινὰ
μάντιν ἀναγράφουσι.

305 (M 293). Plutarchus *De Iside et Osir.* c. 69, p. 378 e :

τοὺς δὲ πρὸς ἑσπέραν οἰκοῦντας ἱστορεῖ Θεόπομπος 10
ἡγεῖσθαι καὶ καλεῖν τὸν μὲν χειμῶνα Κρόνον, τὸ δὲ θέρος
Ἀφροδίτην, τὸ δ’ ἔαρ Περσεφόνην· ἐκ δὲ Κρόνου καὶ Ἀφρο-
δίτης γεννᾶσθαι πάντα.

306 (M 294). Plutarchus *Non Posse Suaviter* c. 11,
p. 1093 c :   15

τίς δ’ ἂν ἡσθείη συναναπαυσάμενος τῇ καλλίστῃ γυναικὶ
μᾶλλον ἢ προσαγρυπνήσας οἷς γέγραφε περὶ Πανθείας
Ξενοφῶν ἢ περὶ Τιμοκλείας Ἀριστόβουλος ἢ Θήβης
Θεόπομπος;

307 (M iv. p. 645, post 297). Plutarchus *De Pythiae Orac.* 20
c. 19, p. 403 e–f :

Ἀλυρίου τοίνυν καὶ Ἡροδότου καὶ Φιλοχόρου καὶ Ἴστρου,
τῶν μάλιστα τὰς ἐμμέτρους μαντείας φιλοτιμηθέντων συνα-
γαγεῖν, ἄνευ μέτρου χρησμοὺς γεγραφότων, Θεόπομπος
οὐδενὸς ἧττον ἀνθρώπων ἐσπουδακὼς περὶ τὸ χρηστήριον 25
ἰσχυρῶς ἐπιτετίμηκε τοῖς μὴ νομίζουσι κατὰ τὸν τότε χρόνον
ἔμμετρα τὴν Πυθίαν θεσπίζειν. εἶτα τοῦτο βουλόμενος
ἀποδεῖξαι παντάπασιν ὀλίγων χρησμῶν ηὐπόρηκεν, ὡς τῶν
ἄλλων καὶ τότ’ ἤδη καταλογάδην ἐκφερομένων.

---

[1] sc. Timoleon

18 Θήβης] sc. Alexandri Pheraei coniugis ; cf. Conon *Dieg.* 50.
Phil. ix tribuit M iv. p. 643 ; cf. **319**   28 τῶν ἄλλων] τῶν πολλῶν
ci. Herwerden

308 (M 332). Pollux *Onomast.* iii. 58 :

παμπόνηροι δ' οἱ Θεοπόμπου τοῦ συγγραφέως‛ ἀποπολῖται᾽
καὶ ‛ ἀφέταιροι ᾽ καὶ ‛ ἀπαθηναῖοι ᾽.

309 (M 333). Pollux *Onomast.* iv. 93 :

5 τὸ μέντοι ὄνομα ‛ ὁ ἀποκήρυκτος ᾽ οὐκ ἔστιν ἐν χρήσει τῇ
παλαιᾷ, Θεόπομπος δ' αὐτῷ κέχρηται ὁ συγγραφεύς· ἀλλ'
οὐδὲν Θεοπόμπῳ σταθμητὸν εἰς ἑρμηνείας κρίσιν.

310 (M 334). Pollux *Onomast.* v. 42 :

ἔνδοξος δὲ καὶ ὁ Ἠπειρωτικὸς Κέρβερος καὶ ὁ Ἀλεξάνδρου
10 Περίτας, τὸ θρέμμα τὸ Ἰνδικόν· ἐκράτει δ' οὗτος λέοντος,
ἑκατὸν μνῶν ἐωνημένος, καὶ ἀποθανόντι αὐτῷ πόλιν φησὶ
Θεόπομπος Ἀλέξανδρον ἐποικίσαι.

Cf. Plut. *Alexand.* c. 61, p. 699, ubi idem Sotionem ex
Potamone Lesbio auditum scripsisse narratur.

15 **311** (M 216). Polybius xii. 4 a. 1–2 :

ὅτι διασύρας ὁ Πολύβιος τὸν Τίμαιον ἐν πολλοῖς αὖθίς
φησι· ‛ τίς ἂν ἔτι δοίη συγγνώμην ⟨ἐπὶ⟩ τοῖς τοιούτοις ἁμαρτή-
μασιν ἄλλως τε καὶ Τιμαίῳ τῷ προσφυομένῳ τοῖς ἄλλοις
πρὸς τὰς τοιαύτας παρωνυχίας; ἐν αἷς Θεοπόμπου μὲν
20 κατηγορεῖ διότι Διονυσίου ποιησαμένου τὴν ἀνακομιδὴν ἐκ
Σικελίας εἰς Κόρινθον ἐν μακρᾷ νηί, Θεόπομπός φησιν ἐν
στρογγύλῃ παραγενέσθαι τὸν Διονύσιον.᾽

Cf. Diod. xvi. 70. 3 ἐν μικρῷ στρογγύλῳ πλοίῳ κατέ-
πλευσεν εἰς τὴν Κόρινθον.

25 **312** (M 28). Polybius xii. 27. 8–9 :

ὁ δὲ Θεόπομπος ¹ τοῦτον μὲν ἄριστον ἐν τοῖς πολεμικοῖς
τὸν πλείστοις κινδύνοις παρατετευχότα, τοῦτον δὲ δυνατώ-
τατον ἐν λόγῳ τὸν πλείστων μετεσχηκότα πολιτικῶν ἀγώνων.
τὸν αὐτὸν δὲ τρόπον συμβαίνειν ἐπ' ἰατρικῆς καὶ κυβερνητικῆς.

---

¹ sc. φησὶ

2 v.l. ἀπολῖται   15 Phil. xl tribuit M   17 ἐπὶ add. Geel
25 Phil. i tribuit M

313 (M 272). Polybius xvi. 12. 7 :

τὸ γὰρ φάσκειν ἔνια τῶν σωμάτων ἐν φωτὶ τιθέμενα μὴ
ποιεῖν σκιὰν ἀπηλγηκυίας ἐστὶ ψυχῆς· ὃ πεποίηκε Θεό-
πομπος, φήσας τοὺς εἰς τὸ τοῦ Διὸς ἄβατον ἐμβάντας κατ᾽
Ἀρκαδίαν ἀσκίους γίνεσθαι.   5

314 (M 283). Porphyrius *De Abstinentia* ii. 16 :

τὰ παραπλήσια δὲ καὶ Θεόπομπος ἱστόρηκεν, εἰς Δελφοὺς
ἀφικέσθαι ἄνδρα Μάγνητα ἐκ τῆς Ἀσίας φάμενος, πλούσιον
σφόδρα, κεκτημένον συχνὰ βοσκήματα. τοῦτον δ᾽ εἰθίσθαι
τοῖς θεοῖς καθ᾽ ἕκαστον ἐνιαυτὸν θυσίας ποιεῖσθαι πολλὰς 10
καὶ μεγαλοπρεπεῖς, τὰ μὲν δι᾽ εὐπορίαν τῶν ὑπαρχόντων, τὰ
δὲ δι᾽ εὐσέβειαν καὶ τὸ βούλεσθαι τοῖς θεοῖς ἀρέσκειν. οὕτω
δὲ διακείμενον πρὸς τὸ δαιμόνιον ἐλθεῖν εἰς Δελφούς, πομ-
πεύσαντα δὲ ἑκατόμβην τῷ θεῷ καὶ τιμήσαντα μεγαλοπρεπῶς
τὸν Ἀπόλλωνα παρελθεῖν εἰς τὸ μαντεῖον χρηστηριασόμενον· 15
οἰόμενον δὲ κάλλιστα πάντων ἀνθρώπων θεραπεύειν τοὺς
θεοὺς ἐρέσθαι τὴν Πυθίαν, τὸν ἄριστα καὶ προθυμότατα τὸ
δαιμόνιον γεραίροντα θεσπίσαι καὶ τὸν ποιοῦντα τὰς θυσίας
προσφιλεστάτας, ὑπολαμβάνοντα δοθήσεσθαι αὐτῷ τὸ πρω-
τεῖον. τὴν δὲ ἱέρειαν ἀποκρίνασθαι πάντων ἄριστα θερα- 20
πεύειν τοὺς θεοὺς Κλέαρχον κατοικοῦντα ἐν Μεθυδρίῳ τῆς
Ἀρκαδίας. τὸν δ᾽ ἐκπλαγέντα ἐκτόπως ἐπιθυμῆσαι τὸν
ἄνθρωπον ἰδεῖν καὶ ἐντυχόντα μαθεῖν τίνα τρόπον τὰς θυσίας
ἐπιτελεῖ. ἀφικόμενον οὖν ταχέως εἰς τὸ Μεθύδριον πρῶτον
μὲν καταφρονῆσαι μικροῦ καὶ ταπεινοῦ ὄντος τὸ μέγεθος τοῦ 25
χωρίου, ἡγούμενον οὐχ ὅπως ἄν τινα τῶν ἰδιωτῶν, ἀλλ᾽ οὐδ᾽
ἂν αὐτὴν τὴν πόλιν δύνασθαι μεγαλοπρεπέστερον αὐτοῦ καὶ
κάλλιον τιμῆσαι τοὺς θεούς. ὅμως δ᾽ οὖν συντυχόντα τῷ

1 Phil. lvi tribuit M   6 Libro Περὶ εὐσεβείας (cf. 370) tribuit M,
Phil. xxvi Bernays *Rh. Mus.* xxi 300 coll. 157   7 Θεόπομπος]
Θεόφραστος ci. Ruhnken, quem refutavit Bernays (*Theophrastos'
Schrift ü. Frömmigkeit* p. 69)   9 σφόδρα καὶ κεκτ. ci. Nauck   11 τῶν
ὑπαρχόντων abesse malit Nauck   13 δὲ] δὴ ci. Nauck   18 ποιούμενον
ci. Reiske   19 προσφιλέστατα Hercher : αὐτῷ Nauck : αὐτῷ codd.
24 ἀφικόμενον] ἀφικομένου codd., corr. Hercher   25 τὸ μέγεθος
Cobet : τοῦ μεγέθους codd.   27 αὐτοῦ Hercher : αὑτοῦ codd.

ἀνδρὶ ἀξιῶσαι φράσαι αὐτῷ ὅντινα τρόπον τοὺς θεοὺς τιμᾷ.
τὸν δὲ Κλέαρχον φάναι ἐπιτελεῖν καὶ σπουδαίως θύειν ἐν
τοῖς καθήκουσι χρόνοις, κατὰ μῆνα ἕκαστον ταῖς νουμηνίαις
στεφανοῦντα καὶ φαιδρύνοντα τὸν Ἑρμῆν καὶ τὴν Ἑκάτην
5 καὶ τὰ λοιπὰ τῶν ἱερῶν, ἃ δὴ τοὺς προγόνους καταλιπεῖν,
καὶ τιμᾶν λιβανωτοῖς καὶ ψαιστοῖς καὶ ποπάνοις· κατ᾽
ἐνιαυτὸν δὲ θυσίας δημοτελεῖς ποιεῖσθαι, παραλείποντα
οὐδεμίαν ἑορτήν· ἐν αὐταῖς δὲ ταύταις θεραπεύειν τοὺς θεοὺς
οὐ βουθυτοῦντα οὐδὲ ἱερεῖα κατακόπτοντα, ἀλλ᾽ ὅ τι ἂν
10 παρατύχῃ ἐπιθύοντα, σπουδάζειν μέντοι ἀπὸ πάντων τῶν
περιγιγνομένων καρπῶν καὶ τῶν ὡραίων ἃ ἐκ τῆς γῆς λαμβά-
νεται, τοῖς θεοῖς τὰς ἀπαρχὰς ἀπονέμειν· καὶ τὰ μὲν παρατι-
θέναι, τὰ δὲ καθαγίζειν αὐτοῖς· αὐτὸν δὲ τῇ αὐταρκείᾳ
προσεσχηκότα τὸ θῦσαι βοῦς προεῖσθαι.

15 **315** (M 113). Schol. in Apoll. Rhod. i. 308 :

ἠὲ Κλάρον· τόπος Κολοφῶνος ἀνιερωμένος Ἀπόλλωνι καὶ
χρηστήριον τοῦ θεοῦ, ὑπὸ Μαντοῦς τῆς Τειρεσίου θυγατρὸς
καθιδρυμένον, ἢ ὑπὸ Κλάρου τινὸς ἥρωος, ὡς Θεόπομπος.

316 (M 342). (a) Schol. in Aristoph. *Acharn.* 1076 :

20 Θεόπομπος τοὺς διασωθέντας ἐκ τοῦ κατακλυσμοῦ ἑψῆσαί
φησι χύτρας πανσπερμίας, ὅθεν οὕτω κληθῆναι τὴν ἑορτήν·
‘καὶ θύειν ⟨αὐ⟩τοῖς ⟨ἔθος ἔ⟩χουσι Ἑρμῇ χθονίῳ’. τῆς δὲ
χύτρας οὐδένα γεύσασθαι. τοῦτο δὲ ποιῆσαι τοὺς περι-
σωθέντας, ἱλασκομένους τὸν Ἑρμῆν {καὶ} περὶ τῶν ἀποθα-
25 νόντων.

(b) Eadem apud Suidam s.v. Χύτροι.

(c) Schol. in Aristoph. *Ran.* 218 :

Χύτροι ἑορτὴ παρ᾽ Ἀθηναίοις. ἄγεται δὲ παρὰ ταύτην

2 ἐπιτελεῖν σπουδαίως scripsisse Theop. ci. Bernays   3 καθήκουσι
Nauck : προσηκ. codd.   13 καθαγίζειν Reiske : καθαγιάζειν codd.
αὐτοῖς] αὐτῶν ci. Bernays, θεῶν Nauck   14 τὸ θῦσαι βοῦς προεῖσθαι
Bernays : τοῦ θῦσαι βοῦς προνοεῖσθαι codd.   15 Phil. xii tribuit M
17, 18 ὑπὸ . . . ὑπὸ Keil : ἀπὸ . . . ἀπὸ cod. Laur.   19 Theopompo
Cnidio tribuit Welcker *Ep. Cycl.* p. 29   22 corr. Rutherford
coll. (c)   24 καὶ secl. Rutherford   περὶ] ὑπὲρ Rutherford, coll. (c)

τὴν αἰτίαν ἣν καὶ Θεόπομπος ἐκτίθεται γράφων οὕτως·
'διασωθέντας οὖν τοὺς ἀνθρώπους, ᾗπερ ἐθάρρησαν ἡμέρᾳ,
τῷ ταύτης ὀνόματι προσαγορεῦσαι καὶ τὴν ἑορτὴν ἅπασαν,'
ἔπειτα· 'θύειν αὐτοῖς ἔθος ἔχουσι, τῶν μὲν Ὀλυμπίων θεῶν
οὐδενὶ τὸ παράπαν, Ἑρμῇ δὲ χθονίῳ· καὶ τῆς χύτρας ἣν 5
ἕψουσι πάντες οἱ κατὰ τὴν πόλιν οὐδεὶς γεύεται τῶν ἱερέων.
τοῦτο δὲ ποιοῦσι τῇ ⟨   ⟩ ἡμέρᾳ.' καὶ 'τοὺς τότε παραγινο-
μένους ὑπὲρ τῶν ἀποθανόντων ἱλάσασθαι τὸν Ἑρμῆν'.

317 (M 339). Schol. Ven. A in Homer A 38 :

Κίλλαν τε ζαθέην· ἱστορία. Πέλοψ ὁ Ταντάλου καὶ 10
⟨   ⟩ κατὰ μισθὸν παιδικῆς ὥρας λαβὼν παρὰ Ποσειδῶνος
ἵππους ἀδαμάστους σὺν τῷ ὀχήματι ἔσπευσεν εἰς Πῖσαν τῆς
Πελοποννήσου ἐπὶ τὸν Ἱπποδαμείας γάμον, τὸν μνηστηρο-
κτόνον αὐτῆς πατέρα Οἰνόμαον καταγωνίσασθαι ἐπιθυμῶν.
γενομένῳ δὲ αὐτῷ περὶ Λέσβον Κίλλος ὁ ἡνίοχος τελευτᾷ 15
τὸν βίον, ὃς καὶ καθ' ὕπνον ἐπιστὰς τῷ Πέλοπι σφόδρα
ὀδυνηρῶς ἐπ' αὐτῷ ἔχοντι ἀπωδύρετό τε τὴν ἑαυτοῦ ἀπώλειαν
καὶ περὶ κηδείας ἠξίου. διόπερ ἀναστὰς ἐξερυπάρου τὸ
εἴδωλον διὰ πυρός, εἶθ' οὕτως ἔθαψε τὴν τέφραν ἐπιφανῶς
τοῦ Κίλλου, ἠρίον ἐπ' αὐτῷ ἐγείρας, καὶ πρὸς τῷ ἠρίῳ 20
αὐτοῦ ἐδείματο ἱερόν, Κιλλαίου Ἀπόλλωνος προσαγορεύσας
διὰ τὸ αἰφνιδίως τὸν Κίλλον ἀποθανεῖν. οὐ μὴν ἀλλὰ καὶ
πόλιν κτίσας Κίλλαν ὠνόμασεν. ὁ μέντοι Κίλλος καὶ μετὰ
θάνατον τῷ Πέλοπι δοκεῖ συλλαβέσθαι, ὅπως περιγένηται
τοῦ Οἰνομάου περὶ τὸν δρόμον. ἡ ἱστορία παρὰ Θεοπόμπῳ. 25

318 (M 112). Schol. Ven. B in Hom. B 134 :

ταῦτα[1] δὲ ἀμφοτέροις συνᾴδει, τῷ μὲν ἀπιέναι πρὶν

---

[1] sc. v. 135 καὶ δὴ δοῦρα σέσηπε νεῶν καὶ σπάρτα λέλυνται

---

2 ante διασωθέντας lac. indicat Rutherford   7 Lac. statuit
Rutherford   παραγινομένους cod. Rav. : v. l. παραγεν. An l. περιγεν. ?
9 Theopompo Cnidio tribuit Welcker   10 καὶ ⟨   ⟩ κατὰ Bekker :
κάτω cod. Ven. A, κατὰ alia scholl.   13 Πελοποννήσου alia scholl. :
λέσβου Ven. A   15 ὁ alia scholl. : om. Ven. A   26 Phil. xii
tribuit M. Theopompo Cnidio fort. ascribendum censuit Welcker

διαφθαρῆναι τέλεον τὰς νῆας, καὶ τῷ μένειν διὰ τὸ τέως
σεσηπέναι καὶ μὴ δύνασθαι πλεῖν. Θεόπομπος δὲ ταύτην
αἰτίαν αὐτοῖς τοῦ ναυαγίου φησίν, ὡς καὶ τοὺς περὶ Κάλχαντα
καὶ Ἀμφίλοχον πεζοὺς ἀπαλλάττεσθαι.

5   **319** (M 339). Schol. Townl. in Hom. Ω 428 :

καὶ Θεόπομπός φησιν Ἀλέξανδρον Φεραῖον Διόννσον τὸν
ἐν Παγασαῖς, ὃς ἐκαλεῖτο Πελάγιος, εὐσεβεῖν διαφόρως.
καταποντωθέντος δὲ Ἀλεξάνδρου Διόννσος ὄναρ ἐπιστάς τινι
τῶν ἁλιέων ἐκέλευσεν ἀναλαβεῖν τὸν φορμὸν τῶν ὀστῶν·
10 ὁ δὲ ἀπελθὼν ἐς Κραννῶνα τοῖς οἰκείοις ἀπέδωκεν· οἱ δὲ
ἔθαψαν.

320 (M 340). (a) Schol. in Pind. Olymp. xiii. 74 :

τὴν δὲ Μήδειαν ἐρασθῆναι Σισύφου φησὶ Θεόπομπος.
ἄλλως· . . . Ἀλωεὺς γὰρ καὶ Αἰήτης ὁ Μηδείας πατὴρ
15 ἐγένοντο παῖδες Ἡλίου καὶ Ἀντιόπης. τούτοις ὁ Ἥλιος
διένειμε τὴν χώραν, καὶ ἔλαβεν Ἀλωεὺς τὴν ἐν Ἀρκαδίᾳ,
τὴν δὲ Κόρινθον Αἰήτης. Αἰήτης δὲ μὴ ἀρεσθεὶς τῇ ἀρχῇ
Βούνῳ μέν τινι Ἑρμοῦ υἱῷ παρέδωκε τὴν πόλιν εἰπὼν
φυλάττειν τοῖς ἐσομένοις ἐξ αὐτοῦ. αὐτὸς δὲ εἰς Κολχίδα
20 τῆς Σκυθίας ἀφικόμενος ᾤκησε βασιλεύων. διδάσκει δὲ
τοῦτο Εὔμηλός τις ποιητὴς ἱστορικὸς εἰπών·

ἀλλ' ὅτε δ' Αἰήτης καὶ Ἀλωεὺς ἐξεγένοντο
Ἡελίου τε καὶ Ἀντιόπης, τότε δ' ἄνδιχα χώρην
δάσσατο παισὶν ἑοῖς Ὑπερίονος ἀγλαὸς υἱός.
25 ἦν μὲν ἔχ' Ἀσωπὸς ταύτην πόρε δίῳ Ἀλωεῖ·
ἦν δ' Ἐφύρη κτεάτισσ' Αἰήτῃ δῶκεν ἅπασαν.
Αἰήτης δ' ἄρ' ἑκὼν Βούνῳ παρέδωκε φυλάσσειν
εἰσόκεν αὐτὸς ἵκοιτ' ἢ ἐξ αὐτοῖό τις ἄλλος
ἢ παῖς ἢ υἱωνός· ὁ δ' ἵκετο Κολχίδα γαῖαν.

30   (b) Ἀλωεὺς κτλ. isdem fere verbis apud Schol. in Eurip.
Med. 9. Cf. Pausan. ii. 3. 10.

5 Phil. ix (?) tribuit M ; cf. 305. Theopompo Cnidio ascripsit
Welcker   12 Theopompo Cnidio tribuerunt Welcker et Riese
18 Βούνῳ] v. l. βουνόμῳ   28, 29 apud (c) mutati sunt

(*c*) Tzetzes in Lycophr. 174:

περὶ δὲ τῆς Ἡλίου βασιλείας εἰς τοὺς αὐτοῦ παῖδας
Αἰήτην καὶ Ἀλωέα διαιρέσεως Θεόπομπος ὁ Χῖος Εὐμήλου
τοῦ Κορινθίου ἱστορικοῦ ποιητοῦ μέμνηται λέγοντος·
ἀλλ᾽ ὅτε κτλ.   5

321 (M 171). Schol. in Theocrit. *Idyll.* v. 83:

Κάρνεα ἑορτὴ Δωρική, τελουμένη Καρνείῳ Ἀπόλλωνι
κατὰ τὴν Πελοπόννησον, ἀπὸ Κάρνου μάντεως, ὃς ἔχρησε
τοῖς Ἡρακλείδαις. ἀπ᾽ αὐτοῦ δὲ Κάρνειον Ἀπόλλωνα
προσαγορεύουσιν. ἡ δὲ ἱστορία παρὰ Θεοπόμπῳ· ὅτι τὸν 10
αὐτὸν καὶ Δία καὶ Ἡγήτορα καλοῦσιν Ἀργεῖοι διὰ τὸ
Κάρνον ἡγήσασθαι τοῦ στρατοῦ. ὃν οἱ Ἡρακλεῖδαι ἀπέ-
κτειναν ἀπερχόμενον εἰς Πελοπόννησον, ὑπολαβόντες κατά-
σκοπον εἶναι τοῦ στρατεύματος· ὃν ὕστερον ἐτίμησαν ὑπὸ
λοιμοῦ φθειρόμενοι.   15

322 (M iv. pp. 644, 635, post 210). Schol. in Thuc. vi.
4. 3, ubi ad verba ἀπὸ τοῦ Γέλα ποταμοῦ Tzetzae versus
aliquot cum glossis leguntur:

ἐξ Ἀντιφήμου δ᾽ αὖ γέλωτός τις λέγει (ὁ Θεόπομπος, gl.)·
χρησμῷ μαθὼν γὰρ ὡς πόλιν μὲν ἐκκτίσει   20
γελᾷ, δοκήσας τῶν ἀνελπίστων τόδε·
κλῆσιν ὅθεν τέθεικε τῇ πόλει Γέλαν.
    Aliter Steph. Byz. s. Γέλα.

323 (M iv. p. 645, 303 a). Stephanus Byz.:

Ἀδράνη· πόλις Θρᾴκης, ἣ μικρὸν ὑπὲρ τῆς Βερενίκης 25
κεῖται, ὡς Θεόπομπος.

324 (M 303). Stephanus Byz.:

Αἴγυς· πόλις Λακωνικῆς, ὡς Εὐφορίων. οἱ πολῖται
Αἰγῦται, . . . Θεόπομπος δὲ Αἰγυέας αὐτούς φησιν.

---

6 Phil. xxv tribuit M   12 ὃν] v. l. τὸν οὖν Κάρνον   13 ἀπερχό-
μενον Dübner: ἀπερχόμενοι codd.   16 Phil. xxxix tribuit M
20 μὲν ἐκκτίσει edd.: μὲν ἐκτίσαι cod., μέλλῃ (μέλλει?) κτίσαι ci. M
25 Θρᾴκης] θρᾳκική Ald., θρᾳκικῆς R

FRAGMENTA INCERTAE SEDIS

325 (M 241). Stephanus Byz.:

'Ακραιφία· πόλις Βοιωτίας. . . . Θεόπομπος δὲ τὰ 'Ακραίφνιά φησι καὶ τὸ ἐθνικὸν 'Ακραιφνιεύς.

326 (M 42). Stephanus Byz.:

'Ακυλῖνα· πόλις 'Ιλλυρική. Θεόπομπος.

327 (M 304). Stephanus Byz.:

'Ακύφας· πόλις μία τῆς Δωρικῆς τετραπόλεως, ὡς Θεόπομπος.

328 (M 208). Stephanus Byz.:

'Αλικύαι· πόλις Σικελίας. Θεόπομπος.

329 (M 305). Stephanus Byz.:

'Αλίσαρνα· πόλις τῆς Τρῳάδος χώρας. Θεόπομπος. τὸ ἐθνικὸν ὁ αὐτὸς 'Αλισαρναῖος.

330 (M 306). Stephanus Byz.:

'Αχανοί· ἔθνος πρὸς τῇ Σκυθίᾳ, οἳ καὶ 'Αχαρνοὶ λέγονται παρὰ Θεοπόμπῳ.

331 (M 121). Stephanus Byz.:

Βούβαστος· πόλις Αἰγύπτου . . . καὶ νομὸς Βουβαστίτης. λέγεται καὶ Βουβάστιος παρὰ Θεοπόμπῳ.

332 (M 307). Stephanus Byz.:

Βουθία· πόλις 'Ιωνίας. Θεόπομπος δὲ χωρίον φησί.

333 (M 308). Stephanus Byz.:

'Ερμώνασσα· νῆσος μικρά, πόλιν ἔχουσα, ἐν τῷ Κιμμερίῳ Βοσπόρῳ, 'Ιώνων ἄποικον, ὡς ὁ περιηγητής. . . . 'Εκαταῖος δὲ καὶ Θεόπομπος πόλιν αὐτήν φασιν.

334 (M 251). Stephanus Byz.:

'Ινδάρα· Σικανῶν πόλις· Θεόπομπος.

335. Stephanus Byz.:

Μελίβοια· πόλις Θετταλίας. . . . τὸ ἐθνικὸν Μελιβοεύς, ὡς Θεόπομπος.

---

1 Phil. xlv tribuit M   3 καὶ R Π : om. Ald.   4 Phil. ii tribuit M
9 Phil. xxxix tribuit M   10 'Αλικύα R   11 Hell. vii tribuit
E. Meyer   17 Phil. xii tribuit M   26 Phil. xlix tribuit M
27 ἰνδασικανίπολις R V

336 (M 309). Stephanus Byz. :

Μελίταια· πόλις Θετταλίας. . . . Θεόπομπος δὲ Μελί-
τειαν αὐτήν φησιν.

337 (M 310). Stephanus Byz. :

Νεάνδρεια· πόλις Τρῳάδος ἐν Ἑλλησπόντῳ, . . . λέγεται 5
δὲ καὶ Νεάνδρειον οὐδετέρως, ὡς Θεόπομπος.

338 (M 311). Stephanus Byz. :

Σκίθαι· πόλις Θρᾴκης πλησίον Ποτιδαίας. ὁ πολίτης
Σκιθαῖος, ὥς φησι Θεόπομπος.

339 (M 312). Stephanus Byz. :   10

Σκύβρος· χωρίον Μακεδονικόν, ὡς Θεόπομπος.

340 (M 25). Stephanus Byz. :

Τραλλία· μοῖρα τῆς Ἰλλυρίας. λέγονται καὶ Τράλλοι,
καὶ Τράλλεις παρὰ Θεοπόμπῳ.

341 (M 313). Stephanus Byz. :   15

Τρῆρος· χωρίον Θρᾴκης, καὶ Τρῆρες Θρᾴκιον ἔθνος. . . .
Θεόπομπος Τρᾶρας αὐτοὺς καλεῖ.

342 (M 314). Stephanus Byz. :

Ὑπερησία· πόλις τῆς Ἀχαίας. . . . τὸ ἐθνικὸν τῆς
Ὑπερησίας Ὑπερησιεύς, . . . Θεόπομπος δὲ Ὑπερασιεῖς 20
φησι διὰ τοῦ ᾱ.

343 (M 284). Stobaeus *Florileg.* 16. 15 :

Θεοπόμπου. εἴ τις πλεῖστα τῶν ἀγαθῶν κεκτημένος
μετὰ τοῦ λυπεῖσθαι διάγοι τὸν βίον, ἁπάντων ἂν εἴη καὶ
τῶν ὄντων καὶ τῶν ἐσομένων ἀθλιώτατος.   25

344 (M iv. p. 644, 109 a). Strabo viii. 6. 15 (C. 374–5) :

μεταξὺ δὲ Τροιζῆνος καὶ Ἐπιδαύρου χωρίον ἦν ἐρυμνὸν
Μέθανα καὶ χερρόνησος ὁμώνυμος τούτῳ· παρὰ Θουκυδίδῃ

---

2 Μελίταια Berkel : μελιτταία codd.   4 Hell. viii tribuit
E. Meyer   6 Νεάνδρειον Holsten : Νεάνδριον codd.   9 Σκιθαῖος]
sic ed. Meineke : σκιάθιος R V Π Ald., quod ethnicum s.v. Σκίαθος habet
Steph.   12 Hell. xi tribuit M   14 τράλλεις V (cf. s.v. Βῆγις et
Βόλουρος) : τράλλες cett.   17 Verba Θεόπομπος . . . καλεῖ, quae codd.
infra post Τρηχίτης habent, huc transposuit Xylander   22 Libro
Περὶ εὐσεβείας tribuit M ; cf. 375   26 Phil. xi tribuit M

δὲ ἔν τισιν ἀντιγράφοις Μεθώνη φέρεται ὁμωνύμως τῇ
Μακεδονικῇ ἐν ᾗ Φίλιππος ἐξεκόπη τὸν ὀφθαλμὸν πολιορ-
κῶν· διόπερ οἴεταί τινας ἐξαπατηθέντας ὁ Σκήψιος Δημή-
τριος τὴν ἐν τῇ Τροιζηνίᾳ Μεθώνην ὑπονοεῖν, καθ' ἧς ἀρά-
5 σασθαι λέγεται τοὺς ὑπ' Ἀγαμέμνονος πεμφθέντας ναυτο-
λόγους μηδέποτε παύσασθαι ⟨τοῦ⟩ τειχοδομεῖν, οὐ τούτων
ἀλλὰ τῶν Μακεδόνων ἀνανευσάντων, ὥς φησι Θεόπομπος·
τούτους δ' οὐκ εἰκὸς ἐγγὺς ὄντας ἀπειθῆσαι.

345 (M 264). Strabo ix. 3. 16 (C. 424):

10   φησὶ δὲ Θεόπομπος τὸν τόπον τοῦτον[1] διέχειν τῆς μὲν
Χαιρωνείας ὅσον τετταράκοντα σταδίους, διορίζειν δὲ τοὺς
Ἀμβρυσέας καὶ Πανοπέας καὶ Δαυλιέας· κεῖσθαι δ' ἐπὶ
τῆς ἐμβολῆς τῆς ἐκ Βοιωτίας εἰς Φωκέας ἐν λόφῳ μετρίως
ὑψηλῷ μεταξὺ τοῦ τε Παρνασσοῦ καὶ τοῦ [Ἀδυλίου ὄ]ρους
15 πενταστάδιον σχεδόν τι ἀπολειπόντων ἀν[ὰ μέσον χω]ρίον,
διαιρεῖν δὲ τὸν Κηφισσὸν στενὴν ἑκατέρωθεν διδόντα πάρο-
δον, τὰς μὲν ἀρχὰς ἐκ Λιλαίας ἔχοντα Φωκικῆς πόλεως
(καθάπερ καὶ Ὅμηρός φησιν· οἵ τε Λίλαιαν ἔχον πηγῆς ἔπι
Κηφισσοῖο), εἰς δὲ τὴν Κωπαῖδα λίμνην ἐκδιδόντα· τὸ δὲ
20 Ἀδύλιον παρατείνειν ἐφ' ἑξήκοντα σταδίους μέχρι τοῦ
† Ὑφαντείου, ἐφ' ᾧ κεῖται ὁ Ὀρχομενός.

346 (M 289). Strabo ix. 5. 19 (C. 440):

    Θεόπομπος δὲ καὶ πόλιν λέγει ἐν τῇ αὐτῇ μεθορίᾳ[2]
κειμένην Λάρισαν.

25 **347 (M 164). Strabo x. 1. 3 (C. 445):**

    Θεόπομπος δέ φησι Περικλέους χειρουμένου Εὔβοιαν τοὺς

---

[1] sc. Parapotamios   [2] sc. Eleae et Dymae

1 ὁμωνύμως Kramer : ὁμώνυμος codd.   4 Τροιζηνίᾳ Meineke :
τροιζῆνι codd.   6 τοῦ add. Meineke   9 Phil. liii tribuit M
14 Inter τοῦ et ρους vii fere litterae deletae in cod. Paris. 1397 :
[Ἡδυλίου ὄ]ρους Politus, [Ἀδυλίου Kramer   15 ἀπολειπόντων
ἀν[ὰ μέσον χω]ρίον Kramer : ἀπολεῖπον τῶν ἀν . . . . . ρίων cod.
Paris. 1397   20 Ἀδύλιον Kramer : Ἡδύλιον Coraes ex Politi ci.
(cf. 151) : δαύλιον codd.   21 Ὑφαντείου] Ἀκοντίου (cf. C. 416) Palmer
25 Phil. xxiv tribuit M

THEOPOMPI

Ἱστιαιεῖς καθ' ὁμολογίας εἰς Μακεδονίαν μεταστῆναι, δισ-
χιλίους δ' ἐξ Ἀθηναίων ἐλθόντας τὸν Ὠρεὸν οἰκῆσαι, δῆμον
ὄντα πρότερον τῶν Ἱστιαιέων.

348 (M 201). Strabo xii. 3. 4 (C. 542):

Θεόπομπος δὲ Μαριανδυνόν φησι μέρους τῆς Παφλαγονίας 5
ἄρξαντα ὑπὸ πολλῶν δυναστευομένης, ἐπελθόντα τὴν τῶν
Βεβρύκων κατασχεῖν, ἣν δ' ἐξέλιπεν ἐπώνυμον ἑαυτοῦ
καταλιπεῖν.

349 (M 202). Strabo xii. 3. 14 (C. 547):

φησὶ δ' αὐτὴν [1] Θεόπομπος πρώτους Μιλησίους κτίσαι, 10
⟨   ⟩ Καππαδόκων ἄρχοντα, τρίτον δ' ὑπ' Ἀθηνοκλέους καὶ
Ἀθηναίων ἐποικισθεῖσαν Πειραιᾶ μετονομασθῆναι.

350 (M 6). Strabo xiii. 1. 22 (C. 591):

φησὶ δὲ τὴν Σηστὸν Θεόπομπος βραχεῖαν μὲν εὐερκῆ δέ,
καὶ σκέλει διπλέθρῳ συνάπτειν πρὸς τὸν λιμένα, καὶ διὰ 15
ταῦτ' οὖν καὶ διὰ τὸν ῥοῦν κυρίαν εἶναι τῶν παρόδων.

351 (M 290). Strabo xiii. 4. 12 (C. 629):

ὁ μέν γε Τμῶλος ἱκανῶς συνῆκται καὶ περιγραφὴν ἔχει
μετρίαν ἐν αὐτοῖς ἀφοριζόμενος τοῖς Λυδίοις μέρεσιν, ἡ δὲ
Μεσωγὶς εἰς τὸ ἀντικείμενον μέρος διατείνει μέχρι Μυκάλης 20
ἀπὸ Κελαινῶν ἀρξάμενον, ὥς φησι Θεόπομπος, ὥστε τὰ μὲν
αὐτοῦ Φρύγες κατέχουσι τὰ πρὸς ταῖς Κελαιναῖς καὶ τῇ
Ἀπαμείᾳ, τὰ δὲ Μυσοὶ καὶ Λυδοί, τὰ δὲ Κᾶρες καὶ Ἴωνες.

352 (M 323). Suidas:

Φορμίων· περὶ τούτου καὶ Θεόπομπος ἐν Φιλιππικοῖς. ἦν 25

---

[1] sc. Amisum

4 Phil. xxxviii tribuit M   5 μέρος codd. plerique   9 Phil.
xxxviii tribuit M   11 Ante Καππαδόκων add. aliquot codd. καὶ
vel καὶ εἶτα, inde εἶτα edd. vett.; sed plura excidisse videntur, in
quibus nomen Cappadociae regis fuisse Casaubon recte suspicatus est
13 Hell. i tribuit M   17 Hell. ix tribuunt Wilamowitz et Wilcken,
qui ipsum Theopompi locum in Hell. Oxyrh. VII. 3-4 exstare censent
18 συνῆκται cod. Vatic. 482 : συνῆπται cett. codd.   20 Μεσωγὶς
Palmer : μεσόγαιος vel μεσόγειος codd.   25 Post Φιλιππικοῖς addunt
aliquot codd. φησιν. Narrationem sequentem ex Aeliano haustam
esse ci. Valckenaer

δὲ Κροτωνιάτης, καὶ ἐν τῇ ἐπὶ Σάγρᾳ μάχῃ ἐτρώθη. δυσιάτου
δ' ὄντος τοῦ τραύματος χρησμὸν ἔλαβεν εἰς Λακεδαίμονα
ἐλθεῖν· τοῦτον γὰρ αὐτοῦ ἰατρὸν ἔσεσθαι, ὃς {ἂν} αὐτὸν
πρῶτος καλέσειεν ἐπὶ δεῖπνον. ὡς οὖν ἧκεν εἰς τὴν Σπάρτην,
5 καταβάντα αὐτὸν ἀπὸ τοῦ ὀχήματος ἐκάλεσεν ἐπὶ δεῖπνον
νεανίσκος· δειπνήσαντος δὲ ᾔρετο ἐφ' ὅ τι ἥκει. ὡς δὲ
ἤκουσε περὶ τοῦ χρησμοῦ, ἀποξύσας τοῦ δόρατος ἐπιτίθησιν.
ὡς δὲ ἀνέλυσαν ἀπὸ τοῦ δείπνου, δοκῶν ἀναβαίνειν ἐπὶ τὸ
ἅρμα, τῆς θύρας αὐτοῦ τοῦ οἴκου τοῦ ἐν Κρότωνι ἐπι-
10 λαμβάνεται. ἀλλὰ καὶ θεοξένια αὐτοῦ ἄγοντος, ἐκάλεσαν
αὐτὸν οἱ Διόσκοροι πρὸς Βάττον ἐς Κυρήνην· καὶ ἀνέστη τε
ἔχων σιλφίου καυλόν.

353 (M 302). Theon *Progymn.* 1 (Spengel *Rhet. Graec.*
ii. p. 63) :
15 ὁ δὲ Θεόπομπος· 'ἐπίσταμαι γὰρ ὅτι τοὺς μὲν ζῶντας
πολλοὶ μετὰ δυσμενείας ἐξετάζουσι, τοῖς δὲ τετελευτηκόσι
διὰ τὸ πλῆθος τῶν ἐτῶν ἐπανιᾶσι τοὺς φθόνους'.

354 (M 114). Tzetzes in Lycophr. 806 :
Θεόπομπός φησιν ὅτι παραγενόμενος ὁ Ὀδυσσεὺς καὶ τὰ
20 περὶ τὴν Πηνελόπην ἐγνωκὼς ἀπῆρεν εἰς Τυρσηνίαν καὶ
ἐλθὼν ᾤκησε τὴν Γορτυναίαν, ἔνθα καὶ τελευτᾷ ὑπ' αὐτῶν
μεγάλως τιμώμενος.

355 (M 232). Tzetzes in Lycophr. 1439 :
ἡ δὲ Ὀλυμπιὰς ἡ μήτηρ αὐτοῦ[1] εἰς Πύρρον τὸν Ἀχιλλέως
25 καὶ Ἕλενον τὸν Πριάμου τὸ γένος τὸ ἀνέκαθεν ἀνέφερεν,
ὥς φησι Θεόπομπος καὶ Πύρανδρος. ἀναφέρεται δὲ ὁ Πύρρος
εἰς Αἰακόν, ὁ δὲ Ἕλενος εἰς Δάρδανον.

Cf. Iustin. xvii. 3. 14.

---

[1] sc. Alexandri

3 ἂν del. Bernhardy   4 πρῶτος] v. l. πρῶτον   6 ἥκει] v. l. ἥκοι
11 ἀνέστη τε] ἀπέστη γε ci. Bernhardy.   Sententiam non esse ab-
solutam censuit Meineke   18 Phil. xii dubitanter tribuit M, qui
etiam de Theopompo comico cogitat   23 Phil. xliii tribuit M

356. Zenobius *Centur.* v. 26 :

ξένος ἔλθοι ὅστις ὀνήσει· ταύτην φησὶ Θεόπομπος ὑπὸ
Φιλίππου πρῶτον λεχθῆναι. Θετταλῶν γὰρ καταστρεψά-
μενος πόλιν καὶ τοὺς αὐτόθι ξένους πωλήσας χλευάζων
εἶπεν, ʻἔλθοι ξένος ὅστις ὀνήσειʼ.   5

Cf. Diogen. *Cent.* iv. 73, Apostol. *Cent.* vii. 5 a, xii. 22,
ubi similia feruntur omisso Theopompi nomine.

FRAGMENTA DVBIA ET SPVRIA

357. Antigonus Caryst. *Hist. Mirab.* 116 (128):

φησὶν δʼ ὁ ἱστοριογράφος Ἀρσάμην τὸν Πέρσην εὐθὺς ἐκ 10
γενετῆς ὀδόντας ἔχειν.

358 (M 299). Athenaeus xv. 700 e :

ξυλολύχνου δὲ μέμνηται Ἄλεξις· καὶ τάχα τούτῳ ὅμοιόν
ἐστι τὸ παρὰ Θεοπόμπῳ ὀβελισκόλυχνον.

359 (M 8). Diodorus xiii. 105 :   15

οἱ δὲ τῶν Ἀθηναίων στρατηγοὶ πυθόμενοι τοὺς Λακεδαιμο-
νίους πάσῃ τῇ δυνάμει πολιορκεῖν Λάμψακον, συνήγαγόν τε
πανταχόθεν τριήρεις καὶ κατὰ σπουδὴν ἀνήχθησαν ἐπʼ
αὐτοὺς ναυσὶν ἑκατὸν ὀγδοήκοντα. εὑρόντες δὲ τὴν πόλιν
ἡλωκυῖαν, τότε μὲν ἐν Αἰγὸς ποταμοῖς καθώρμισαν τὰς ναῦς, 20
μετὰ δὲ ταῦτʼ ἐπιπλέοντες τοῖς πολεμίοις καθʼ ἡμέραν εἰς
ναυμαχίαν προεκαλοῦντο. οὐκ ἀνταναγομένων δὲ τῶν
Πελοποννησίων, οἱ μὲν Ἀθηναῖοι διηπόρουν ὅ τι χρήσωνται
τοῖς πράγμασιν, οὐ δυνάμενοι τὸν πλείω χρόνον ἐκεῖ δια-
τρέφειν τὰς δυνάμεις. Ἀλκιβιάδου δὲ πρὸς αὐτοὺς ἐλθόντος 25
καὶ λέγοντος ὅτι Μήδοκος καὶ Σεύθης οἱ τῶν Θρᾳκῶν
βασιλεῖς εἰσιν αὐτῷ φίλοι καὶ δύναμιν πολλὴν ὡμολόγησαν
δώσειν, ἐὰν βούληται διαπολεμεῖν τοῖς Λακεδαιμονίοις·
διόπερ αὐτοὺς ἠξίου μεταδοῦναι τῆς ἡγεμονίας, ἐπαγγελλό-

10 δ(ὲ Θεόπομπος) ὁ ἱστ. ci. Keller, collat. c. 119 (131) Θεόπ. ὁ ἱστ.
12 E Theopompo comico ; cf. M i. p. lxv, Kock *Com. Att. Fr.* i.
p. 735, Fr. 7   15 Haec cum Diod. xiii. 106 Hell. i tribuit M
23 χρήσωνται] v. l. χρήσονται   24 διατρέφειν Wesseling : διατρίβειν
codd.   25 ταῖς δυνάμεσι ci. Reiske

μενος αὐτοῖς δυεῖν θάτερον, ἢ ναυμαχεῖν τοὺς πολεμίους
ἀναγκάσειν ἢ πεζῇ μετὰ Θρᾳκῶν πρὸς αὐτοὺς διαγωνιεῖσθαι.
ταῦτα δὲ ὁ Ἀλκιβιάδης ἔπραττεν ἐπιθυμῶν δι' ἑαυτοῦ τῇ
πατρίδι μέγα τι κατεργάσασθαι καὶ διὰ τῶν εὐεργεσιῶν τὸν
5 δῆμον ἀποκαταστῆσαι εἰς τὴν ἀρχαίαν εὔνοιαν. οἱ δὲ τῶν
Ἀθηναίων στρατηγοί, νομίσαντες τῶν μὲν ἐλαττωμάτων
ἑαυτοῖς τὴν μέμψιν ἀκολουθήσειν τὰ δ' ἐπιτεύγματα προσ-
άψειν ἅπαντας Ἀλκιβιάδῃ, ταχέως αὐτὸν ἐκέλευσαν ἀπιέναι
καὶ μηκέτι προσεγγίζειν τῷ στρατοπέδῳ.

10 **360** (M 184). Diodorus xvi. 56. 5–8:

... Φάυλλος ὁ ἀδελφὸς Ὀνομάρχου στρατηγήσας οὐκ
ὀλίγα τῶν ἀναθημάτων κατέκοψεν εἰς τὰς τῶν ξένων μισθο-
φοράς. τὰς γὰρ ἀνατεθείσας ὑπὸ Κροίσου τοῦ Λυδῶν
βασιλέως χρυσᾶς πλίνθους, οὔσας ἑκατὸν καὶ εἴκοσι διτα-
15 λάντους, κατέκοψεν εἰς νόμισμα, φιάλας δὲ χρυσᾶς τριακοσίας
καὶ ἑξήκοντα διμναίους καὶ λέοντα χρυσοῦν καὶ γυναῖκα,
τριάκοντα ταλάντων χρυσοῦ σταθμὸν ἀγόντων τῶν πάντων·
ὥστε τὸ πᾶν κατακοπὲν χρυσίον εἰς ἀργυρίου λόγον ἀναγο-
μένων τῶν χρημάτων εὑρίσκεσθαι τάλαντα τετρακισχίλια·
20 τῶν δ' ἀργυρῶν ἀναθημάτων τῶν τε ὑπὸ Κροίσου καὶ τῶν
ἄλλων ἁπάντων ἀνατεθέντων τοὺς πάντας στρατηγοὺς
δεδαπανηκέναι (   ) τάλαντα πλείω τῶν ἑξακισχιλίων,
προστιθεμένων δὲ καὶ τῶν χρυσῶν ἀναθημάτων ὑπερβάλλειν
τὰ μύρια τάλαντα. ἔνιοι δὲ τῶν συγγραφέων φασὶν οὐκ
25 ἐλάττω γενέσθαι τὰ συληθέντα τῶν ἐν τοῖς Περσικοῖς
θησαυροῖς ὑπ' Ἀλεξάνδρου κατακτηθέντων. ἐπεχείρησαν δ'
οἱ περὶ τὸν Φάλαικον στρατηγοὶ καὶ τὸν ναὸν ὀρύττειν,
εἰπόντος τινὸς ὡς ἐν αὐτῷ θησαυρὸς εἴη πολὺν ἔχων ἄργυρόν
τε καὶ χρυσόν· καὶ τὰ περὶ τὴν ἑστίαν καὶ τὸν τρίποδα

---

4 τι] om. cod. Patmius et alii duo   8 ἅπαντας Wesseling: ἅπαντα
codd.   10 Phil. xxvi utpote partem scripti Περὶ τῶν συληθέντων ἐκ
Δελφῶν χρημάτων tribuit M   11 ὁ ἀδελφὸς] om. codd. Patmius et
Venetus   12 μισθοφοράς] v. l. μισθοφορίας   22 φασὶ fort. sup-
plendum censuit Fischer   27 τὸν ante Φάλαικον om. codd. Patm.
et Ven.

φιλοτίμως ἀνέσκαπτον. ὁ δὲ μηνύσας τὸν θησαυρὸν μάρτυρα
παρείχετο τὸν ἐπιφανέστατον καὶ ἀρχαιότατον τῶν ποιητῶν
Ὅμηρον ἐν οἷς λέγει

    οὐδ' ὅσα λάινος οὐδὸς ἀφήτορος ἐντὸς ἐέργει
    Φοίβου Ἀπόλλωνος Πυθοῖ ἔνι πετρηέσσῃ.   5

τῶν δὲ στρατιωτῶν ἐγχειρούντων σκάπτειν τὰ περὶ τὸν
τρίποδα σεισμοὶ μεγάλοι γενόμενοι τοῖς Φωκεῦσι φόβον
ἐπέστησαν, φανερῶς δὲ τῶν θεῶν προσημαινόντων τὴν κατὰ
τῶν ἱεροσύλων κόλασιν ἀπέστησαν τῶν ἔργων. ὁ δὲ τῆς
παρανομίας ταύτης ἡγεμὼν Φίλων ὁ προειρημένος ταχὺ τῷ 10
δαιμονίῳ τὰς προσηκούσας δίκας ἐξέτισε.

361 (M 336). Eustathius in Hom. p. 1604 (ed. Rom.):

ὅτι δὲ καὶ ἀντὶ τοῦ ἀνέπνευσε κεῖται[1] κατὰ Παυσανίαν,
δηλοῖ Θεόπομπος εἰπών· 'ἄφωνος ἐγένετο, ἔπειτα μέντοι
πάλιν ἀνηνέχθη'.   15

362 (M 337). Eustathius in Hom. p. 1854:

οὕτω κεῖται, ὡς ὁ αὐτὸς Διονύσιος λέγει, καὶ παρὰ
Θεοπόμπῳ ἀβυρτάκη ὑπότριμμά τι δριμὺ βαρβαρικόν, διὰ
πράσων καὶ καρδάμων καὶ κόκκων ῥόας καὶ ἑτέρων τοιούτων·
φησὶ γοῦν 'ἥξει δὲ Μήδων γαῖαν, ἔνθα καρδάμων πλείστων 20
ποιεῖται καὶ πράσων ἀβυρτάκη'.

363 (M 338). Eustathius in Hom. p. 1910:

ὅτι δὲ καὶ γυναικεῖον μόριον σημαίνει ὁ Κένταυρος,
δηλοῦσιν οἱ παλαιοί, φέροντες καὶ χρῆσιν Θεοπόμπου εἰς
τοῦτο.   25

364 (M 328). Grammaticus ap. Bekk. *Anecd.* p. 371. 5:

ἄκατος· φιάλη, διὰ τὸ ἐοικέναι στρογγύλῳ πλοίῳ. οὕτω
Θεόπομπος.

---

[1] sc. τὸ ἀνενεγκεῖν

---

1 ἀφιλοτίμως ci. Homolle   361-4 Theopompi comici sunt;
cf. Kock op. cit. i. pp. 751, 737, 755, 734, Fr. 66, 17, 89, 3.
362-3 comico iam ascripserant Wichers et M

365 (M 329). Grammaticus ap. Bekk. *Anecd.* p. 385. 14 :
ἄλυπος· ὁ μὴ λυπούμενος. λέγεται δὲ καὶ ἀλύπητος.
Θεόπομπος.

366 (M 330). (*a*) Grammaticus ap. Bekk. *Anecd.* p. 399. 20 :
5 ἄνεχε· ἀντὶ τοῦ πάρεχε. Θεόπομπος.

Eadem apud (*b*) Zonaram hac voce et (*c*) Suidam, ubi
post Θεόπομπος additum est ἄνεχέ μοι τὴν χεῖρα, quod
tamen om. cod. Paris. 2625 (A).

367 (M 331). (*a*) Grammaticus ap. Bekk. *Anecd.* p. 403. 23 :
10 ἀνθήλιος· ἡ σελήνη, καὶ τὸ ἀποσκίασμα τῆς τοῦ ἡλίου
ἀνταυγείας. ἐνίοτε δὲ καὶ τὸ μίμημα ἢ ἀντάλλαγμα, ὡς
Θεόπομπος.

Eadem apud (*b*) Suidam et (*c*) Zonaram hac voce.

368. Libanius *Hypoth.* ad Demosth. *Phil.* ii. 1–2 :
15 ἐπαγγέλλεται δὲ [1] καὶ ἀποκρίσεις δώσειν πρός τινας
πρέσβεις ἥκοντας, ἀπορούντων τῶν Ἀθηναίων ὅ τί ποτ᾽
ἀποκρίνασθαι δεῖ. πόθεν δ᾽ οὗτοι καὶ περὶ τίνων ἥκουσιν,
ἐν τῷ λόγῳ μὲν οὐ δηλοῦται, ἐκ δὲ τῶν Φιλιππικῶν
ἱστοριῶν μαθεῖν δυνατόν. κατὰ γὰρ τοῦτον τὸν καιρὸν
20 ἔπεμψε πρέσβεις ὁ Φίλιππος πρὸς τοὺς Ἀθηναίους, αἰτιώ-
μενος ὅτι διαβάλλουσιν αὐτὸν μάτην πρὸς τοὺς Ἕλληνας,
ὡς ἐπαγγειλάμενον αὐτοῖς πολλὰ καὶ μεγάλα, ψευσάμενον
δέ· οὐδὲν γὰρ ὑπεσχῆσθαί φησιν οὐδ᾽ ἐψεῦσθαι, καὶ περὶ
τούτων ἐλέγχους ἀπαιτεῖ. ἔπεμψαν δὲ μετὰ Φιλίππου καὶ
25 Ἀργεῖοι καὶ Μεσσήνιοι πρέσβεις εἰς Ἀθήνας, αἰτιώμενοι
καὶ οὗτοι τὸν δῆμον ὅτι Λακεδαιμονίοις καταδουλουμένοις
τὴν Πελοπόννησον εὔνους τ᾽ ἐστὶ καὶ συγκροτεῖ, αὐτοῖς δὲ
περὶ ἐλευθερίας πολεμοῦσιν ἐναντιοῦνται.

---

[1] sc. Demosthenes

365–7 Theopompo comico tribuit Kock op. cit. i. pp. 753, 754,
Fr. 81–3. 366 comici esse iam viderat M   14 Num Libanius hic
Theopompum respiciat dubium est. Cf. Didym. *De Demosth. Comment.*
viii. 7 sqq.

THEOPOMPI

369 (M 325). Photius *Lex.* :

λάμβδα ἐπὶ ταῖς ἀσπίσιν οἱ Λακεδαιμόνιοι ἐπέγραφον ὥσπερ οἱ Μεσσήνιοι Μ. Εὔπολις· ... οὕτως καὶ Θεόπομπος.

370 (M iv. p. 645, post 325). Photius *Lex.* :   5

τετύχηκεν· ... τὸ μέντοι γεγράφηκεν παρὰ Θεοπόμπῳ καὶ ἑτέροις βάρβαρον.

371. Photius *Lex.* :

τὸ νῦν εἶναι· παρέλκει τὸ εἶναι. Θεόπομπος.

372. Plutarchus *Demosth.* c. 17, p. 853 :   10

ὅτε καί φησι Θεόφραστος, ἀξιούντων τῶν συμμάχων ὁρισθῆναι τὰς εἰσφοράς, εἰπεῖν Κρωβύλον τὸν δημαγωγὸν ὡς οὐ τεταγμένα σιτεῖται πόλεμος.

373 (M 172). (*a*) Proclus in Platon. *Timaeum* p. 30 c :

τοὺς δὲ Ἀθηναίους Καλλισθένης μὲν καὶ Φανόδημος 15 πατέρας τῶν Σαϊτικῶν ἱστοροῦσι γενέσθαι, Θεόπομπος δὲ ἀνάπαλιν ἀποίκους αὐτῶν εἶναί φησιν· Ἀττικὸς ὁ Πλατωνικὸς διὰ βασκανίαν φησὶ μεταποιῆσαι τὴν ἱστορίαν τὸν Θεόπομπον· ἐπ’ αὐτοῦ γὰρ ἀφικέσθαι τινὰς ἐκ τῆς Σάεως ἀνανεουμένους τὴν πρὸς Ἀθηναίους συγγένειαν.   20

(*b*) Africanus apud Euseb. *Praep. Evang.* x. 10, p. 491 a :

τῶν γὰρ Αἰγυπτίων ὀργῇ Θεοῦ χαλάζαις τε καὶ χειμῶσι μαστιζομένων εἰκὸς ἦν μέρη τινὰ συμπάσχειν τῆς γῆς, ἔτι τε Ἀθηναίους τῶν αὐτῶν Αἰγυπτίοις ἀπολαύειν εἰκὸς ἦν, ἀποίκους ἐκείνων ὑπονοουμένους, ὥς φασιν ἄλλοι τε καὶ ἐν τῷ 25 Τρικαράνῳ Θεόπομπος.

(*c*) Eadem apud Syncellum *Chronograph.* p. 65 b (p. 121, ed. Dindorf).

1 Theopompo comico tribuit M et Kock op. cit. i. p. 755, Fr. 91
5 Theopompo comico fort. ascribendum ; cf. Meineke *Hist. Com.*
p. 243   8 Theopompo comico tribuit Kock op. cit. i. p. 756, Fr. 98
11 Vt Θεόπομπος pro Θεόφραστος scribamus suadet Bünger *Theopompea* p. 61   14 Cum in (*b*) *Tricaranus* laudatus sit, quod opus Theopompi non esse satis constat (cf. Pausan. vi. 18, Ioseph. *C. Apion.* i. 24), iniuria inter Theopompea hoc fragmentum numeratum est   23 ἔτι Routh : ὅτι codd., ὅτε Syncellus

374 (M 341). Schol. in Apoll. Rhod. iv. 1187:

Θεόπομπος ἀμφιφορεῖς λέγεσθαί φησι τοὺς ὑπ᾽ ἐνίων μετρητάς. Cod. Paris. ἀμφιφορεῖς λέγονται κατὰ Θεόπομπον οὓς οἱ ἄλλοι μετρητάς φασι.

375 (M 282). (a) Schol. in Aristoph. *Aves* 1354:

κύρβεις δὲ ἤτοι παρὰ τὸ κεκορυφῶσθαι εἰς ὕψος ἀνατεταμένον, ἢ ἀπὸ τῶν Κορυβάντων· ἐκείνων γὰρ εὕρημα, ὥς φησι Θεόπομπος ἐν τῷ περὶ εὐσεβείας.

(b) Similia Tzetzes *Chil.* xii. 355–8.

376 (M 343). Schol. in Aristoph. *Vesp.* 525:

ἔθος δὲ ἦν, ὁπότε μέλλοι ἡ τράπεζα αἴρεσθαι, ἀγαθοῦ δαίμονος ἐπιρροφεῖν, ὡς Θεόπομπός φησιν.

377. Stephanus Byz.:

Χαιρώνεια· πόλις πρὸς τοῖς ὅροις Φωκίδος. . . . κέκληται ἀπὸ Χαίρωνος. . . . τοῦτον δὲ μυθολογοῦσιν Ἀπόλλωνος καὶ Θηροῦς, ὡς Ἑλλάνικος ἐν δευτέρῳ ἱερειῶν Ἥρας ⟨　⟩ Ἀθηναῖοι καὶ ⟨οἱ⟩ μετ᾽ αὐτῶν ἐπὶ τοὺς ὀρχομενίζοντας τῶν Βοιωτῶν ἐπερχόμενοι καὶ Χαιρώνειαν πόλιν Ὀρχομενίων εἷλον.

378 (M iv. p. 643, post 1). Suidas:

ἔμπηρα· πεπηρωμένα. 'αἱ δὲ γυναῖκες ἔτικτον ἔμπηρα καὶ τέρατα. οἱ δὲ τῶν τετολμημένων σφίσι λήθην καταχέαντες ἧκον ἐς Δελφούς'.

379. Suidas:

παρ᾽ οὐδὲν θέμενος τοῦτο· ἀντὶ τοῦ καταφρονήσας, παρα-

---

1 Hoc Theopompi Chii non esse suspicatur M　　8 Θεόφραστος pro Θεόπομπος procul dubio cum Ruhnken et aliis scribendum est ; cf. Porphyrium *De Abstin.* ii. 21 et Photium s.v. κύρβεις　　10 Theopompo comico tribuit Kock op. cit. i. p. 753, Fr. 76　　17–19 Ἀθηναῖοι . . . εἷλον, quae Hellanici esse non possunt, Theopompo tribuit Müller Orchom. p. 416 ; lacunam post Ἥρας indicavit Meineke　17 ⟨οἱ⟩ suppl. Müller　μετ᾽ αὐτῶν R V : μετ᾽ αὐτοὺς Ald.　　18 ἐπερχόμενοι Meineke : ἐπ᾽ ἐρχομένοις codd., ἐφορμώμενοι Müller　Ὀρχομενίων : ὀρχομενῶν codd.　　20 Theopompi Epit. Hdt. tribuit Wesseling Hdt. i. 167, Aeliano Bernhardy cum Hemsterhuis coll. Suida s.v. Κορνοῦτος　24 Theopompo tribuerunt A. Heitz et Bünger

10*

THEOPOMPI

λογισάμενος. 'τὰς σπονδὰς πατήσας καὶ τοὺς ὅρκους παρ'
οὐδὲν θέμενος Ἀλέξανδρος Πελοπίδαν καθείρξας ἐφρούρει'.
Cf. Diodor. xv. 71. 2.

380 (M iv. p. 643, post 1). Suidas:

κατεχόρδησεν· ἀνεῖλεν, ἐξηνάριξεν· 'εἶτα τῶν φρενῶν 5
ἐξέπλευσε, καὶ μανεὶς ἑαυτὸν μαχαίρᾳ κατεχόρδησε'.

381 (M 344). Theod. Metochita *Miscell. Philosoph. et
Hist.* c. 116:

Θεόπομπος ὁ ἱστορικὸς ἀποσκώπτων εἰς τοὺς Λακεδαι-
μονίους εἴκαζεν αὐτοὺς ταῖς φαύλαις καπήλισιν αἳ τοῖς 10
χρωμένοις ἐγχέουσαι τὴν ἀρχὴν οἶνον ἡδύν τε καὶ εὔχρηστον
σοφιστικῶς ἐπὶ τῇ λήψει τἀργυρίου μεθύστερον φαυλόν τινα
καὶ ἐκτροπίαν καὶ ὀξίνην κατακιρνῶσι καὶ παρέχονται· καὶ
τοὺς Λακεδαιμονίους τοίνυν ἔλεγε τὸν αὐτὸν ἐκείναις τρόπον
ἐν τῷ κατὰ τῶν Ἀθηναίων πολέμῳ τὴν ἀρχὴν ἡδίστῳ 15
πόματι τῆς ἀπ' Ἀθηναίων ἐλευθερίας καὶ προγράμματι καὶ
κηρύγματι τοὺς Ἕλληνας δελεάσαντας ὕστερον πικρότατά
σφισιν ἐγχέαι καὶ ἀηδέστατα κράματα βιοτῆς ἐπωδύνου καὶ
χρήσεως πραγμάτων ἀλγεινῶν, πάνυ τοι κατατυραννοῦντας
τὰς πόλεις δεκαρχίαις καὶ ἁρμοσταῖς βαρυτάτοις καὶ πραττο- 20
μένους ἃ δυσχερὲς εἶναι σφόδρα καὶ ἀνύποιστον φέρειν καὶ
ἀποτιννύναι.

382 (M 324). Zonaras *Lex.*:

βιβλιοπώλην, οὐχὶ βιβλιοπῶλον λέγομεν· Θεόπομπος·
'τοὺς βιβιοπώλας λεύσομαι'. 25

383 (post 272 inserendum). Demetrius Περὶ ἑρμηνείας
240 (Spengel *Rhet. Graec.* iii. p. 314):

ὁ Θεόπομπος τὰς ἐν τῷ Πειραιεῖ αὐλητρίας καὶ τὰ πορνεῖα
καὶ τοὺς αὐλοῦντας καὶ ᾄδοντας καὶ ὀρχουμένους ... καίτοι
ἀσθενῶς εἰπὼν δεινὸς δοκεῖ. 30

4 Theopompi Epit. Hdt. tribuit Wesseling Hdt. vi. 75, Aeliano
Bernhardy cum Hemsterhuis coll. Ael. ἐξέπλευσεν   9 Historicum
falso pro comico nominatum esse probavit Wichers coll. Plutarch.
Lysand. c. 13, p. 440   23 Theopompo comico tribuerunt M et Kock
op. cit. i. p. 753, Fr. 77

CRATIPPI FRAGMENTA

1 (M 2). Dionys. Halic. *De Thucyd.* c. 16:

πολλὰ καὶ ἄλλα τις ἂν εὕροι δι' ὅλης τῆς ἱστορίας ἢ τῆς
ἄκρας ἐξεργασίας τετυχηκότα καὶ μήτε πρόσθεσιν δεχόμενα
μήτ' ἀφαίρεσιν, ἢ ῥᾳθύμως ἐπιτετροχασμένα καὶ οὐδὲ τὴν
5 ἐλαχίστην ἔμφασιν ἔχοντα τῆς δεινότητος ἐκείνης, μάλιστα
δ' ἐν ταῖς δημηγορίαις καὶ ἐν τοῖς διαλόγοις καὶ ἐν ταῖς ἄλλαις
ῥητορείαις. ὧν προνοούμενος ἔοικεν ἀτελῆ τὴν ἱστορίαν
καταλιπεῖν, ὡς καὶ Κράτιππος ὁ συνακμάσας αὐτῷ καὶ τὰ
παραλειφθέντα ὑπ' αὐτοῦ συναγαγὼν γέγραφεν, οὐ μόνον
10 ταῖς πράξεσιν αὐτὰς ἐμποδὼν γεγενῆσθαι λέγων, ἀλλὰ καὶ
τοῖς ἀκούουσιν ὀχληρὰς εἶναι. τοῦτό γέ τοι συνέντα αὐτὸν
ἐν τοῖς τελευταίοις τῆς ἱστορίας φησὶ μηδεμίαν τάξαι
ῥητορείαν, πολλῶν μὲν κατὰ τὴν Ἰωνίαν γενομένων, πολλῶν
δ' ἐν ταῖς Ἀθήναις, ὅσα διὰ λόγων καὶ δημηγοριῶν ἐπράχθη.
15 εἴ γέ τοι τὴν πρώτην καὶ τὴν ὀγδόην βύβλον ἀντιπαρεξετάζοι
τις ἀλλήλαις, οὔτε τῆς αὐτῆς ἂν προαιρέσεως δόξειεν
ἀμφοτέρας ὑπάρχειν οὔτε τῆς αὐτῆς δυνάμεως· ἡ μὲν γὰρ
ὀλίγα πράγματα καὶ μικρὰ περιέχουσα πληθύει τῶν ῥητορειῶν,
ἡ δὲ περὶ πολλὰς καὶ μεγάλας συνταχθεῖσα πράξεις
20 δημηγορικῶν σπανίζει λόγων.

2. Plutarchus *De Glor. Atheniens.* c. 1, p. 345 c–e:

ἂν γὰρ ἀνέλῃς τοὺς πράττοντας οὐχ ἕξεις τοὺς γράφοντας.
ἄνελε τὴν Περικλέους πολιτείαν καὶ τὰ ναύμαχα πρὸς Ῥίῳ
Φορμίωνος τρόπαια καὶ τὰς περὶ Κύθηρα καὶ Μέγαρα καὶ
25 Κόρινθον ἀνδραγαθίας Νικίου καὶ τὴν Δημοσθένους Πύλον

8 ⟨σοὶ⟩ αὐτῷ vel αὐτῷ ⟨σοὶ⟩ ci. Stahl   10 αὐταῖς codd., corr.
Reiske   14 ⟨διὰ⟩ διαλόγων Usener et Radermacher cum
Krueger

καὶ τοὺς Κλέωνος τετρακοσίους αἰχμαλώτους καὶ Τολμίδαν
Πελοπόννησον περιπλέοντα καὶ Μυρωνίδην νικῶντα Βοιωτοὺς
ἐν Οἰνοφύτοις, καὶ Θουκυδίδης σοι διαγέγραπται. ἄνελε τὰ
περὶ Ἑλλήσποντον Ἀλκιβιάδου νεανιεύματα καὶ τὰ πρὸς
Λέσβον Θρασύλλου καὶ τὴν ὑπὸ Θηραμένους τῆς ὀλιγαρχίας 5
κατάλυσιν καὶ Θρασύβουλον καὶ Ἀρχῖνον καὶ τοὺς ἀπὸ
Φυλῆς ἑβδομήκοντα κατὰ τῆς Σπαρτιατῶν ἡγεμονίας ἀνιστα-
μένους καὶ Κόνωνα πάλιν ἐμβιβάζοντα τὰς Ἀθήνας εἰς τὴν
θάλατταν, καὶ Κράτιππος ἀνήρηται.

3 (M 1). Pseudo-Plutarch. *X Orat. Vit.* p. 834 c–d :⁣ 10
μετὰ δὲ ταῦτα αἰτιαθεὶς [1] ἀσεβεῖν ὡς καὶ αὐτὸς τοὺς
Ἑρμᾶς περικόψας καὶ εἰς τὰ τῆς Δήμητρος ἁμαρτὼν μυστήρια,
(gloss. διὰ τὸ πρότερον ἀκόλαστον ὄντα νύκτωρ κωμάσαντα
θραῦσαί τι τῶν ἀγαλμάτων τοῦ θεοῦ καὶ εἰσαγγελθέντα,
ἐπειδὴ οὐκ ἠβουλήθη ὃν ἐξήτουν οἱ κατήγοροι δοῦλον ἐκδοῦναι, 15
διαβληθῆναι καὶ πρὸς τὴν αἰτίαν τῆς δευτέρας γραφῆς ὕπο-
πτον γενέσθαι· ἣν μετ᾽ οὐ πολὺν χρόνον τοῦ ἐπὶ Σικελίαν
στόλου συνέβη γενέσθαι, Κορινθίων εἰσπεμψάντων ⟨ ⟩
Λεοντίνους τε καὶ Αἰγεσταίους ἄνδρας, οἳ διαμελλόντων
βοηθεῖν αὐτοῖς τῶν Ἀθηναίων νύκτωρ τοὺς περὶ τὴν ἀγορὰν 20
Ἑρμᾶς περιέκοψαν, ὡς Κράτιππός φησι· πρὸς ἁμαρτὼν
μυστήρια) κριθεὶς ἐπὶ τούτοις ἀπέφυγεν ἐπὶ τῷ μηνύσειν
τοὺς ἀδικοῦντας.

---

[1] sc. Andocides

---

4 πρὸς Λέσβον] πρὸ Λέσβου ci. Bernardakis   6 Ἀρχῖνον Reiske :
ἄρχιππον codd.   13–22 Verba διὰ τὸ πρότερον ... μυστήρια glossam
ad ἁμαρτὼν μυστήρια esse ostenderunt Dübner et Westermann
15 ἐξήτουν] ἐζήτουν Emperius   18 Post εἰσπεμψάντων lacunam
statuit Westermann quam ex *Vit. Alcib.* c. 18 et Photii *Lex.* s.v.
Ἑρμοκοπίδαι suppl. ⟨τοὺς δράσοντας διὰ τοὺς Συρακουσίους ἀποίκους ὄντας.
οὗτοι οὖν τῶν ἐν Σικελίᾳ Ἑλλήνων ὑπὸ τῶν Συρακουσίων κακῶς διατεθέντων,
περὶ βοηθείας δὲ πεμψάντων⟩ Λεοντίνων τε καὶ Αἰγεσταίων ἄνδρας
19 διαμελλόντων Dübner : ἰδίᾳ μελλόντων codd.   21 πρὸς ἁμαρτὼν
Dübner : προσαμαρτὼν codd.

4 (M 3). Marcellinus *Vita Thucyd.* 32-3:

Δίδυμος δ' ἐν 'Αθήναις ἀπὸ τῆς φυγῆς ἐλθόντα βιαίῳ
θανάτῳ φησὶν ἀποθανεῖν· τοῦτο δέ φησι Ζώπυρον ἱστορεῖν ...
ἐγὼ δὲ Ζώπυρον ληρεῖν νομίζω λέγοντα τοῦτον[1] ἐν Θρᾴκῃ
5 τετελευτηκέναι, κἂν ἀληθεύειν νομίζῃ Κράτιππος αὐτόν.

---

[1] sc. Thucydidem

---

3 φησὶν ἀποθανεῖν] om. cod. Pal.   4 Θρᾴκῃ] 'Αττικῇ ci. Poppo
5 Κράτιππος] Ἕρμιππος ci. Meier

FRAGMENTORVM ORDO MVELLERIANVS CVM NOSTRO COMPARATVS

(a) Theompompi

M	G-H	M	G-H	M	G-H	M	G-H
1	1	37	35	74	73 (a)	111	101
2	2	38	36	75	73 (b)	112	318
3	3	39	37	76	74	113	315
4	4	40	38	77	272	114	354
5	5	41	39	78	75	115	102
6	350	42	326	79	76	116	275, 277
7	7	43	40	80	77	117	103
8	359	44	257 (c)	81	78	118	285
9	8	45	41	82	79	119	104
10	303	46	42	83	80	120	105
11	22 (c)	47	43	84	260	121	331
12	10	48	44, 45	85	256	122	107
13	11	49	46	86	81	123	109
14	12	50	47	87	83	124	110
15	14	51	48	88	82	125	283
15 a	13	52	49	89	85	126	111
16	15	53	50	90	86	127	112
17	16	54	51	91	87	128	113
18	17	55	52	92	88	129	114
19	18	56	53	93	20	130	115
20	19	57	55	94	89	131	116
21	21 (a)	58	56	95	90	132	117
22	21 (b)	59	57	96	91	133	118
23	22 (a) (b)	60	58	97	92	134	119
24	294	61	59	98	93	135	121
25	340	62	61	99	94	136	84
26	25	63	62	100	95	137	122
27	26	64	63	101	96	138	123
28	312	65	65	102	97	139	124
29	27	66	66	103	98	140	125 (a)-(d)
30	29	67	67	104	270	141	126
31	30	68	68	105	297	142	127
32	31	69	69	106	298	143	128
33	32	70	70	107	299	144	291
34	33	71	71 (a) (b)	108	301	145	129
35	271	72	71 (c)	109	99	146	130
36	34	73	72	110	100	147	131

M	G-H	M	G-H	M	G-H	M	G-H
148	132	198	175	247	213	297	267
149	133	199	176	248	214	298	268
150	134	200	177 (a)	249	217	299	358
151	135	201	348	250	192	300	284
152	136	202	349	251	334	301	282
153	137	203	178	252	219	302	353
154	138	204	179	253	220	303	324
155	139	205	169	254	221	304	327
156	140	206	180	255	222	305	329
157	141	207	181	256	223	306	330
158	142	208	328	257	224	307	332
159	230 (b)	209	182	258	288	308	333
160	143	210	183	259	225	309	336
161	144	211	302	260	226	310	337
162	145	212	184	261	227	311	338
163	146	213	187	262	228	312	339
164	347	214	186	263	229	313	341
165	147	215	304	264	345	314	342
166	120	216	311	265	230 (a)	315	13
167	148	217	252	266	231	316	290
168	149 (a)	218	188	267	232	317	276
169	149 (b)	219	189	268	233	318	278
170	269	220	191	269	234	319	280
171	321	221 a	193	270	235	320	281
172	373	221 b	194	271	236	321	274
173	206	222	195	272	313	322	289
174	150	223	196	273	237	323	352
175	156	224	197	274	238	324	382
176	151	225	198	275	239	325	369
177	152	226	185	276	243	326	253
178	153	227	199	277	244	327	254
179	154	228	200	278	245	328	364
180	155	229	262	279	247	329	365
181	157	230	293	280	248	330	366
182	240	231	263	281	249	331	367
183	241	232	355	282	375	332	308
184	360	233	292	283	314	333	309
185	161	234	201	284	343	334	310
186	162	235	202, 266	285	246	335	251
187	163	236	203	286	255	336	361
188	164	237	204	287	258	337	362
189	165	238	205	288	259	338	363
190	166	239	300	289	346	339	317, 319
191	167	240	279	290	351	340	320
192	168	241	325	291	295	341	374
193	170	242	207	292	296	342	316
194	171	243	208	293	305	343	376
195	172	244	209	294	306	344	381
196	173	245	211 (b)	295	264		
197	174	246	212	296	265		

FRAGMENTORVM ORDO

(b) Cratippi

INDEX AVCTORVM

INDEX NOMINVM

(Numeri Romani Hellenicorum Oxyrhynchiorum capita, numeri Arabici maiusculi Theopompi seu Cratippi fragmenta significant, Cratippum monstrante praemisso C)

INDEX NOMINVM

INDEX NOMINVM

INDEX NOMINVM

INDEX NOMINVM

INDEX NOMINVM

THEOP.   11*

INDEX NOMINVM

INDEX NOMINVM

INDEX NOMINVM

INDEX NOMINVM

INDEX NOMINVM

INDEX NOMINVM

Φάλαικος 360.
Φανόδημος 373 a.
Φανοτεῖς xiii 5.
Φάραξ ii 1 ; 188.
Φαρκηδών, Φαρκαδών 83.
Φαρνάβαζος ii 5 ; iv 1, 2, 3 ; xiv 1 ; xvi 1, 4, 5 ; xvii 3 ; 23.
Φαρσαλία 240.
Φαρσάλιος, Φαρσάλιοι 19 ; 51.
Φάρσαλος 57.
Φασηλίτης 25 b.
Φάυλλος 240 ; 360.
Φείδων 29.
Φεραῖος, Φεραῖοι 59 ; 215 ; 319.
Φερεκύδης 66 a, b, e. Pherecydes 66 d.
Φθιῶται 77 a.
Φιλιππικός, Φιλιππικά 22 a, b, c ; 31-4 ; 37 ; 38 ; 39 a, b ; 40 a ; 41 ; 43 ; 44 a, b ; 45 ; 47 ; 50 ; 53 ; 55 a ; 56-60 ; 64 ; 65 ; 68 ; 71 a ; 74 b ; 78 a ; 80-4 ; 88 a ; 89 a ; 90-2 ; 95 ; 98 a ; 99 ; 102 ; 103 a ; 107 a ; 110 ; 111 a ; 112 ; 113 ; 115 ; 116 ; 120 ; 123 ; 124 ; 126 ; 127 ; 129 ; 134 ; 137 ; 138 ; 143 ; 144-6 ; 148 ; 149 a ; 150 a, b ; 165 a ; 168 ; 169 ; 171 ; 173 ; 176 ; 178 ; 180-3 ; 186 ; 189 ; 190 ; 192 ; 194 ; 208 ; 211 a ; 212 ; 253 ; 279 ; 352 ; 368. Philippica 79.
Φίλιππος 26 ; 28 ; 32 ; 35 ; 41 ; 42 a, b ; 64 ; 72 ; 84 ; 89 ; 99 ; 100 ; 107 a ; 124 ; 153 ; 154 ; 158 ; 159 ; 165 a, d ; 201 ; 202 ; 210 ; 211 a ; 215 ; 217 a-d ; 228 ; 230 a ; 240-2 ; 246 ; 249 ; 266 ; 268 ; 282 ; 300 ; 344 ; 356 ; 368.
Φιλοκράτης 158.
Φιλόμηλος 240.
Φιλόχορος 30 ; 132 a ; 216 ; 307.
Φίλων 360.
Φλιασία 232.
Φλογίδας 303.
Φοῖβος Ἀπόλλων 360.
Φοίνικες iv 2.
Φοινίκη xvii 4.
Φορμίων 352 ; C 2.

Φρίξος 296.
Φρυγία vii 3 ; viii 1, 2 ; xvii 1 ; 12. Phrygia 75. Φρ. ἡ μεγάλη vii 1. Φρ. ἡ παραθαλαττίδιος xvii 3.
Φρύξ, Φρύγες xvi 3 ; 73 a ; 74 a ; 351.
Φύγελα 61 c. Cf. Πύγελα.
Φύλη C 2.
Φυσκίδας 240.
Φωκαεῖς 240.
Φωκεῖς xi 1 ; xiii 2-5 ; 77 a ; 240 ; 288 ; 345 ; 360.
Φωκικός 345.
Φωκίς xiii 5 ; 377.

Χαβρίας 103 a. Chabrias 103 b.
Χαίρων 377.
Χαιρώνεια xi 3 ; 228 ; 229 ; 345 ; 377.
Χαλία 204.
Χάλιοι 204.
Χάλκη, Χάλκαι 34 ; 47.
Χαλκηδών 7.
Χαλκιδεῖς 124 ; 133 ; 140 ; 147 ; 204 ; 255 a.
Χαλκιδική 150 a, b ; 255 b.
Χαονία 261 a. Chaonia 261 b.
Χάρης 103 a ; 205 ; 241. Chares 103 b.
Χαρίδημος 139 ; 165 a.
Χειρικράτης xiv 1 ; xvii 4.
Χερσοννησίτης 280.
Χίλων (?) i 3 ; iii 1, 2 (Μίλων cod.).
Χῖος, Χῖοι 5 ; 6 a ; 22 b ; 24 b ; 28 ; 61 c ; 74 a ; 102 ; 111 b ; 119 a ; 125 d ; 158 ; 177 a ; 190 ; 210 ; 243 ; 245 a ; 247 ; 264 ; 265 ; 320 c.
Χρέμης 97.
Χρύση 233.
Χρυσόπολις 7.
Χυτρόπολις 134.
Χυτροπολίτης 134.

Ὠγύιον ὄρος 74 d.
Ὠκεανός 74 a.
Ὠρείτης 139.
Ὠρεός 347.
Ὠρομάσδης 71 a.
Ὠρωπός 13 ; 185.